Ferdinand Piëch

Als Hausschwein geboren, als Wildschwein aufgewachsen, als Boß bei VW gefürchtet.

Rolf E. B

Griff sich den falschen Partner für die Deutsche Bank und hat Probleme mit den Vorstandskollegen.

Dormann

Der »hoechst« radikale Konzernbastler vergrätzt Belegschaften, Aktionäre und Fiskus.

Albrecht Schmidt

Nach HypoVereinsbank-Fusion mit Hilfe des Staatsanwalts Gegner und Rivalen ausgeschaltet.

Heinrich von Pierer

Betriebe verkauft, Belegschaften verkleinert – und dennoch mit Siemens erfolglos geblieben.

Gerhard Cromme

Mit einem dreisten Manöver den Duzfreund und Konkurrenten bei der Thyssen-Krupp-Fusion ausgeschaltet.

GÜNTER OGGER **_Macher im Machtrausch_**

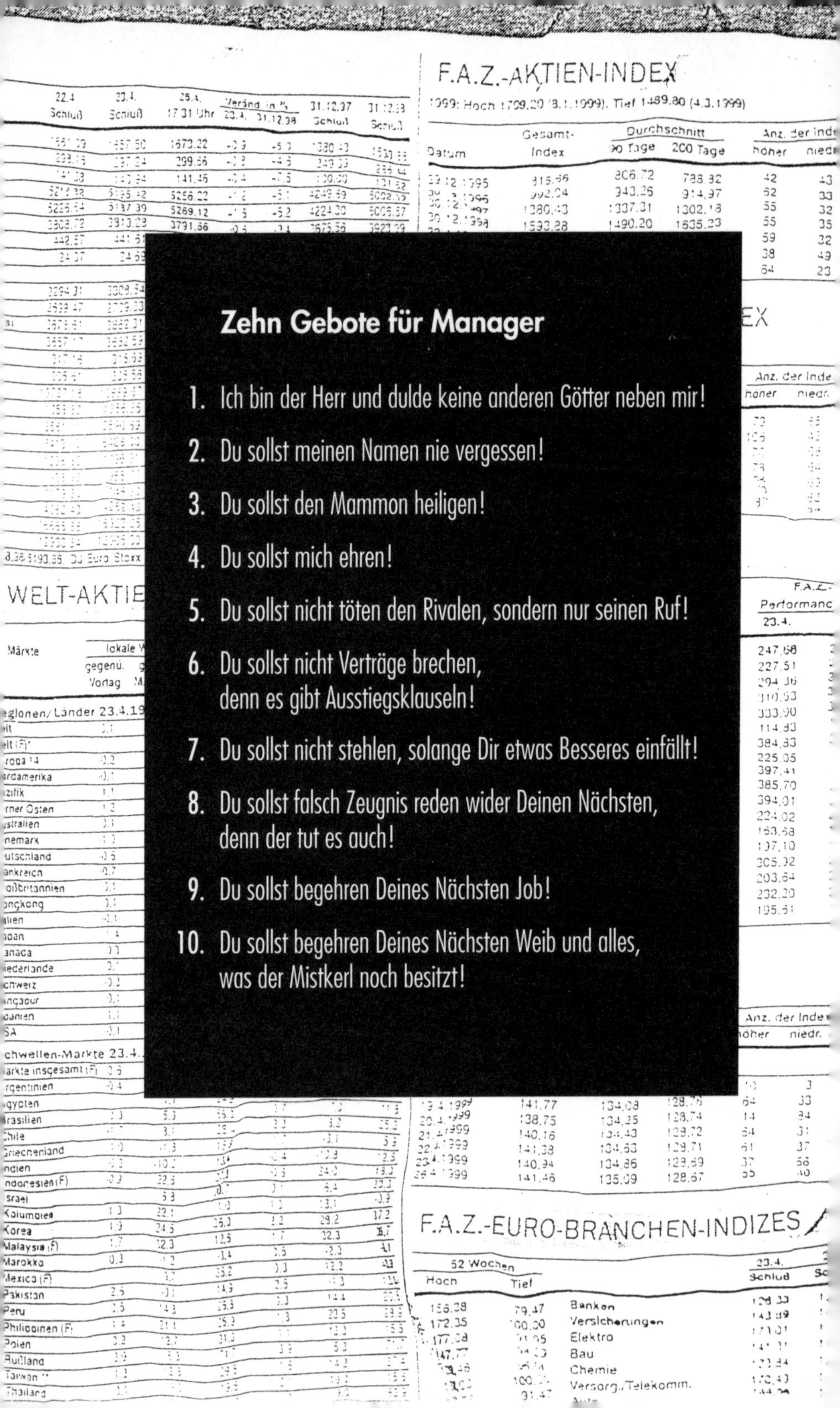

Zehn Gebote für Manager

1. Ich bin der Herr und dulde keine anderen Götter neben mir!
2. Du sollst meinen Namen nie vergessen!
3. Du sollst den Mammon heiligen!
4. Du sollst mich ehren!
5. Du sollst nicht töten den Rivalen, sondern nur seinen Ruf!
6. Du sollst nicht Verträge brechen, denn es gibt Ausstiegsklauseln!
7. Du sollst nicht stehlen, solange Dir etwas Besseres einfällt!
8. Du sollst falsch Zeugnis reden wider Deinen Nächsten, denn der tut es auch!
9. Du sollst begehren Deines Nächsten Job!
10. Du sollst begehren Deines Nächsten Weib und alles, was der Mistkerl noch besitzt!

Günter Ogger

Macher im Machtrausch

Deutschlands Manager auf gefährlichem Kurs

DROEMER

Fotos Vorsatzblatt *(von links nach rechts):*

obere Reihe: Süddeutscher Verlag/variopress;
Süddeutscher Verlag/LaSa/Laurence Chaperon;
Süddeutscher Verlag/imo; Süddeutscher Verlag/Lothar Kucharz;
Süddeutscher Verlag/Rainer Unkel; Süddeutscher Verlag/imo
untere Reihe: Süddeutscher Verlag/Rainer Unkel (4 x);
Süddeutscher Verlag/variopress; Süddeutscher Verlag/imo

Die Folie des Schutzumschlags sowie die Einschweißfolie
sind PE-Folien und biologisch abbaubar.
Dieses Buch wurde auf chlor- und säurefreiem Papier gedruckt.

Besuchen Sie uns im Internet:
www.droemer-knaur.de

Umschlaggestaltung: Agentur ZERO, München
Umschlagfotos: Mauritius, Mittenwald
Satz: Brigitte Apel, Hannover
Umbruch: Ventura Publisher im Verlag
Druck und Bindung: Franz Spiegel Buch GmbH, Ulm
Printed in Germany
ISBN 3-426-27167-2

5 4 3 2 1

Inhalt

Einleitung

Als ich Deutschlands Manager einst zu »Nieten in Nadelstreifen« beförderte, ahnte ich nicht, was ich damit anrichten würde. Diese Streitschrift, ursprünglich nur für einen kleinen Kreis interessierter Leser gedacht, avancierte zum meistgelesenen Wirtschafts-Sachbuch der Nachkriegszeit. Fortan grüßte mich zwar mein Banker freundlicher, doch mein Bekanntenkreis begann an Auszehrung zu leiden. Mancher Manager wechselte sogar die Straßenseite, wenn er mich kommen sah, und ich rätselte stets, ob er beleidigt war, weil er im Buch Erwähnung gefunden hatte – oder weil er nicht darin vorkam.

In der den Helden aus den Chefetagen innig verbundenen Wirtschaftspresse hagelte es Verrisse, und die *Zeit* bemühte gar den großen Roland Berger, um das Buch in den Boden zu stampfen. Meine Leser freilich störte dies nicht, und der Titel wurde zum geflügelten Wort, wenn es galt, die Urheber der Wirtschaftskrise dingfest zu machen, die kurz nach Erscheinen des Buches einsetzte.

Inzwischen sind mehr als sieben Jahre vergangen, und die Führungsmannschaft der Deutschland AG hat sich so gründlich verändert wie die Nationalelf des DFB. Kaum eine jener von mir geouteten »Nieten« überstand die Rezession auf ihrem Posten, denn es passierte das, was ich 1992 bereits angekündigt hatte: Die Aktionäre, allen voran die Profis von den Investmentfonds, machten Druck aufs Management.

Aus Sorge um ihre Jobs wie aus der Einsicht in die Notwendigkeit radikaler Reformen rissen die Nachfolger der »Nieten« das Steuer herum und begannen mit Brachialgewalt, ihre Unternehmen fit zu trimmen für den globalen Wettbewerb.

Über eine Million Mitarbeiter verloren ihre Jobs, und auch viele Führungskräfte sahen sich plötzlich, sozialverträglich abgefunden, beim Headhunter oder gar auf dem Arbeitsamt wieder. Wie ein Hurrikan fegte die »Reengineering«-Welle über Deutschlands Betriebe hinweg, verwüstete die in Jahrzehnten gewachsenen Strukturen und Arbeitsabläufe und beutelte selbst Traditionskonzerne wie Daimler-Benz, Hoechst oder Deutsche Bank derart, daß sie hinterher nicht wiederzuerkennen waren. Kein Stein blieb auf dem anderen, kein Organigramm und keine Telefonliste hatten Bestand.

Die Revolution fand unter Ausschluß der Öffentlichkeit statt. Zur Kenntnis genommen wurde das, was sich hinter den Werkstoren abspielte, allein von den Betroffenen und ihren Familien. Die Medien meldeten zwar ständig steigende Arbeitslosenzahlen, doch die Tragödien in den Betrieben erschütterten die Nation weniger als eine Niederlage von Bertis Buben.

Kaum waren die Unternehmen »lean«, also schlank geworden, begannen die Manager ein neues Spiel. Es hieß »Benchmarking« und ging so: Jeder einzelne Unternehmensbereich wurde am jeweils Besten seiner Branche gemessen. Erreichte er dessen Vorgaben, durfte er bleiben, blieb er darunter, wurde er verkauft. Also wechselten in der Folge unzählige Betriebe oder Betriebsteile ihren Besitzer – mitsamt den Mitarbeitern, versteht sich. Niemand konnte heute sicher sein, von wem er morgen sein Gehalt bezog.

Sieger des grausamen Spiels blieben – natürlich – die Manager. Indem sie die Veränderung zum unabwendbaren Prinzip erklärten, behaupteten sie ihre Spitzenposition. Und je glaubwürdiger sie den Investoren – Aktionären und Gesellschaftern – höhere Renditen in Aussicht stellten, desto leichter fiel es ihnen, ihre Gehälter in die Höhe zu schrauben. Stars der Führungskräfte-Branche wie Jürgen E. Schrempp von DaimlerChrysler, Ferdinand Piëch von VW oder Jürgen Dormann von Hoechst avancierten zu Idolen der jungen, erfolgshungrigen Leistungsträger. In den Betrieben herrschte plötzlich wieder das altbewährte System von Befehl und Gehorsam. Vorbei war es mit der Unternehmensdemokratie, vorbei mit der auf Kooperation ausgerichteten »sanften« Führung.

Doch die Götterdämmerung hat bereits eingesetzt. Je zahlreicher die Krisensymptome einer beginnenden neuen Rezession hervortreten, desto deutlicher zeigt sich, daß die Erfolgsrezepte der vergangenen Jahre nicht mehr funktionieren. Auf breiter Front brechen die Gewinne ein, und in den Börsensälen rund um den Globus ist Ernüchterung

eingekehrt. Am Ende der Party, die das Vermögen der Aktionäre binnen sieben Jahren beinahe verdreifachte, hinterlassen die siegestrunkenen Manager der Gesellschaft einen Scherbenhaufen von ungeahnten Dimensionen.
Mit den Recherchen zu diesem Buch wollte ich herausfinden, ob tatsächlich nur der vielgeschmähte »Turbokapitalismus« und die angebliche »Globalisierungsfalle« für die Probleme unseres Landes verantwortlich sind oder ob nicht auch das Fehlverhalten unserer Führungskaste dazu beitrug, daß die Strukturen unserer Wirtschaft so fragil geworden sind. Und ich wollte dem Verdacht nachgehen, daß weniger objektive »Sachzwänge« als vielmehr das Machtstreben der Managerelite hinter dem radikalen Umbau der Unternehmenslandschaft steckt.

Dank sagen möchte ich allen, die mir bei den Recherchen und der Sichtung des umfangreichen Materials geholfen haben, vor allem meiner Frau Christin.

Günter Ogger
München, im Mai 1999

1. Kapitel

Auf gefährlichem Kurs

Sie haben uns reich gemacht. Haben die Aktienkurse explodieren lassen und den Börsenwert ihrer Unternehmen vervielfacht. Haben aus scheinbar aussichtsloser Position den Vorsprung ausländischer Konkurrenten aufgeholt. Haben die deutsche Wirtschaft wieder aufs Siegertreppchen gebracht.

Deutschlands Manager, ehedem nicht ohne Grund als »Nieten in Nadelstreifen« verspottet, sind sieben Jahre nach ihrer schwersten Imagekrise mächtiger denn je. Anders als die von Koalitionshändeln gelähmten und von der Opposition gebeutelten Regenten in Bund und Ländern, machen unsere Firmenführer täglich vor, was eine starke Hand zu bewirken vermag, wenn sie zielstrebig ins Geschehen eingreift.

Erst trimmten sie, unter dem Druck der Konkurrenz aus Fernost und den USA, ihre Firmen fit, indem sie die Belegschaften ausdünnten, die Arbeitsabläufe effizienter organisierten, die Fertigungstiefe reduzierten, alle nicht betriebsnotwendigen Vermögenswerte abstießen und sich auf ihre Kerngeschäfte konzentrierten. So steigerten Deutschlands Industrieunternehmen ihre Produktivität um 20 bis 35 Prozent und verbesserten die Rendite des eingesetzten Kapitals von kargen 4,9 auf stolze 12 Prozent (Stand: Ende 1997).

Einmal in Fahrt, drückten die ehrgeizigsten unter den Firmenlenkern immer weiter aufs Gas. Angespornt von internationalen Vorbildern wie John F. Welch, der den verschlafenen US-Konzern General Electric innerhalb weniger Jahre zum profitabelsten und teuersten Großunternehmen der Erde gemacht hatte, begannen sie ihre Firmen durch Zu- und Verkäufe neu zu positionieren. Kaum eine Woche verging, in der nicht eine neue Übernahme, Fusion oder Kooperation gemeldet wurde. Wie im Rausch kauften und verkauften sie eine Firma nach der anderen, über alle Grenzen hinweg schmiedeten sie Allianzen, gründeten mit gleich starken Partnern Tochtergesellschaften und besetzten Schlüsselpositionen in den wichtigsten Wachstumsmärkten. Alles mit dem hehren Ziel, die Zukunft ihrer Unternehmen – und ihre eigene – zu sichern.

Stars der Führungskräftebranche wie Jürgen E. Schrempp von DaimlerChrysler, Ferdinand Piëch von VW oder Jürgen Dormann von Hoechst avancierten zu Idolen der deutschen Leistungsgesellschaft. Nicht nur die Aktionäre – jeder fünfte deutsche Haushalt hat mittlerweile Dividendenpapiere im Depot – jubelten ihnen zu, ganze Generationen leistungsbereiter Führungskräfte erkoren sich die Konzernlenker zu ihren Leitbildern. Der Managerjob, früher von eher zweifelhaftem Ruf, gewann durch die unbestreitbaren Erfolge seiner Protagonisten neue Attraktivität.

Doch das Eis, auf dem die Bosse ihren Spitzentanz um höhere Renditen und steigende Gagen aufführen, wird täglich dünner. Die Rationalisierungsreserven sind verbraucht, die Preise für Zukäufe lukrativer Firmen in abenteuerliche Höhen entfleucht. Je deutlicher die Krisensymptome einer Rezession hervortreten, desto klarer zeigt sich, daß die Erfolgsrezepte der vergangenen Jahre nicht mehr viel taugen. Auf breiter Front brechen die Gewinne ein, und in den Börsensälen ist Ernüchterung eingekehrt. Am Ende der Party stehen die Manager zwar als Sieger fest, doch sie hinterlassen der Gesellschaft einen Scherbenhaufen von ungeahnten Dimensionen.

Das »Wir«-Gefühl geopfert

Der Rationalisierungswut der Manager fielen über eine Million Arbeitsplätze zum Opfer. Die Mitarbeiter verloren ihre Jobs und müssen nun von der Solidargemeinschaft der Sozialversicherten mit ernährt werden. Investiert wurde das neu verdiente Kapital nicht mehr im Inland, sondern jenseits der Grenzen, wo die Löhne niedrig und die Soziallasten gering sind. Gleichzeitig versuchten die Firmen ihre Steuerzahlungen zu minimieren, indem sie Gewinne in Oasenländern abschöpften und Verluste in Deutschland verbuchen ließen. Obwohl die Wirtschaft prächtig florierte, sank deshalb der Anteil der Unternehmenssteuern am gesamten Steueraufkommen der Nation in den neunziger Jahren dramatisch ab, während die von den Arbeitnehmern abkassierten Lohnsteueranteile sprunghaft zunahmen. Die Arbeitnehmer zahlten also den Preis für die Erfolge der Manager. Und deren Erfolge, das zeigt sich immer deutlicher, haben nicht selten die Lebensdauer von Eintagsfliegen. Die durch die Restrukturierungsprogramme erzielten Gewinne stellten sich nicht nachhaltig ein, sondern bröckelten wieder ab, sobald die Einspareffekte verpufft waren. Und nicht wenige Unternehmen, darunter Riesenkonzerne wie Siemens oder Hoechst, kamen wegen ständigen Reformierens nicht mehr zum Geldverdienen. Dauerhaft indes waren die Schäden, die der Kahlschlag beim Betriebsklima angerichtet hatte.

Die ausgepowerten Restbelegschaften mußten sich nicht nur an ständig wechselnde Arbeitszeiten und -abläufe gewöhnen, die verschärften Zeitvorgaben erfüllen und auf reale Lohnzuwächse verzichten – sie hatten sich auch damit abzufinden, daß sie mitsamt dem Inventar verscherbelt wurden, wenn es dem Management gerade ins Konzept paßte.

Nichts und niemand war vor dem Tatendrang der deutschen Führungskräfte sicher, und selbst die Mitarbeiter grundsolider Firmen wie Daimler-Benz, Siemens, Hoechst oder Thyssen taten gut daran, sich ab und zu zu vergewissern, daß sie am Abend noch von jenem Arbeitgeber ihren Lohn bekamen, bei dem sie morgens angetreten waren.

Konzernbaumeister wie Heinrich von Pierer (Siemens) oder Jürgen Dormann (Hoechst) fanden nichts dabei, die in Jahrzehnten gewachsenen Strukturen ihrer Unternehmen zu zerschlagen und Zehntausende Mitarbeiter »auszugliedern«. Jürgen E. Schrempp gar opferte die legendäre Betriebstreue und das unverbrüchliche »Wir-Gefühl« seiner Daimlerianer auf dem Altar eines transatlantischen Konzernkonstrukts, von dem noch höchst zweifelhaft ist, ob es je funktionieren wird.

Mitarbeiter ohne Engagement

Das Tempo der Veränderung, von wenigen Topmanagern vorgegeben, überforderte nicht nur die Belegschaften, sondern auch viele Manager. Indem sie die Hierarchien verkürzten und ganze Bereiche zwischen Abteilungsleitern und Geschäftsführern wegrationalisierten, nahmen Großunternehmen aus dem Maschinenbau, der Chemie, der Elektro-, Automobil- und Stahlindustrie dem Mittelmanagement jede berufliche Perspektive. Zehntausende mehr oder weniger gut qualifizierter Führungskräfte, die sich zuvor für unentbehrlich gehalten hatten, fanden sich plötzlich auf dem Arbeitsamt oder beim Headhunter wieder. Mit den Leitenden freilich ging den Firmen auch deren Know-how verloren, und das brachte nicht wenige von ihnen in Bedrängnis, als die Konjunktur wieder ansprang und die Produktionsanlagen bis zur Kapazitätsgrenze ausgelastet waren.

Noch viel verheerender wirkte sich der Kahlschlag bei den Belegschaften aus. Beinahe jeder zweite Mitarbeiter eines deutschen Unternehmens, das fand der Münchner Wirtschaftssoziologe Dieter Frey heraus, hat innerlich gekündigt. Genervt von den immer neuen Direktiven aus der

Chefetage und den ständig steigenden Anforderungen, verabschiedete sich praktisch die Hälfte der deutschen Arbeitnehmer in die innere Emigration.
Sie versuchen, nicht aufzufallen, ihren Vorgesetzten keinen Grund zur Kündigung zu liefern, bringen aber keinerlei Engagement für ihre Tätigkeit auf, da sie in der ständigen Furcht leben, eines Tages nicht mehr gebraucht und entweder entlassen oder verkauft zu werden. Mit solchen Mitarbeitern freilich sind kaum Spitzenleistungen zu erzielen, und schon deshalb scheitern so viele Restrukturierungsprogramme. Nach Untersuchungen der Unternehmensberater von McKinsey und A. T. Kearny führen solche Programme nur bei jedem dritten Unternehmen zu dauerhaft besseren Ergebnissen, bei einem weiteren Drittel sind kurzfristige Erfolge zu beobachten, und der Rest erzielt trotz hoher Aufwendungen kaum spürbare Verbesserungen.
Selbst dann, wenn ein solches Reorganisationsprogramm, das viel Geld, Zeit und Energie absorbiert, Erfolg hat, geht dieser Erfolg nicht selten zu Lasten der Kunden. Einige Automobilhersteller zum Beispiel hatten im Zuge ihrer Restrukturierungsmaßnahmen mit erheblichen Qualitätsproblemen zu kämpfen. Bei Porsche, einst gerühmt für untadelige Qualitätsarbeit, machten zahlreiche Käufer des jüngsten 911-Modells ihrem Ärger über fehlerhafte Elektronik, defekte Wasserpumpen oder Risse im Kurbelgehäuse Luft, und Fahrer des preiswerteren Boxster-Modells klagten über defekte Zündschlösser sowie billig wirkendes und schlampig verarbeitetes Plastikinterieur. Und auch

Mercedes, schon wegen der blamablen Vorstellung der A-Klasse beim Elch-Test aufgefallen, kam wegen diverser Mängel beim Miniauto Smart wie beim Kleintransporter Vito nicht aus den Schlagzeilen. Ganz zu schweigen von Opel, wo nahezu alle Modellreihen unter Qualitätsmängeln zu leiden hatten, was sich in sinkenden Marktanteilen bemerkbar machte.

So zwiespältig die Ergebnisse der Restrukturierungswelle waren, die über Deutschlands Firmen hinwegbrandete, so zweifelhaft erscheinen aus heutiger Sicht Sinn und Zweck des noch immer heftig grassierenden Fusionsfiebers. Längst ist nämlich erwiesen, daß nahezu jede zweite Firmenehe scheitert, weil sich die neuen Partner nicht vertragen und deshalb die erhofften betriebswirtschaftlichen Ziele nicht erreichen.

Managers Modetorheiten

Überstürzt getätigte Zukäufe stiften in der Regel mehr Unruhe als Nutzen, sie entpuppen sich allzuoft als Quell ständiger Verluste und werden dann – aber meist Jahre zu spät – zu Ramschpreisen verhökert. Als Jürgen Dormann zum Beispiel noch Finanzchef beim Chemiekonzern Hoechst war, redete er seinem Vorstandsvorsitzenden Wolfgang Hilger ein, unbedingt die amerikanische, auf Fasern und Kunststoffe spezialisierte Chemiefirma Celanese zu kaufen. Wenige Jahre später beschloß der zum Vorstandsvorsitzenden aufgestiegene Dormann, sich von Celanese und der gesamten Chemie zu trennen, weil er nun sein Heil in der Konzentration aufs Pharmageschäft sah.

Dem Prinzip »Rein-in-die-Kartoffeln-raus-aus-den-Kartoffeln« huldigten die Manager von Siemens ebenso wie jene der Deutschen Bank und des Handelskonzerns Metro. Siemens-Chef Heinrich von Pierer, der erst Milliardenbeträge in Chip-Fabriken und Computerfirmen investiert hatte, beschloß 1998 plötzlich die Trennung vom gesamten Halbleitergeschäft und verkaufte Unternehmensteile mit insgesamt 17 000 Mitarbeitern. Die Deutsche Bank erstand unter dem Regiment des glücklosen Vorstehers Hilmar (»Peanuts«) Kopper die britische Investmentboutique Morgan Grenfell und brüskierte dann ihre eigenen, in Frankfurt stationierten Investmentbanker, indem sie das gesamte Investmentgeschäft nach London verlegte, nur um wenig später festzustellen, daß es nicht funktionierte.
Kopper-Nachfolger Rolf E. Breuer korrigierte die Beschlüsse seines Vorgängers und machte aus den Londoner Investmentstars wieder biedere Frankfurter Deutschbankiers. Nicht viel besser erging es Metro-Chef Erwin Conradi, der das einstige Cash & Carry-Unternehmen durch permanente Zukäufe (Asko, Kaufhof, Kaufhalle, Vobis etc.) zu Europas größtem Handelskonzern aufgeblasen hatte. Als er dann feststellen mußte, daß die Rendite mit zunehmender Größe nicht wuchs, sondern schrumpfte, trennte er sich schlagartig von zahlreichen Tochtergesellschaften mit einem Umsatzvolumen von 16 Milliarden Mark.
Erhebt sich die Frage: Wozu das ganze Theater? Weshalb fangen etwa zur gleichen Zeit Manager überall in der Welt an, das gleiche zu tun? Nach vielen Gesprächen mit Aufsichtsräten, Vorständen, Aktionären, Unternehmensbera-

tern gelangte ich zu der Überzeugung, daß Manager mindestens ebenso abhängig von Modeströmungen sind wie Teenager oder Hausfrauen. War es chic, ein nach Funktionen – etwa Entwicklung, Produktion, Verkauf – gegliedertes Unternehmen in einzelne »Divisions« zu zerlegen, wie das von McKinsey in den siebziger Jahren propagiert wurde – nun, dann folgten nahezu alle Konzerne dem Trend, ob das nun Sinn machte oder nicht.
Und als in den USA Konglomerate aus Firmen der verschiedensten Branchen entstanden wie ITT, LTV oder Litton, begannen plötzlich auch unsere heimischen Konzernlenker zu diversifizieren. Es war die Zeit, da Stromlieferanten Maschinenbaufirmen kauften, Stahlkocher Gefallen an Softwarehäusern fanden und Autokonzerne nach Rüstungs- und Flugzeugfirmen Ausschau hielten. Mit dem Einkauf in fremde Branchen glaubten Konzernstrategen wie Edzard Reuter von Daimler, Werner Dieter von Mannesmann oder Rudolf von Benningsen von der Veba, ihr Geschäftsrisiko vermindern und allezeit gleichmäßig hohe Gewinne ausweisen zu können.

Kuckuckseier mit Verlust verkauft

Als sich zeigte, daß die Idee, so schön sie in der Theorie aussah, in der Praxis versagte, weil die Herren Manager mit der Vielfalt ihrer Geschäfte schlicht überfordert waren, nahte gottlob bereits die nächste Welle. Die hieß »Downsizing« und schrieb das genaue Gegenteil vor: Konzentration auf die Kerngeschäftsfelder statt uferloser Ausweitung der Aktivitäten. Also verkaufte man die zuvor für teures Geld angeschafften Kuckuckseier wieder, notfalls mit Verlust, und beschränkte sich auf jene Tätigkeiten, die man einigermaßen beherrschte. Bei Daimler begann man also wieder, gute Autos zu bauen, und ließ den Fokker-Vogel, wenn er schon nicht fliegen wollte, abstürzen.

Parallel dazu entdeckten unsere mit strategischem Weitblick gesegneten Industriekapitäne ein Führungsprinzip, das in japanischen Fabriken schon seit den fünfziger Jahren Einzug gehalten hatte: das sogenannte Lean Management. Wie der Name (Schlankes Management) sagt, geht es darum, eine Firma mit möglichst wenig Leuten am Laufen zu halten. Man gibt sich nicht mehr mit der gesamten Wertschöpfungskette ab, sondern beschränkt sich auf wenige Schlüsselfunktionen. Eine Autofirma zum Beispiel stellt nur noch den Motor, das Fahrwerk und die Karosserie selbst her, den Rest läßt sie sich von fremden Partnern direkt ans Band liefern.

Kaum hatten sich die deutschen Firmen, konsequent wie in keiner anderen Volkswirtschaft, schlank gehungert – die sechs Millionen Arbeitslosen ernährt ja der Staat –, da erschien den geplagten Vorständen bereits wieder ein neues Schreckgespenst. Es trug den kryptischen Namen »Shareholder-Value« vor sich her und verlangte kategorisch etwas, das unsere tapferen Topmanager anfangs als arge Zumutung empfanden: daß sie bei allen ihren Geschäften auch ein wenig an die Aktionäre denken sollten.

Doch schnell begriffen sie, daß das Gespenst durchaus ernst zu nehmen war, denn es verfügte über eine wirksame Waffe – den sofortigen Kapitalentzug. Das ging ans Portepee und, schlimmer noch, gar ans Portemonnaie. Prompt zeigten sie sich erneut als gelehrige Schüler ihrer selbstgewählten Vorbilder aus den USA und überlegten, wie denn nun, da ihre Firmen schlank und effizient geworden waren, das Aktionärsvermögen weiter gesteigert werden könnte. Und so entdeckten sie, auf zarten Wink von McKinsey und Company, die Portfolio-Strategie.

Pure Lust am schnellen Wachstum

Masche hin, Masche her, im Kern machte die Sache Sinn: Man verkauft jene Konzernteile, in denen nur geringe Gewinne erwirtschaftet werden, und legt sein Geld dort an, wo die höchsten Renditen winken. Der Unternehmer handelt in diesem Fall also ähnlich wie der Manager eines Investmentfonds, der sein Portfolio laufend umschichtet. Aus einem Elektrokonzern kann so leicht, wie das Beispiel General Electric beweist, eine Bank mit angeschlossener Elektroabteilung werden (aber das hatten wir ja bei Siemens auch schon ähnlich). Klar, daß man in einem Investmentfonds nach so altmodischen Dingen wie Betriebstreue, Wir-Gefühl oder auch nur einer Firmenidentität (der sogenannten Coporate Identity) vergebens sucht. Egal, die dynamischsten unter unseren Firmenlenkern machten sich auf, den Shareholder-Value zu mehren, und schreckten dabei vor nichts und niemandem zurück. Sie kauften und verkauften, fusionierten und globalisierten, bis die vielen Unternehmensberater und -makler, Investmentbanker und Fondsmanager, die ihnen das alles eingeredet hatten, richtig reich geworden waren.

Dumm nur, daß alle zur gleichen Zeit das gleiche vorhatten. Die Preise für rentable Firmen zischten schneller ab als Schumis Ferrari, so daß sich die Herren Portfolio-Strategen allzu häufig mit nicht ganz so rentablen Unternehmen bescheiden mußten. Und so was hatten sie ja vorher schon im Portfolio gehabt. Bei näherem Hinsehen entpuppte sich so die großartige Globalstrategie nicht selten als eine interessante Methode zur Vernichtung von Shareholder-Value.

Mitunter aber bestimmten sowieso ganz andere Gründe die strategische Entscheidung. BMW zum Beispiel befand sich in einer gegenüber den meisten Wettbewerbern hervorragenden Position, als der Vorstand 1994 beschloß, eine Chance zum Zukauf der britischen Firma Rover zu nutzen und dabei den japanischen Konkurrenten Honda auszumanövrieren. Nicht der Druck irgendwelcher Wettbewerber zwang den gerade frisch installierten Vorstandschef Bernd Pischetsrieder zu dem, wie sich hinterher herausstellte, höchst riskanten, den Bestand des Konzerns gefährdenden Manöver, sondern die pure Lust am schnellen Wachstum. Auf einen Schlag wollte er den klassischen Nischenanbieter BMW zum weltweit agierenden Vollsortimenter im Autogeschäft machen und dabei die gesamte Konkurrenz ausbremsen. Daß er sich mit dem Zukauf nichts als gewaltige Probleme einhandelte, wollte der Ober-Bayer in der Münchner Konzernzentrale bis zuletzt nicht zugeben.

Ähnlich dickköpfig pflegen all die anderen Firmenaufkäufer und Restrukturierer auch dann noch an ihren Visionen festzuhalten, wenn diese von der Wirklichkeit längst widerlegt wurden. Als ob sie fürchteten, mit dem Nimbus ihrer Unfehlbarkeit auch ihren Job zu verlieren, verteidigen die gescheiterten Strategen ihre Feldzüge bis zum bitteren Ende, ganz wie einst der »größte Feldherr aller Zeiten«.

Das »magische Dreieck« verlassen

Tatsächlich aber sind diese Ideen und Konzepte noch nicht einmal Ausdruck einer originären Strategie oder eigenen Überzeugung. Denn zu sehr ähneln sich die Schachzüge der deutschen Konzernlenker, als daß sie das Ergebnis eigenen Nachdenkens sein könnten. Fast immer sitzen die Ideenlieferanten und Stichwortgeber nicht in den Vorständen, sondern in den Chefbüros der weltweit agierenden Unternehmensberatungsgesellschaften. Schon immer waren die deutschen Unternehmensführer anfällig für Ideen aus dem Repertoire ihrer amerikanischen Vorbilder, doch so gehorsam wie die Schrempps, von Pierers und Dormanns folgte noch keine Managergeneration den Einflüsterungen aushäusiger Berater. Consultants wie McKinsey, Arthur Andersen, Boston, Roland Berger oder Mercer International sind denn auch die wahren Stichwortgeber für die Umstrukturierung der deutschen Großunternehmen. Im Verein mit den immer mächtiger werdenden Analysten internationaler Großbanken und Investmentgesellschaften entwarfen die – meist amerikanischen – Beraterkonzerne jene Strukturen und Konzepte, die heute das Bild der deutschen Wirtschaft prägen.
Hinter der jüngsten Modetorheit scheint noch ein bißchen mehr zu stecken. Indem sie den Shareholder-Value aufs

Schild hoben, verließen die angestellten Manager zum ersten Mal in der Nachkriegsgeschichte die Mitte des »magischen Dreiecks« (so Daimler-Chef Jürgen E. Schrempp), dessen drei Eckpunkte die Mitarbeiter, die Arbeitgeber und die Kunden bilden. Der einseitige Pakt, den die Manager mit den Anteilseignern, also den Aktionären (Shareholder) und Gesellschaftern, schlossen, richtet sich nämlich fast zwangsläufig gegen die übrigen Mitspieler beim Wirtschafts-Monopoly, und das haben sowohl die Kunden als auch die Mitarbeiter bereits nachdrücklich zu spüren bekommen.

Die Bevorzugung der Kapitalgeber hatte für das Topmanagement der deutschen Unternehmen zunächst nur Vorteile. Schließlich werden die Vorstände mit der Mehrheit der Kapitaleigner vom Aufsichtsrat bestellt, und die Öffentlichkeit mißt ihre Leistungen in erster Linie an den Gewinnen und nicht etwa an der Zufriedenheit von Kunden und Mitarbeitern. Daß es den Bossen der deutschen Großunternehmen in den letzten Jahren gelang, ihre Gewinne ganz beträchtlich zu erhöhen, hat freilich vor allem damit zu tun, daß ihre Vorgänger der Steigerung der Shareholder-Values zu wenig Aufmerksamkeit gewidmet hatten. Im »rheinischen Kapitalismus« waren Massenentlassungen ebenso verpönt wie »feindliche Übernahmen«, es herrschte der soziale Konsens, und wer dagegen verstieß, den bestrafte das »Old-Boys-Network« mit Mißachtung. Ohne den Segen konfliktscheuer Großväter aus den Vorständen und Aufsichtsräten der beiden wichtigsten deutschen Finanzzentren, nämlich der Deutschen Bank und der Allianz

Versicherung, die wiederum in den Vorständen und Aufsichtsräten der wichtigsten Industrieunternehmen anzutreffen sind, aber endete jene Topmanager-Karriere in einer Sackgasse. Erst als die Konzerne zu groß wurden für den heimischen Kapitalmarkt, als sie anfingen, ihre Anleihen auf dem Euro-Markt in London und Luxemburg zu plazieren und ihre Aktien an den Börsen von New York und Chicago einzuführen, endete die rheinische Idylle. Als dann etwa zur gleichen Zeit die deutsche Sonderkonjunktur nach der Wiedervereinigung abflaute und der Zusammenbruch des Sowjetreichs die Globalisierung der Wirtschaft beschleunigte, da witterte die Generation der »Nieten in Nadelstreifen«-Nachfolger ihre große Chance.

Kunden in der Defensive

Unisono stellten sie sich auf die Seite der Aktionäre und holten zum großen Rundumschlag gegen Mitarbeiter und Kunden aus. Die Zeit war günstig für einen Kurswechsel, denn auch die deutschen Aktionäre gierten nach Dividenden und Kursgewinnen, während den Gewerkschaften wie den Verbraucherverbänden der Wind ins Gesicht blies. Aus Angst vor den Billiglöhnern in Polen, Tschechien und Ungarn, Südosteuropa und Südostasien beschieden sich die Gewerkschaften mit moderaten Tarifabschlüssen, und ihre Vertreter in den Aufsichtsräten schluckten aus Sorge um den Bestand der Unternehmen nahezu sämtliche Pläne zur Absenkung der Produktionskosten. In die Defensive gerieten mehr und mehr auch die Kunden, da die unaufhaltsam weiterrollende Konzentrationswelle die Zahl der

Anbieter ständig reduzierte. Die Vielzahl der Marken und Labels gaukelt einen Wettbewerb vor, der in Wahrheit auf nahezu allen wichtigen Märkten der Herrschaft einiger weniger Anbieter zum Opfer fiel.

Ihr Bündnis mit den Shareholdern erlaubte den Managern den Griff zum großen Geld. Zwar ließen sich die Führungskräfte der deutschen Wirtschaft auch früher schon ordentlich bezahlen, doch setzten die Spielregeln des Old-Boys-Networks ihrer Begehrlichkeit Grenzen. Sowohl die in den Aufsichtsräten vertretenen Gewerkschaftsbosse als auch die Abgesandten der Finanzkonglomerate wachten darüber, daß die Vorstandsbezüge im Rahmen des Schicklichen blieben.

Als Meßlatte galten stets die Gehälter, die die Deutsche Bank und die Allianz Versicherung ihren Vorständen bewilligte. Spätestens seit der Fusion der Daimler-Benz AG mit dem Chrysler-Konzern ist es mit der freiwilligen Selbstbeschränkung vorbei. Im Visier haben die deutschen Vorstände seither das Entlohnungssystem ihrer US-Kollegen, von denen es einige auf Jahreseinnahmen im dreistelligen Millionenbereich bringen. Das Argument der Großverdiener: Wenn wir schon durch unsere Leistung das Vermögen der Aktionäre vervielfachen, dann wollen wir in angemessener Weise daran partizipieren.

Schon lange lassen sich deshalb die Bosse der amerikanischen Wirtschaft nicht mehr bloß mit mehr oder weniger großzügigen Gehältern abspeisen, sondern mit Aktienbezugsrechten (Optionen) bezahlen. Die Vorstände des Chrysler-Konzerns brachten es so in den letzten Jahren auf jährliche Bezüge von 20 Millionen Mark und mehr, während sich ihre Kollegen in Stuttgart mit etwa einem Zehntel davon begnügen mußten. Wie selbstverständlich gelten im vereinigten Autoimperium des Jürgen E. Schrempp die amerikanischen Spielregeln. Und was in Stuttgart geht, das dürfte wohl bald auch in Wolfsburg, München oder Düsseldorf möglich sein.

Wie Faust und Mephisto

Damit aber sprengen die deutschen Manager nicht nur das soziale Gefüge, in das sie bisher eingebunden waren. Die Kaste der angestellten Konzernherren entwickelt sich vielmehr immer mehr zum eigentlichen Kraftzentrum der Republik.

Anders als in der Politik, wo die Macht der organisierten Interessengruppen und die knappen Mehrheitsverhältnisse die notwendigen Reformen bisher verhinderten, nutzten die deutschen Topmanager die Gunst der Stunde, um die Wirtschaftslandschaft total zu verändern. Auch wenn die Konzepte und Ideen für den Wandel von anderen entwickelt wurden, so gelten die Manager wenigstens nach außen hin als die großen Macher und Beweger in diesem Land.

Für die Wucht und das Tempo, mit dem leitende Angestellte wie Jürgen E. Schrempp und Ferdinand Piëch ihre Konzerne umkrempelten, gibt es nirgendwo im öffentlichrechtlichen Bereich eine Parallele. Tatsächlich ist der Handlungsspielraum der Konzernfürsten so groß wie nie zuvor. Da es in der Wirtschaft kaum noch beherrschende

Großaktionäre gibt, die die angestellten Manager an der kurzen Leine führen, können sich die Vorstände der Publikumsgesellschaften ihre Aufsichtsräte praktisch nach Belieben aussuchen. Eine ernsthafte Kontrolle der Entscheidungen des Managements findet in diesen Gremien fast nie statt, und mit der Opposition lästiger Aktionäre auf ihren Hauptversammlungen wurden die Vorstände bisher noch allemal fertig.

Die einzigen Gegner, die sie wirklich fürchten müssen, sitzen nicht im eigenen Haus, sondern in den Research-Abteilungen der internationalen Kapitalsammelstellen. Die Analysten der Banken, Investmentfonds, Pensionskassen, häufig mäßig bezahlte Bankkaufleute und Diplom-Volkswirte, entscheiden nämlich mit ihren Expertisen über die Richtung, in welche die internationalen Kapitalströme fließen.

Solange die Deutschland AG eine geschlossene Veranstaltung war, die sich zum großen Teil selbst mit Kapital versorgte, brauchten sich die Konzernherren wenig Gedanken über den Börsenkurs ihrer Aktien zu machen. Doch inzwischen hängen die meisten deutschen Publikumsgesellschaften am Tropf der internationalen Kapitalmärkte und sind deshalb mehr denn je auf das Wohlwollen von Aktionären und Kreditgebern angewiesen. Und die wollen erfreuliche Zahlen sehen. Über 90 Prozent des an den Börsen zirkulierenden Geldes wird nämlich von Profis verwaltet, für die die Steigerung des Shareholder-Values keine freundliche Geste, sondern pure Notwendigkeit ist. So sehen sich denn die scheinbar allmächtigen Herren der deutschen Wirtschaft, seit sie sich mit den Shareholdern verbündeten, ein wenig in der Rolle des Doktor Faustus, der sich mit Mephisto einließ.

»Großmannssucht und Habgier«

Die Strafen, die sie zu erwarten haben, wenn sie ihren Herrn und Meister, den Kapitalmarkt, enttäuschen, sind nicht von Pappe. Als Jürgen Dormann zum Beispiel eingestehen mußte, daß der Gewinn im vierten Quartal 1997 nicht ganz den Erwartungen entsprach, brach der Kurs der Hoechst-Aktie sofort um über 10 Prozent ein. Nicht viel besser erging es dem vom Erfolg verwöhnten Walldorfer Software-Hersteller SAP, der nach einem enttäuschenden Quartalsergebnis vom Darling der Analysten zum Börsenbuhmann abgestempelt wurde. Mehr noch als abrutschende Kurse fürchten die Bosse freilich ein negatives Medienecho, denn dies kann unter Umständen Konsequenzen haben. So verlor BMW-Boß Bernd Pischetsrieder seinen Job, als Berichte über hohe Verluste bei der britischen BMW-Tochter Rover in deutschen Zeitungen erschienen.
Die Geister, die sie riefen, werden die deutschen Zauberlehrlinge in den Chefetagen so schnell nicht wieder los. Die Hektik, mit der sie in letzter Zeit agieren, die wilden Firmenkäufe und -verkäufe, das grassierende Fusionsfieber und der blinde Aktionismus in vielen Vorständen zeigen bereits, wie blank die Nerven liegen. Zu Recht beklagte Altbundeskanzler Helmut Schmidt den »Raubtierkapitalismus«, dem die deutschen Manager huldigten: »Da werden große Unternehmen im Handumdrehen gekauft und

verkauft, als handele es sich um Gebrauchtwagen.« Als wahre Motive vieler Fusionen vermutet der einstige Weltökonom denn auch keine wirtschaftlichen Notwendigkeiten, sondern »Großmannssucht und Habgier der Manager, deren Gehälter jeden Rahmen der guten Sitten sprengen«. Daß die guten Sitten nicht nur in den Chefetagen, sondern im gesamten Management vieler Unternehmen immer seltener beachtet werden, belegen die sich häufenden Fälle von Wirtschaftskriminalität. Frisch in Erinnerung sind zum Beispiel noch die Betrügereien bei der Immobiliengesellschaft des Veba-Konzerns, die Bakschisch-Gepflogenheiten bei der Einkäufergruppe der Adam Opel AG, das berüchtigte »Netzwerk« der Materialbeschaffer bei VW, die Korruptionsfälle beim Elektrokonzern ABB, die Autoverschiebereien bei Mercedes Benz, die Selbstbereicherung von Wertpapierhändlern bei der Deutschen Bank ebenso wie die Steuerhinterzieher im Vorstand der Dresdner Bank.

Die Bereitschaft zur Korruption, zur Untreue und zum Verrat von Geschäftsgeheimnissen wächst nach Ansicht von Fachleuten wie dem Frankfurter Oberstaatsanwalt Wolfgang Schaupensteiner mit der Unsicherheit der Mitarbeiter über ihre berufliche Zukunft. Wenn sich in einem Betrieb das Gefühl breitmacht, daß die führenden Figuren nur an sich denken und das Schicksal der Firma ihren Interessen unterordnen, helfen auch noch so strenge Kontrollen nicht, um die kriminelle Energie enttäuschter Mitarbeiter zu bändigen. Wirtschaftssoziologen wie der Münchner Dieter Frey oder der Tübinger Michael Faust sind schon lange davon überzeugt, daß es einen Zusammenhang zwischen der expandierenden Wirtschaftskriminalität und dem Shareholder-Value-Kurs des Managements gibt.

Flucht vor der Realität

Die Bedenkenlosigkeit, mit der die Unternehmensführer unter dem Druck der Kapitalmärkte das Wachstum ihrer Umsätze und Gewinne vor allem durch Zukäufe und Umstrukturierungen, durch Fusionen und Kooperationen erzielen wollen, läßt vermuten, daß sie sich über den internen Zustand ihrer Firmen keine Illusionen machen. Wo verunsicherte Mitarbeiter in Deckung gehen und sich selbst auf Kosten der Firma bereichern, wo Entwicklungsabteilungen aufgelöst und die Marketingbudgets zusammengestrichen werden, da fällt das Wachstum aus eigener Kraft schwer. Der Kaufrausch mancher Bosse gleicht denn auch eher einer Flucht vor der Realität als einer wohlüberlegten Strategie.
Mit diesem Buch möchte ich auf die Gefahren hinweisen, die der deutschen Wirtschaft durch den hektischen Aktionismus der unter Druck geratenen Konzernchefs drohen. Die von der Öffentlichkeit bewunderten »Macher« sind nämlich dabei, den größten Vorteil der Nation zu verspielen: den Zusammenhalt ihrer Mitarbeiter. Da sie seit Mitte der neunziger Jahre begonnen haben, ihre wirtschaftlichen Entscheidungen ausschließlich an der Steigerung des Shareholder-Values festzumachen, setzen sie nicht nur die Solidarität ihrer Mitarbeiter aufs Spiel, sondern auch die Zukunftschancen ihrer Betriebe. Das Beispiel vieler

amerikanischer Unternehmen zeigt, daß das hemmungslose Streben nach kurzfristigen Gewinnsteigerungen den langfristigen Unternehmenserfolg gefährdet. Topmanager, die zum Beispiel Investitionen in die Entwicklung neuer Produkte und Dienstleistungen unterlassen, um den Gewinnausweis fürs laufende Quartal zu steigern, handeln grob fahrlässig, auch wenn sie an der Börse zunächst mit steigenden Aktienkursen belohnt werden. Die Geschäftspolitik vieler Vorstände von Aktiengesellschaften reicht denn auch nicht weiter als die Laufzeit ihrer Anstellungsverträge, nämlich maximal fünf Jahre.

War es früher so, daß der innere Wert von Firmen wie Daimler-Benz, Deutsche Bank, Siemens oder Allianz ein Vielfaches des Börsenwerts (Summe aller Aktien zum Tageskurs) ausmachte, so ist es mittlerweile bei nicht wenigen Firmen umgekehrt. Der hohen Börsenbewertung stehen ausgehöhlte Unternehmen mit geringer Wachstumskraft gegenüber.

Es geht hier nicht darum, das Rad zurückzudrehen, in die Bequemlichkeiten des alten Industriefeudalismus zurückzufallen, sondern es geht um einen gerechten Ausgleich der Interessen. Wenn eine kleine Schicht von Topmanagern sich anmaßt, die Geschicke der deutschen Wirtschaft allein nach ihren Interessen zu steuern, dann verweigern ihr die übrigen Mitspieler am wirtschaftlichen Prozeß zu Recht die Gefolgschaft. Auf lange Sicht kann die deutsche Wirtschaft nur dann erfolgreich sein, wenn sie von Leuten geführt wird, die die Interessen aller Beteiligten gleichermaßen berücksichtigen.

Es kann nicht angehen, daß die Manager die Kosten von Massenentlassungen auf den Schultern der Steuerzahler und der Rentenversicherten abladen und ihre Gewinne in Steueroasen abschöpfen. Für die Belegschaften ist es unerträglich, wenn das Management über ihre Köpfe hinweg traditionell gewachsene Betriebe zerreißt oder wie x-beliebige Waren verscherbelt. Und die Kunden werden sich auch nur kurze Zeit von aufwendigen Image-Kampagnen blenden lassen, wenn sie feststellen, daß bestimmte Produkte in der Qualität nachlassen oder zu überhöhten Preisen offeriert werden.

»Nach mir die Sintflut«

Deutschlands wirtschaftliche Stärke gründete sich schon immer auf hochwertige, innovative Produkte – die aber lassen sich nur mit erheblichem Aufwand entwickeln und mit motivierten Belegschaften herstellen. In Firmen jedoch, in denen der Shareholder-Value das Geschehen diktiert, ist beides akut gefährdet: Aufwand und Motivation. Man darf zum Beispiel gespannt sein, wie sich die Qualität der Mercedes-Autos unter dem Regiment der gefürchteten Kostenkiller von Chrysler entwickelt.
Ein ehemaliger Manager des Ölmultis Royal Dutch Shell hat in einer vielbeachteten Untersuchung nachgewiesen, daß Unternehmen, die sich ausschließlich am Shareholder-Value ausrichten, weniger Aussichten auf eine lange Lebensdauer haben. Arie de Geus über das Geheimnis jener seltenen Firmen, die 50, 100 oder gar 500 Jahre alt wurden: »Alle wirklich alten Unternehmen werden seit jeher nach

Pfadfinder

Wer den Kurs hielt – und wer ihn verfehlte

TOPS		*FLOPS*	
Robert Louis-Dreyfus	adidas	Hilmar Kopper *(bis 1997)*	Deutsche Bank
Hubertus von Grünberg *(bis 1999)*	Continental	Jürgen Dormann	Hoechst
Ferdinand Piëch	VW	Heinrich von Pierer	Siemens
Jürgen Weber	Lufthansa	Hans-Joachim Selenz *(bis 1999)*	Salzgitter
Martin Kohlhaussen	Commerzbank	Ulf Bohla *(bis 1998)*	Otelo

Prinzipien geführt, bei denen Profit nicht an erster Stelle steht.« In seinem Buch *Jenseits der Ökonomie* beschreibt der gebürtige Holländer das Erfolgsrezept langlebiger Unternehmen so: »Sie passen sich flexibel ihrer Umwelt an, haben ein Bewußtsein für die eigene Identität und sind bereit, ständig zu lernen. Diese Firmen haben begriffen, daß die Menschen im Unternehmen ihr wichtigstes Kapital sind, es handelt sich um lebendige Unternehmen mit einer Persönlichkeit, die es ihnen erlaubt, sich harmonisch zu entwickeln.«

Genau daran aber fehlt es derzeit den meisten deutschen Firmen, und die Schuld daran tragen jene scheinbar so erfolgreichen Manager, die nach dem Prinzip handeln: »Nach mir die Sintflut.«

2. Kapitel

Abspecken bis zum Umfallen

Der Wirbelsturm, der die deutsche Unternehmenslandschaft so radikal veränderte wie kein zweites Ereignis seit Kriegsende, begann im Krisenjahr 1992. Als die durch die deutsche Wiedervereinigung erzeugte Sonderkonjunktur abriß – in den anderen Industrieländern hatte die Rezession schon zwei Jahre früher begonnen –, da entdeckten die deutschen Unternehmenslenker plötzlich, daß ihre Fabriken schlechter organisiert waren als die der Konkurrenz aus Japan und den USA. Den Produktivitätsrückstand in der Autoindustrie zum Beispiel bezifferten Fachleute damals auf etwa 35 Prozent, und nicht viel besser sah es in den anderen Branchen aus.

Deutschlands Unternehmen produzierten – von einigen Ausnahmen abgesehen – zu teuer und zu langsam. Sie beschäftigten im Schnitt mehr Mitarbeiter als ihre Rivalen, zahlten höhere Gehälter und schleppten allzu häufig verlustreiche Betriebssparten mit sich herum. Die zu Hilfe gerufenen Unternehmensberater diagnostizierten nach präzisen Analysen der Arbeitsabläufe in den einzelnen Firmen schwere Managementfehler und verordneten ihren Kunden radikale Reformen. Reihenweise mußten Topmanager, die den Wildwuchs in ihren Unternehmen geduldet und die früher erzielten Gewinne für Zukäufe oft unrentabler Tochtergesellschaften vergeudet hatten, den Hut nehmen.

Abserviert wurden so prominente Bosse wie VW-Chef Carl H. Hahn, AEG-Vorsteher Heinz Dürr, Lufthansa-Chefpilot Heinz Ruhnau, Porsche-Lenker Arno Bohn, Adidas-Anführer René C. Jäggi und viele andere ihrer Standeskollegen. Nun schlug die Stunde der Aufräumer und Sanierer, jener ausschließlich auf betriebswirtschaftliche Zahlen fixierten Machtmenschen, die bis heute das Bild der deutschen Manager-Kaste prägen. Aus dem Schicksal ihrer Vorgänger lernten sie, was ihnen blüht, wenn sie die Zügel schleifen lassen. Und sie witterten die Chance, zum ersten Mal in der Nachkriegsgeschichte eine Unternehmenspolitik zu Lasten der Beschäftigten durchsetzen zu können.

Die Stimmung in Deutschland war umgeschlagen. Aus Angst vor den Auswirkungen einer tiefen Rezession, vor massenhaften Firmenzusammenbrüchen und dem Verlust der Exportmärkte waren die Gewerkschaften wie die breite Öffentlichkeit bereit, Einschnitte in den sozialen Besitzstand der Beschäftigten hinzunehmen. Die Manager nutzten die Gunst der Stunde, versprachen den Gewerkschaften die langfristige Sicherung der Arbeitsplätze, wenn diese bereit wären, die anstehenden Strukturreformen mitzutragen, und den Aktionären sicherten sie höhere Gewinne und steigende Kurse zu. Die Art freilich, wie sie ihren Freiraum nutzten, bewies nur allzu deutlich, daß die neue Managergeneration auch nicht viel besser als ihre Vorgänger ist.

Niederschmetterndes Ergebnis

Anstatt nämlich den lähmenden Dualismus zwischen Management und Belegschaften zu überbrücken und eine wirklich moderne Art der betrieblichen Partnerschaft zu praktizieren, beschränkten sich die Herren Manager in den meisten Unternehmen darauf, die Kosten zu drücken und Personal zu entlassen. Fünf Ziele standen stets im Vordergrund, wenn irgendwo ein »kontinuierlicher Verbesserungsprozeß« eingeleitet, ein »Top Quality Management«-System installiert, das japanische »Kaizen«-System adaptiert oder ein umfassendes »Business Process Reengineering«-Programm angestoßen wurde: Die Betriebe sollten

- ihre Produktivität steigern,
- die Arbeitsprozesse beschleunigen,
- die Qualität der Produkte und Dienstleistungen verbessern,
- die Wünsche der Kunden schneller und besser erfüllen,
- schneller auf die Veränderungen der Märkte reagieren.

Als Professor Christian Homburg vom Zentrum für Marktorientierte Unternehmensführung (ZMU) in Koblenz im Jahr 1997 100 deutsche Großunternehmen mit mehr als 1000 Beschäftigten nach den Resultaten der Reformen befragen ließ, fielen die Antworten geradezu nie-

derschmetternd aus. Die vorgegebenen Ziele waren nämlich im Schnitt nicht einmal zur Hälfte erreicht worden. Bei der Frage, ob sie ihre Produktivität nachhaltig gesteigert hätten, antworteten beispielsweise nur 26,5 Prozent der Unternehmen mit einem eindeutigen »Ja«. Und nicht viel mehr konnten von einer verbesserten Kundenorientierung oder einer erhöhten Prozeßqualität berichten.
Das bestätigt die Beobachtungen des Unternehmensberaters Masaki Imai, der als Erfinder des wegweisenden Kaizen-Systems zur stetigen Verbesserung aller betrieblichen Abläufe gilt. Der Japaner, der eine Vielzahl deutscher Unternehmen berät, erboste sich im September 1998 im *Manager Magazin*: »Das Credo meines Kaizen-Konzepts heißt: Setzt den gesunden Menschenverstand ein. Das machen die deutschen Manager nicht. Sie versuchen, alltägliche Probleme mit immer komplizierteren Techniken zu lösen … und die meisten dieser Programme gehen schief, was auch kein Wunder ist, wenn man so stümperhaft rangeht wie viele Firmen im Westen.«
Sogar bei Deutschlands Vorzeigeunternehmen Daimler-Benz, das schon ab 1991 begonnen hatte, seine Fabriken nach japanischen Vorbildern umzukrempeln, gestand Produktionsplaner Manfred Remmel noch im Frühjahr 1998, daß der Rückstand längst nicht aufgeholt ist: »Toyota baut pro Jahr und Mitarbeiter immer noch fast doppelt so viele Autos wie wir.«
Die hohen Gewinne, die deutsche Unternehmen in den letzten Jahren erwirtschafteten, sind denn auch weniger die Früchte grundlegender Unternehmensreformen als

vielmehr das Ergebnis brutaler Rationalisierungsmaßnahmen, günstiger Wechselkurse und einer schnellen Erholung der Weltkonjunktur. Häufig wurden die Produkte nämlich nicht viel anders hergestellt als zuvor, sondern eben nur mit weniger Mitarbeitern.

Von Zulieferern abhängig

Allein die Entlassungen und Freistellungen ihrer Arbeiter und Angestellten brachten den deutschen Unternehmen jährliche Einsparungen in der Größenordnung von etwa 20 Milliarden Mark. Etwa eine Million Mitarbeiter verloren ihren Job, jeder zweite davon wurde dauerhaft arbeitslos. Allein die Autoindustrie trennte sich von über 100 000 Beschäftigten, im Maschinenbau waren es 150 000, in der Elektrobranche 120 000. Dazu entdeckten insbesondere die Hersteller komplexerer Systeme wie Autos, Maschinen oder Elektroanlagen gewaltige Sparpotentiale im Einkauf, indem sie ihre Nachfragemacht bündelten und den Zulieferern bessere Konditionen abpreßten. Der Baske José Ignacio López de Arriortúa, ehemals Einkaufschef der Opel-Werke, dann im Topmanagement des weltgrößten Automobilherstellers General Motors für die Beschaffung aller Teile zuständig und schließlich mit großem Getöse und viel Geld von VW-Chef Ferdinand Piëch angeheuert, erwarb sich als wirksamster Kostenkiller in der Industrie einen legendären Ruf.

Vor allem die Autobauer machten der übrigen Industrie vor, wie man sich auf Kosten seiner Geschäftspartner saniert. Wer mit den Konzernen im Geschäft bleiben wollte,

mußte nicht nur niedrigere Preise schlucken und die bestellten Teile minutengenau ans Band liefern – die allmächtigen Kunden verlangten die totale Unterwerfung ihrer Lieferanten. Um die Endmontage so rationell wie möglich ablaufen zu lassen, verringerten sie ihre Fertigungstiefe und gleichzeitig die Zahl ihrer Zulieferer.
Erbrachten die Hersteller früher etwa 50 Prozent des Wertes eines Automobils durch eigene Leistung, so steuerten sie nach der Umorganisation ihrer Betriebe zuletzt nur noch etwa 20 Prozent (zum Beispiel bei Porsche) bei. Gleichzeitig verlangten sie von den Zulieferern, daß diese sich untereinander neu organisierten und statt unzähliger Kleinteile nur noch wenige, komplett vorgefertigte, sogenannte Module ans Band lieferten.
Ein Herstellerverbund unter Führung der Stahlproduzenten Krupp & Thyssen beispielsweise fertigt für Porsche die komplette Bodenplatte mitsamt dem Fahrwerk, und der einstige Reifenhersteller Conti liefert inzwischen, nach dem Zukauf des Bremsenherstellers Teves, die Räder mitsamt Felgen, Reifen und Bremsen an die Hersteller aus. So bauen die BMW-Werker in Dingolfing das neue 3er-Modell aus nur noch 18 Modulen zusammen, während früher bis zu 7000 Einzelteile verarbeitet werden mußten. Die Endmontage dauert deshalb nur noch halb so lang wie früher und kostet auch entsprechend weniger. Der Preis freilich, den der Kunde für sein Auto zu bezahlen hat, wurde deshalb nicht gesenkt, sondern, im Gegenteil, im Schnitt um etwa 1500 Mark angehoben.
Konnten sich die Hersteller so zunächst auf Kosten ihrer

Mitarbeiter, Kunden und Zulieferer aus der Kostenklemme befreien, so mußten sie bald erleben, daß diese Taktik auch ihre Tücken hat. Mit der Entlassung Zehntausender Mitarbeiter gingen deren Know-how und Erfahrung unwiederbringlich verloren. Indem sie auf die Entwicklung vieler Einzelkomponenten verzichteten, begaben sie sich in eine gefährliche Abhängigkeit von ihren Zulieferern. Der Ruhm, den sich Hersteller wie Mercedes-Benz, BMW oder Audi für ihre technischen Innovationen gutschreiben, gebührt nämlich immer häufiger Zulieferfirmen wie Robert Bosch, Siemens oder ZF, da dort die eigentliche Entwicklungsarbeit geleistet wird.

Jeder Zweite hat innerlich gekündigt

Wie fatal die Abhängigkeit von einzelnen Lieferanten sein kann, mußten im Frühjahr 1998 die Kölner Ford Werke erfahren, als der Alleinlieferant Kiekert AG in Heiligenhaus drei Tage lang keine Türschlösser für die Fahrzeugproduktion herankarrte. Sofort standen die Bänder in Köln wie im britischen Ford-Werk Dagenham still, bis sich Ford mit dem Türschloß-Monopolisten auf einen neuen, besser dotierten Vertrag geeinigt hatte. Nicht viel besser erging es dem Sportwagenbauer Porsche mit seinem Zulieferer Kolbenschmidt aus Neckarsulm, der im Mai 1998 ein paar Tage lang keine Kurbelgehäuse lieferte und so einen Produktionsausfall von über 40 Millionen verursachte.

Auch die Gewerkschaften haben längst die Achillesferse der »Lean Production«, wie sie nahezu alle Hersteller komplexer Industriegüter anwenden, für ihre Zwecke zu nutzen versucht. Durch gezielte Streiks bei einzelnen Zulieferbetrieben können sie mit minimalem Aufwand einen riesigen Schaden anrichten. Ein Arbeitskampf etwa in jenen Werken der Robert Bosch GmbH, die die Einspritzanlagen oder Antiblockier-Bremssysteme für nahezu alle Automobilhersteller fertigen, würden auf einen Schlag eine der deutschen Schlüsselindustrien lahmlegen.

Den größten Schaden aber richtete die überhastet durchgezogene Restrukturierungskampagne in den Köpfen der Mitarbeiter an. Zahlreiche Umfragen und Analysen belegen, daß sich das Verhältnis der Belegschaften zu ihren Unternehmen seit Beginn der Entlassungswelle erheblich verschlechtert hat. Die wohl umfassendste Analyse des Betriebsklimas stammt von dem Münchner Wirtschaftspsychologen Dieter Frey, der 3000 Arbeitnehmer aus den Branchen Autoindustrie, Maschinenbau, Pharmazie, Versicherungen und Schiffbau nach ihren Befindlichkeiten befragte. Was er herausfand, läßt nichts Gutes für die Zukunft des Industriestandortes Deutschland erwarten, denn rund 50 Prozent der Beschäftigten haben an ihrer Arbeit nicht das geringste Interesse. Sie verrichten ihren Job, weil er Geld bringt, aber das Schicksal ihrer Firma ist ihnen ebenso egal wie die Produkte, die dort hergestellt werden. Frey: »Diese Leute haben innerlich gekündigt, weil sie sich von ihren Chefs schlecht behandelt und informiert fühlen.« Die Einschätzung des Psychologen wird bestätigt durch Umfragen diverser Unternehmensberatungsgesellschaften wie durch das Institut für Produktionsanlagen und Produktionstechnik der Fraunhofer-Gesellschaft. Das angesehene

Forschungsinstitut stieß nach der Befragung von 15 000 Arbeitnehmern auf schwerwiegende Konflikte zwischen Vorgesetzten und Untergebenen. Drei Viertel aller Befragten kritisierten zum Beispiel, daß sie von ihren Chefs zu wenig informiert würden, rund ein Drittel beklagte ausdrücklich die schlechte Zusammenarbeit mit ihren Vorgesetzten und ebenso viele fühlten sich nicht genügend gefördert. Auf noch größere Unzufriedenheit stießen die Interviewer vom Institut Recht und Wirtschaft in München, als sie 1998 rund 2000 Arbeitnehmer nach ihrem Verhältnis zu ihren Vorgesetzten befragten. Fast 90 Prozent äußerten dabei mehr oder minder deutliche Kritik – laut Projektleiter Thomas Etzel ein Zeichen dafür, daß die von den Unternehmen so gerne benützten Schlagworte von Teamgeist, Fairneß und sozialer Kompetenz nichts anderes als billige Lippenbekenntnisse sind, während das Klima in den Werkshallen und Büros immer ruppiger wird.

Kaffee im Computer

Flohen die an ihren Chefs verzweifelnden Mitarbeiter früher, sooft es irgendwie ging, von ihrem Arbeitsplatz, indem sie sich krank meldeten oder einfach »blau« machten, so reagieren sie heute ihren Frust lieber auf andere Weise ab. Die langen Phasen der Abwesenheit, die noch Anfang der neunziger Jahre rund 10 Prozent der gesamten Arbeitszeit ausmachten, nahmen in der deutschen Industrie um rund ein Viertel ab, als die Betriebe begannen, massenhaft Leute zu entlassen. Aus Angst vor dem Jobverlust schleppten sich auch jene Kranken, Erschöpften oder auch nur genervten Arbeitnehmer an die Werkbank oder ins Büro, die zuvor schon beim ersten Anzeichen eines Heuschnupfens zu Hause geblieben waren. Betrug die Abwesenheitsquote im Werk Sindelfingen beim Autobauer Mercedes im Jahr 1991 beispielsweise noch 9,1 Prozent, so fehlten sieben Jahre später im gleichen Werk durchschnittlich nur noch 5,4 Prozent der Mitarbeiter.

Dennoch schätzt das IAS Institut für Arbeits- und Sozialhygiene den Schaden, der der Wirtschaft durch die Fehlzeiten der Mitarbeiter entsteht, auf jährlich rund 100 Milliarden Mark. Er könnte wesentlich verringert werden, wenn sich die Arbeitnehmer mehr mit ihren Betrieben identifizierten, meinen die Karlsruher Sozialforscher.

Seit sie nicht mehr ausbüxen können, halten sich die frustrierten deutschen Arbeitnehmer immer häufiger am Hab und Gut ihrer Firmen schadlos. Rund 800 000mal schädigten allein im Jahr 1998 deutsche Arbeiter und Angestellte ihre Arbeitgeber und verursachten dadurch einen Schaden von über 15 Milliarden Mark. Dies jedenfalls behaupten die Kreditversicherer von Hermes in Hamburg und Gerling in Köln. Daß zwischen dem rüden Regiment der Manager und der Zunahme der Mitarbeiterkriminalität ein enger Zusammenhang besteht, ergibt sich schon aus der Tatsache, daß die Schäden in den Betrieben seit Beginn der Reorganisationen dramatisch zunehmen.

Allein die Zahl der bekanntgewordenen Betrugs-, Veruntreuungs- und Unterschlagungsfälle hat von 1992 bis 1997 nach Angaben der Allianz Versicherung um rund 60 Prozent zugelegt. »Die Phantasie frustrierter Mitarbeiter kennt keine Grenzen«, klagte die *Süddeutsche Zeitung* und listete auf: »Ein kurzer Tritt gegen den Kopierer oder heißer Kaffee auf die Computertastatur gehören noch zu den harmlosen Verhaltensvarianten der Arbeitsplatzsaboteure. Andere lassen wichtige Firmendaten mitgehen und bieten sie der Konkurrenz an, installieren aus Boshaftigkeit Viren im Computer … «

Aus dem Tatort Arbeitsplatz ist denn auch bereits ein Medienereignis geworden. »Jeder nimmt sich, was er kann«, betitelte die Journalistin Birte Siedenburg ihr Buch über *Diebstahl, Betrug und Unterschlagung im Unternehmen.* Und der Psychologe Michael Gestmann untersuchte in seiner Arbeiterfibel *Sabotage am Arbeitsplatz. Warum Mitarbeiter ihrem Unternehmen bewußt schaden und wie Sie es verhindern können.* Als häufigste Form der Mitarbeiterkriminalität ortete Dirk Hecking von der BBE-Unternehmensberatung in Köln Diebstähle, vorzugsweise im Einzelhandel, oder Betrügereien. Rekordleistungen vollbrachten in dieser Hinsicht ein Krefelder Stahlkaufmann, der bei seinem Arbeitgeber innerhalb von neun Jahren über 4000 Tonnen Edelstahl im Wert von über 14 Millionen Mark abgriff, und der Prokurist eines Süßwarenherstellers, der über 10 Millionen Mark von den Konten seines Arbeitgebers abzweigte und sich damit eine Villa, 14 Autos und 60 Reitpferde leistete.

Verhaßte Chefs

Schuld an dieser verhängnisvollen Entwicklung ist nach Ansicht von Experten nicht nur der allgemeine Werteverfall, sondern zu einem erheblichen Teil das frostiger gewordene Betriebsklima. Wenn Betriebstreue nichts mehr zählt und jeder jederzeit damit rechnen muß, daß ihm morgen der Stuhl vor die Tür gesetzt wird, dann bleibt nach Ansicht des Münchner Psychologen Henner Ertel die Loyalität auf der Strecke. Der Leiter des GRP-Instituts für Rationelle Psychologie: »Konflikte zwischen Mitarbeitern und Vorgesetzten gehören heute zu den größten Problemen der Wirtschaft.«

Der »Haß auf den Chef« war der *Wirtschaftswoche* sogar eine teure Umfrage unter 4770 Arbeitnehmern wert. Sie erbrachte ähnliche Ergebnisse wie jene des Münchner Instituts für Recht und Wirtschaft, denn 88 Prozent der Befragten gaben an, daß sie es in ihrem Berufsleben mindestens einmal mit Vorgesetzten zu tun hatten, die sie als schwierig, unsympathisch oder unfähig empfanden. Jeder fünfte äußerte offenen Haß gegen seinen Chef. Resümierte *Wirtschaftswoche*-Redakteurin Claudia Reischauer: »Überall in Deutschland zeigen Mitarbeiter Tag für Tag, daß sie von ihren Vorgesetzten genug haben.« Schlechte Chefs, vermutet die Redakteurin nach der Lektüre zahlloser Briefe, in denen sich die befragten Arbeitnehmer über ihren Ärger Luft machten, »haben kein Ohr für Kritik, sie verweigern persönliche Gespräche, mißbrauchen das in sie gesetzte Vertrauen und setzen Mitarbeiter herab«.

Den Managern sei zugestanden, daß auch sie in den letzten Jahren unter Druck standen. Die radikalen Reformen, von Vorständen und Geschäftsleitungen beschlossen, gingen nicht nur zu Lasten der Belegschaften, sondern forderten auch im Mittelmanagement harte Opfer. Die traditionelle Interessenidentität zwischen Top- und Mittelmanagern zerbrach – einmalig in der Nachkriegszeit – beim Totalumbau der Unternehmen. Allein in den Jahren 1993 und 1994 eliminierten die deutschen Unternehmen einer Untersuchung der französischen Consulting-Firma APC zufolge 33 500 Managerposten.

Führungskräfte ohne Kraft

Grund für den Rausschmiß der vermeintlichen Leistungsträger: die Entscheidungswege sollten verkürzt, die Hierarchien flacher, die Firmen beweglicher werden. Die Einführung der Gruppenarbeit, etwa in der Automobilindustrie, machte viele Abteilungsleiter und Bereichsleiter überflüssig, die massenhaft installierten und miteinander vernetzten PCs an den Arbeitsplätzen ersetzten all jene Führungskräfte, die ihr Gehalt mit dem Sammeln, Sortieren und Weiterleiten von Informationen verdient hatten.
Doch nicht nur die drohende Ausbuchung ihrer Planstellen in den reorganisierten Firmen verunsicherte Deutschlands Führungskräfte in einem bisher nie gekannten Ausmaß. In Gefahr waren plötzlich auch ihre liebgewordenen Statussymbole, vom abgeschotteten Chefbüro bis zum Dienstwagen. Am Beispiel dreier Unternehmen aus der Auto-, Elektro- und Chemischen Industrie untersuchten die Tübinger Industriesoziologen Michael Faust, Peter Jauch und Petra Notz akribisch, wie sich das Berufsbild und die Bewußtseinslage mittlerer Führungskräfte in den neunziger Jahren veränderten. Ihre über 600 Seiten starke

Studie mit dem Titel *Vom organization man zum internen Unternehmer* beschreibt ein Horrorszenario.
Demnach spielten die Topmanager die durch ihren Pakt mit den Investoren neu erworbene Macht rücksichtslos gegen die rangniederen Standeskollegen aus. Und die fühlten sich in der von oben verordneten Kulturrevolution innerhalb ihrer Unternehmen mehr als Getriebene denn als Treiber. Im Grunde hatten die Führungskräfte innerhalb der Vorstands- und Geschäftsleitungsebene nur die Wahl, sich entweder bedingungslos in den Dienst des »Change Management« zu stellen oder zu kündigen. Und viele der in Ehren ergrauten und an klare Zuständigkeiten gewöhnten Konzernbürokraten kamen mit den neuen Verhältnissen nicht klar.
Anstatt sich innerhalb eines reibungslos funktionierenden Räderwerks nützlich zu machen, sollten sie ihren Zuständigkeitsbereich jetzt plötzlich wie ein selbständiges Unternehmen führen und die Verantwortung für das kaufmännische Ergebnis übernehmen. Wörtlich heißt es in der Studie: »Der Reorganisationsprozeß hat unter den Führungskräften deutlich unterscheidbare Gewinner und Verlierer hervorgebracht. Die Stimmen der Verlierer sind aber nur schwach zu vernehmen, weil der Prozeß von der Unternehmensspitze her mit Macht vorangetrieben wurde und aufgrund der eingebauten Dynamik, die mit der Machtverschiebung zu den neuen starken Figuren einhergeht, unumkehrbar und ohne Alternative erscheint.«
Während die Gewinner im Machtspiel der Führungskräfte ihre neugewonnenen Freiräume nutzten und mehr Geld

als je zuvor verdienten, mußten sich die Verlierer, wenn sie ihren Job behalten wollten, mit geringerwertigen (»abgestuften«) Positionen zufriedengeben. So notierten die Sozialforscher: »Zum ersten Mal werden Führungskräfte in großer Zahl und ohne individuell zurechenbares Verschulden systematisch und gezielt zu Verlierern einer Rationalisierungsbewegung ... «
Ein herabgestufter früherer Hauptabteilungsleiter eines Automobilkonzerns gab zu Protokoll: »Meine Sorgen, die waren im letzten Jahr furchtbar ... doch ich habe eine Hemmschwelle, darüber zu klagen – bei der Arbeitslosigkeit. Ich habe meinen Job, ich habe meinen Dienstwagen, ich habe mein Büro. Ich habe auch noch eine Aufgabe ... aber ich habe keine Perspektive mehr, und ich bin auch nicht mehr Hauptabteilungsleiter. So schnell geht das.« Andere beklagten den »Sozialdarwinismus« im Verhalten der Kollegen, äußerten ihre Enttäuschung über die »entzogene Liebe« ihres Arbeitgebers oder konnten es nicht fassen, »daß mir das meine Firma antut«.

Demütigungen weitergegeben

Und tatsächlich überforderte der »Paradigmen-Wechsel« (so der amerikanische Reengineering-Experte James Champy) im Management wohl die meisten der deutschen Führungskräfte. Waren sie zuvor darauf getrimmt worden, genau definierte Aufgaben zu erledigen, so müssen sie sich jetzt plötzlich ihren Aufgabenbereich selber erkämpfen. Aus biederen Verwaltern sollten dynamische Geschäftsleute werden, als Kamin-Karrieristen selbständig handelnde Unternehmer. Überall erschallte der Ruf nach dem »Intrapreneur«, dem »Unternehmer im Unternehmen« also, der sich für die Firma so ins Zeug legt, als ginge es um sein eigenes Geld.

Die schöne Floskel freilich, die bei DaimlerChrysler ebenso zirkulierte wie bei der HypoVereinsbank, beim Medienriesen Bertelsmann wie bei der Colonia Versicherung, hatte nur den kleinen Nachteil, daß sie beileibe nicht ernst genommen werden durfte. Denn wehe dem Manager, der wirklich handelte wie sein eigener Herr! Ganz schnell pflegten ihm seine Bosse klarzumachen, daß sie zwar Ergebnisse von ihm erwarteten, beileibe aber keine Eigenmächtigkeit.

Der Essener Management-Trainer und Bestsellerautor *(Mythos Motivation)* Reinhard Sprenger hält denn auch gar nichts von dem widersprüchlichen neuen Berufsbild des Managers: »Mit dem Unternehmer-Appell wecken Vorstände allenfalls die Illusion der Selbständigkeit und ernten Konfusion statt Eigenverantwortung und besserer Ergebnisse.« Weil Vorstände und Geschäftsführer kein Jota ihrer Allmacht abgeben wollen, zappeln die angeblich in die unternehmerische Freiheit entlassenen Chefs auch weiterhin an der kurzen Leine. Alle wirklich wichtigen Entscheidungen müssen wie bisher mit der Zentrale abgestimmt werden, Kundenwünsche können nur im Rahmen der vorgegebenen Direktiven erfüllt, neue Mitarbeiter nur zu den von der Personalleitung vorgegebenen Konditionen eingestellt werden.

Kein Wunder, daß viele der geschundenen Mittelmananger

die Demütigungen, die sie von ihren Chefs erfahren, an ihre Untergebenen weiterreichen. Daß sie, jäh aus ihren Karriereträumen gerissen, Angst und Verunsicherung auch jene spüren lassen, die auf Rat und Hilfe angewiesen sind. Begünstigte das hohe Tempo der Veränderungen in den Unternehmen schon bisher den schnellentschlossenen, durch keinerlei Bedenken gebremsten Macher, so gebiert die Globalisierung des Wirtschaftsgeschehens jetzt zunehmend einen Typus, den der amerikanische Soziologie-Professor Richard Sennett als »den flexiblen Menschen« bezeichnet: einen zwar fähigen, aber nirgendwo verwurzelten und von tausenderlei Ängsten geplagten Charakterakrobaten.

»Leuten weh zu tun gehört zum Job«

Sennetts Globalmanager kann sich zwar jeder Situation anpassen und ist bereit, die unmöglichsten Aufgaben zu erfüllen, aber er ist keinem Prinzip und schon gar nicht sich selber treu. Dieser Typ, der bereit ist, jederzeit seine Zelte abzubrechen und irgendwo zwischen Kuala Lumpur und Kasachstan eine neue Filiale aufzubauen, ist momentan die gefragteste Spezies im Management, auch wenn ihn wegen seiner Skrupellosigkeit keiner seiner Kollegen und Untergebenen schätzt.

Das Hauen und Stechen auf den Chefetagen fegte auch die Reste jener Führungskultur beiseite, die auf Kooperation und Überzeugungskraft anstatt auf Befehl und Gehorsam beruhte, dies jedenfalls ergibt sich als Fazit aus einer Studie der Unternehmensberatung OVES (Organisations-, Versorgungs- und Entgeltsysteme) in Wiesbaden, die 1998 den Führungsstil von rund 3000 Managern in 180 Unternehmen erforschte. Demnach pochen Deutschlands Führungskräfte mehr denn je auf ihre Autorität, die sie aus ihrem Wissensvorsprung gegenüber den Untergebenen ableiten. Mitarbeiter werden in deutschen Unternehmen nicht wirklich geführt, fand die Studie heraus, sondern als Betriebsmittel eingesetzt.

Die neue Macht der Manager über die um ihre Jobs bangenden Beschäftigten ließ auch die Theoretiker der Menschenführung nicht kalt. Selbst die lautstärksten Verkünder moderner Führungslehren entdeckten plötzlich wieder den Wert einer harten Hand. An der Münchner Universität zum Beispiel ließ der Wirtschaftspsychologe Lutz von Rosenstiel erforschen, ob Manager mit hoher oder mit geringer Willensstärke die besseren Ergebnisse erzielten. Das – nicht sehr überraschende – Ergebnis: Willensstarke Bosse führen besser, weil sie »Motivationslöcher und Handlungsblockaden« bei ihren Untergebenen eher überwinden als Softies.

Auch der Psychologe Michael Frese von der Uni Gießen, der 200 junge Unternehmen untersuchte, kam zu dem Schluß, daß dominante Chefs wirtschaftlich erfolgreicher sind als solche, die einen kooperativen Führungsstil pflegen. Nonchalant bestätigt Altmeister Oswald Neuberger von der Wirtschafts- und Sozialwissenschaftlichen Fakultät der Universität Augsburg den harten Trend: »Ein Chef kann und darf nicht everbody's darling sein. Leuten weh zu tun gehört zum Job.«

Selten zuvor klafften Anspruch und Wirklichkeit der Manager so weit auseinander wie jetzt. Obwohl nahezu alle Topentscheider betonen, daß der wichtigste Wettbewerbsfaktor für ihr Unternehmen nicht Kapital und Know-how, sondern die personellen Ressourcen sind, gehen sie mit diesen Ressourcen geradezu sträflich nachlässig um. Während sie nach außen hin die soziale Verantwortung und den hohen ethischen Anspruch an die Führungskräfte ihres Hauses betonen, fördern sie intern Machtkämpfe und Intrigen.

»Humankapital« schäbig behandelt

Wie fahrlässig die angestellten Bosse mit den ihnen anvertrauten Mitarbeitern umspringen und wie gering sie deren Fähigkeiten einschätzen, bewies zuletzt die Modetorheit des »Outsourcing«. Die Idee dabei: Anstatt sich in vielen Aktivitäten zu verzetteln, sollte das Unternehmen seine Kräfte bündeln, sich also auf seine Kernkompetenzen konzentrieren und alles andere ausgliedern. Wörtlich übersetzt heißt »Outsourcing«: »Quellen ausgliedern«, nämlich Bezugsquellen von Teilen, Komponenten oder ganzen Produkten. Die Auslagerung sollte helfen, das Unternehmen schlanker, effizienter und beweglicher zu machen.
Tatsächlich aber hofften wohl die meisten Manager, damit ihre Produkte künftig billiger herstellen zu können, wenn sie die benötigten Kleinteile dazu nicht mehr im eigenen Haus, sondern bei fremden Firmen bezogen, denen sie kraft ihrer Nachfragemacht die Preise diktieren konnten. Konzerne wie Daimler-Benz, Siemens, VW oder Lufthan-

sa hatten dabei allerdings auch ein anderes Ziel im Visier: Wenn sie große Teile ihrer Belegschaft aus den Stammfirmen drängten und in neu gegründeten Tochtergesellschaften unterbrachten, konnten sie nach und nach die hohen Haustarife unterlaufen. Denn für die ausgelagerten Belegschaftsmitglieder sollten, selbstverständlich nach einer Übergangsfrist, die ordinären Flächentarife der IG Metall oder der ÖTV anstatt der höheren Haustarife gelten.

Zeigte schon eine solche Behandlung ihres angeblich so wertvollen »Humankapitals«, wie gering die Sensibilität mancher Bosse entwickelt ist, so wurde bald offenkundig, daß übertriebenes Outsourcing mehr Schaden anrichtete, als daß es Nutzen stiftete.

Bessere Ergebnisse als zuvor erzielten nämlich nur jene Firmen, die die Auslagerung mit Augenmaß und Sachverstand betrieben, während sich die radikalen Kostenkiller bald mit Qualitätsproblemen herumschlagen und auf fehlende Teile warten mußten. »Viele Unternehmen haben zuviel des Guten getan und einfach abgeschnitten und dabei auch Muskelfleisch erwischt«, erkannte Outsourcing-Experte Erich Zahn von der Universität Stuttgart. Obwohl sich nach einer Umfrage der Deutschen Bank inzwischen fast 90 Prozent der mittelständischen Unternehmen Kostenvorteile erhoffen, wenn sie Teile der Produktion ausgliedern und dadurch Mitarbeiter einsparen können, gibt es genügend Beispiele dafür, daß es auch anders geht.

Die Firma Miele in Gütersloh zum Beispiel, als Hersteller hochwertiger Geschirrspüler und Waschmaschinen in aller Welt bekannt, hält gar nichts vom Auslagern des firmeneigenen Know-hows und stellt deshalb die meisten der für die Produktion benötigten Teile selber her. Auch die Firma Braun, Weltmarktführer bei Elektrorasierern, produziert die meisten Teile selber, um zu verhindern, daß Fremde von ihrem Produktions-Know-how profitieren. Zu den »Hidden Champions« (so der Bonner Unternehmensberater Professor Hermann Simon), die ihre Erfolge vor allem der hohen Qualität ihrer Produkte zu verdanken haben und die deshalb vom Outsourcing kaum Gebrauch machen, zählen Großunternehmen wie die Heidelberger Druckmaschinen AG und Mittelständler wie Gummibärchen-Fabrikant Haribo. »Einzigartigkeit«, beobachtete Simon, »kann nur durch eigene Produktion sichergestellt werden, niemals jedoch durch Teile, die jeder auf dem Markt kaufen kann.«

Um neue Mitarbeiter gebettelt

Mittlerweile haben das auch die Manager einiger Konzerne begriffen, und so stur, wie sie zuvor ausgelagert hatten, begannen etwa die Autobauer von VW wie von DaimlerChrysler bereits wieder mit der Eingliederung. VW-Vorstand Peter Hartz beispielsweise, einer der intelligentesten Personalchefs in der deutschen Industrie, ließ in 140 Projekten prüfen, »welche Aufgaben wir im Sinne eines Insourcing wieder übernehmen können«. Um dennoch Kosten zu sparen, müssen jene VW-Betriebe, die wieder unter das Konzerndach schlüpfen dürfen, mindestens so günstig produzieren wie die besten externen Anbieter und ihre Kapazitäten durch Hereinnahme von Fremdaufträgen auslasten. Auspuffanlagen, Gußteile, ja ganze Getriebe und Motoren verkauft der Konzern mittlerweile sogar an Konkurrenten und sichert dadurch die Arbeitsplätze der eigenen Belegschaft.

Gefielen sich die Manager früher darin, mit der Höhe ihrer Umsätze und der Kopfzahl ihrer Mitarbeiter zu prahlen, so brüsteten sie sich seit Beginn der Rezession eher mit der Gewinnstärke ihrer Unternehmen und der Zahl der entlassenen Mitarbeiter. Seit der Shareholder-Value zum Maß aller Dinge in der nadelgestreiften Manager-Welt avancierte, zählten Entlassungen stets mehr als Neueinstellungen. Denn in den Kleinhirnen der Börsenanalysten war ein Stellenabbau gleichbedeutend mit einer Gewinnsteigerung, und deshalb sendeten sie sofort Kaufsignale aus, sobald irgendwo eine AG anfing, ihre Leute auf die Straße zu setzen. Das brachte nicht nur die Gewerkschaften auf die Palme, sondern versetzte schließlich sogar die Politiker in Unruhe. Erst als der amerikanische Vermögensverwalter John Dorman aus New Jersey nachwies, daß die Kurse von Unternehmen, die Entlassungen bekanntgegeben hatten, stets nur kurzfristig stiegen und sich dann meist schlechter entwickelten als der Index, beurteilten die Analysten Entlassungen wieder etwas differenzierter.

Auch manche Personalchefs der deutschen Industrie haben ihre Lektion gelernt. Setzen sie, unter dem Druck der Vorstände und Geschäftsführer, in der Krise so viele Leute wie nur möglich frei, so mußten sie wenig später, als die Konjunktur ansprang und die Aufträge hereinströmten, händeringend um jeden neuen Mitarbeiter betteln. Vor al-

Rausschmeißer

Wer mit Augenmaß rationalisierte – und wer nicht

TOPS		*FLOPS*	
Hans Meinhardt	Linde	Peter Hanenberger	Opel
Rudolf Rupprecht	MAN	Michael Pohr *(bis 1997)*	ABB
Hartmut Mehdorn	Heidelberger Druck	Dieter Boening	Postbank
Hans-Dietrich Winkhaus	Henkel	Friedrich Ebeling	Brau und Brunnen
Bernhard Wild	Braun	Peter-Jürgen Kreher	FAG Kugelfischer

lem die älteren, erfahrenen Mitarbeiter, die sozial verträglich in den vorgezogenen Ruhestand verabschiedet wurden, fehlten nun an allen Ecken und Enden.

Der VW-Konzern zum Beispiel schickte mehr als 100 frühpensionierten Werkzeugbauern und anderen Spezialisten Emissäre ins Haus, um sie zur Rückkehr in die Werkshallen zu bewegen. Um ein Comeback verdienter Mitarbeiter bemühten sich Automobilfirmen und Maschinenbauer, Elektrokonzerne und Chemieunternehmen, doch nur selten gelang es den Entlassenen, das alte Leistungsniveau wieder zu erreichen. Schon geloben einzelne Manager, wie Michael Rogowski, Chef des Heidenheimer Papiermaschinenherstellers Voith, bei der nächsten Krise »vorsichtiger zu agieren«. Für die Masse der Entlassenen freilich kamen derlei Versprechungen zu spät. Wieder einmal erwies sich, daß der Umgang mit den ihnen anvertrauten Mitmenschen nicht zu den Stärken der deutschen Führungskräfte zählt.

3. Kapitel

Kollektiver Größenwahn

Scherten sich die angestellten Firmenlenker schon bei der Restrukturierung ihrer Betriebe wenig um die Belange ihrer Belegschaften, so stellten sie deren totale Mißachtung bei der nächsten Runde im Machtspiel der Macher unter Beweis. Jetzt ging es plötzlich nicht mehr um die Bergung von Rationalisierungsreserven, um mehr Beweglichkeit und Kundennähe, sondern um die schlichte Frage: Wer ist der Größte im ganzen Land?

Einen Konkurrenten aufzukaufen, mit ihm zu fusionieren oder auch nur gemeinsame Sache zu machen hatte für die Manager schon immer einen ganz besonderen Reiz. Anders als ein Eigentümerunternehmer, der im Fall einer Fusion oder Übernahme fürchten muß, einen Teil seiner Unabhängigkeit einzubüßen, hat der angestellte Manager durch einen solchen Schachzug wenig zu verlieren und viel zu gewinnen. Mit einem Schlag verschafft er sich das Image eines Feldherrn, bei dem das Scheckbuch die Kanone ersetzt.

Plötzlich ist er nicht mehr der unbekannte und austauschbare Verwalter eines beinahe von selbst laufenden Unternehmens, sondern ein machtbewußter Eroberer mit strategischem Weitblick. Als solchen pflegen ihn nun nämlich die Medien zu sehen, und das hat durchaus seinen Reiz. Neben der breiten Öffentlichkeit, die jeden neuen Helden zunächst feiert, jubelt ihm das Volk der Aktionäre zu, das sich auf höhere Gewinne, fettere Dividenden und steigende Kurse freut. Unser Manager bekommt also zunächst Beifall von allen Seiten, und auch im eigenen Haus tut er sich leichter als je zuvor.

Den Führungsanspruch untermauert

Endlich ist die Geheimniskrämerei zu Ende, die wochenlang für Unruhe sorgte. Die Rivalen aus dem eigenen Vorstand müssen, zumindest für eine Weile, mit dem Sägen an seinem Stuhl aufhören, denn der Mann an der Spitze bestimmt jetzt das Gesetz des Handelns. Er unternimmt etwas, gibt die Ziele vor und verteilt die Aufgaben. Fremdes Territorium wird erobert, und jeder hat an seinem Platz das Nötige zu tun, damit die Operation ein Erfolg wird. Widerstand ist zwecklos, denn jetzt geht es ums Ganze.
Der Vorsitzende, der zuvor ständig seinen Posten behaupten mußte, ist, zumindest für eine Weile, sakrosankt. Mit einem kühnen Manöver hat er einen Konkurrenten ausgeschaltet und die Wettbewerbsposition des Unternehmens verbessert, hat seinen persönlichen Machtbereich erweitert und seinen Führungsanspruch innerhalb der Branche untermauert. Er ist wieder unumstrittener Chef im Ring

und hat – so zumindest muß es den kleineren Geistern in seiner Umgebung vorkommen – für alle wieder einmal das Beste herausgeholt.
Vergessen sind in der Stunde des Triumphs alle Irrtümer und Fehler, die unserem Helden in der Vergangenheit unterliefen. Vorbei ist es mit dem Genörgel an seinem autoritären Führungsstil, zum Schweigen verurteilt sind jene Kritikaster, die schon immer alles besser wußten. Ehrfurcht befällt auch sie vor den großen Zahlen, die sich aus der Addition von Umsätzen, Gewinnen und Belegschaften ergeben. Der Mann hat Mut, er traut sich was und steuert mit sicherer Hand das Firmenschiff in eine goldene Zukunft.
So ähnlich müssen sich das Jürgen Dormann (Hoechst), Rolf E. Breuer (Deutsche Bank), Albrecht Schmidt (Vereinsbank), Jürgen E. Schrempp (Daimler) oder Gerhard Cromme (Krupp) und all die anderen Fusionsartisten vorgestellt haben, als sie etwa zur gleichen Zeit beschlossen, das weitere Wachstum der ihnen anvertrauten Unternehmen nicht der eigenen Leistungsfähigkeit zu überlassen, sondern es durch Zukäufe und Zusammenschlüsse zu beschleunigen.
Hatten sie früher, als Sparmaßnahmen angesagt waren, davon schwadroniert, nicht auf die Größe komme es an, sondern auf die Höhe der Gewinne (»small is beautiful«), so galt jetzt plötzlich nur noch das Gegenteil. Blindlings wie die Lemminge folgten die deutschen Busineß-Strategen erneut einer Modewelle, die aus dem Mutterland der Management-Methoden über den Atlantik herüberschwappte.
Schon ihre mit Anglizismen durchsetzte Sprache verrät,

wie sehr die deutschen Führungskräfte den Denkmustern der Angelsachsen verhaftet sind, und es hat schon beinahe etwas Rührendes, wie sie sich bemühen, den jeweils neuesten Trend nicht zu verpassen. Deshalb lesen sie, wenn sie des Englischen denn einigermaßen mächtig sind, das *Wallstreet Journal* und die *Harvard Business Review,* den *Economist* und *Euro Money*, das Leib- und Magenblatt der Banker.

Verkünden die Gurus von den amerikanischen Manager-Universitäten Harvard, Wharton oder Chicago süffig aufbereitete Weisheiten über den Nutzen des »downsizing«, nur, dann fangen nach und nach alle deutschen Großbetriebe an, sich »gesundzuschrumpfen«. Wird dann drüben wieder das Lied vom schnellen Wachstum gesungen (»growth is all«), geht man auch hierzulande mit den Investitionen in die vollen, auch wenn die Lager überquellen und die Überkapazitäten, wie in der Autoindustrie, schon über 20 Millionen Einheiten pro Jahr betragen.

Die wahren Triebkräfte der Fusionen

Wer in der Herde mittrottet, erspart sich bekanntlich das eigene Nachdenken über den richtigen Weg, und deshalb kann es nicht schaden, wenn man dasselbe tut, was alle anderen auch tun. In ihrem Eifer, den Anschluß nicht zu verpassen, müssen die Herren Vorsitzenden aus Germany freilich übersehen haben, daß der Weg, den die Herde ihrer amerikanischen Vorbilder nimmt, zunehmend holpriger wird. Denn wenn es nur noch darum geht, den Shareholder-Value zu steigern, wenn nicht das langfristige

Wachstum gesichert, sondern der kurzfristig anfallende Gewinn maximiert werden soll, dann begeben sich die Lenker unserer gesamten Wirtschaft freiwillig unter die Knute der Bankanalysten, Fonds-Manager, Vermögensberater und Kapitalanleger. Daß die jeden Fehltritt, jede geringste Abweichung vom Pfad der permanenten Gewinnsteigerung mit sofortigem Kapitalentzug bestrafen, das mußten in jüngster Zeit selbst so mächtige Bosse wie Jürgen Dormann oder Rolf E. Breuer erfahren.

Konnten die Konzernchefs, als ihre Firmen noch solide finanziert waren und aus eigener Kraft mit moderatem Tempo wuchsen, gleichmütig das Auf und Ab der Börsenkurse beobachten, so müssen sie heute auf der Hut sein, da die Gunst der Anleger darüber entscheidet, ob aus ihren waghalsigen Übernahmen ein strategisches Meisterstück oder ein grausiger Flop wird. Die meisten der milliardenteuren Zukäufe bezahlten die Konzerne nämlich nicht, wie früher üblich, mit selbstverdientem Geld, allenfalls ergänzt durch ein paar Bankkredite, sondern mit Aktien. Ein Aktientausch mit einem Fusions- oder Übernahmepartner entfaltet aber nur dann seinen ökonomischen Charme, wenn die eigenen Papierchen zum Zeitpunkt der Übernahme an der Börse möglichst hoch bewertet werden. Das Übernahmefieber begann denn auch erst richtig zu grassieren, als die Aktienkurse entsprechend hoch gestiegen waren. So gab es 1992 erst 7500 Firmenübernahmen und -beteiligungen, 1998 schon 24000.

Doch nicht nur die Gleichzeitigkeit der Übernahmeaktivitäten macht stutzig, auch deren Ergebnisse wecken Zweifel am ökonomischen Sinn vieler »Merger«. Auch wenn die Akteure sich selbst noch so sehr ihres strategischen Weitblicks rühmen und ihre Fusionsabenteuer mit betriebswirtschaftlicher Logik zu erklären versuchen, so lassen die nackten Zahlen darauf schließen, daß hier wohl ganz andere Motive ausschlaggebend waren. Ehrgeiz, Machthunger und Prestigestreben der Manager vermutet zum Beispiel der Mainzer Wirtschaftswissenschaftler Hans Otto Lenel, der den Konzentrationsprozeß der Unternehmen akribisch untersucht hat, als wahre Triebkräfte der Fusionen.

»Wer hat den Längsten?«

Zu einem ähnlichen Befund kam der Harvard-Professor Frederic Scherer, nachdem er die großen Fusionen während der letzten 100 Jahre unter die Lupe genommen hatte. Trauriges Ergebnis: In fast 70 Prozent aller Fälle gab es keine Verbesserung des wirtschaftlichen Ergebnisses, häufig wurde sogar Kapital vernichtet. Mark L. Sirower von der New York University beschränkte sich auf die Analyse großer Fusionen, die in den Jahren zwischen 1994 und 1997 vollzogen wurden, und stellte keine wesentliche Verbesserung fest. Rund zwei Drittel der von ihm untersuchten Zusammenschlüsse führten nämlich zu Verlusten der Aktionäre.

Bestätigt wurden die Wissenschaftler von Umfragen und von Studien mehrerer Unternehmensberater. Die weltweit operierende US-Firma Mercer Management Consulting etwa ließ 300 fusionierte Unternehmen mit mehr als 500 Millionen Dollar Jahresumsatz durchleuchten und stellte fest, daß bei zwei Drittel aller Fusionen die avisierten Ziele nicht erreicht wurden. Zu ähnlichen Ergebnissen kamen die Fusionsforscher von A. T. Kearny, von Booz, Allen & Hamilton sowie die Berater von Dicke & Associates Management Consultants in Hamburg.

Bei der Suche nach den Ursachen für die fehlgeschlagenen Fusionen stießen die Forscher auf kapitale Fehler des Managements. Fast immer unterschätzten die Aufkäufer, selbst wenn sie ihre Hausaufgaben gemacht und sich die passende Firma ausgesucht hatten, die Schwierigkeiten bei der Integration der Neuerwerbung in das eigene Unternehmen. Denn häufig wehrten sich die Führungskräfte des »besiegten« Unternehmens mit allen Mitteln gegen die »Besetzung« durch den »Eroberer«. Das martialische Vokabular verdeutlicht denn auch die eigentlichen Motive für den »Merger«: Es ging gar nicht um den Shareholder-Value, sondern um das Ego der Manager.

So wie pubertierende Jünglinge gern die Frage klären: »Wer hat den Längsten?«, vermessen die Egomanen in den Chefetagen ständig die Dimensionen ihrer Imperien mit scharfem Blick auf ihre Rivalen. Fusioniert beispielsweise die Nummer 3 mit der Nummer 4 des Geldgewerbes und rückt damit bilanzmäßig der Nummer 1 auf die Pelle, dann fühlt sich der Primus unter Zugzwang und holt zum ganz großen Gegenschlag aus. Da nicht sein kann, was nicht sein darf, geht es dann nicht mehr um Soll und Haben, sondern um Kleckern oder Klotzen. Der Kleine will stets den Großen überholen, der Große will stets der Größte bleiben, koste es, was es wolle. Welchen Nutzen Mitarbeiter, Aktionäre und Kunden von solchen lächerlichen Spielchen haben, interessiert die an der Hackordnung orientierten Gernegroße an der Spitze der Unternehmen wenig.

Ein hemmungsloser Opportunist

Obwohl die vielen gescheiterten Firmenbündnisse als Warnung dienen sollten, wird weiter gekauft und fusioniert wie am letzten Tag des Sommerschlußverkaufs. Frisch in Erinnerung sind noch die wilden Einkäufe des ehemaligen Daimler-Chefs Edzard Reuter, der dem schwäbischen Autokonzern nacheinander so unterschiedliche Firmen wie die Dornier-Flugzeugwerke, die Rüstungsschmiede Messerschmitt-Bölkow-Blohm und schließlich den Elektrokonzern AEG einverleibte und der am Ende konstatieren mußte, daß seine Idee von einem »integrierten Technologiekonzern« grandios gescheitert war. Reuters Kaufrausch kostete den Stuttgarter Konzern einen zweistelligen Milliardenbetrag und führte nach Schätzung des Würzburger Betriebswirtschafts-Professors Ekkehard Wenger zur »größten Kapitalvernichtung, die je in Friedenszeiten auf deutschem Boden stattfand«. Nie war es dem Daimler-Management gelungen, die zugekauften Töchter zu integrieren, geschweige denn ihre Geschäfte zu beherrschen.
Aus dem Schaden klug geworden, brach Reuter-Nachfolger Jürgen E. Schrempp radikal mit dem Konzept seines Vorgängers, das er jahrelang mitgetragen und verteidigt hatte. Kaum je zuvor hat ein Ziehsohn seinen Gönner in aller Öffentlichkeit so sehr gedemütigt wie der von der Wirtschaftspresse gerne als »Rambo in Nadelstreifen« titulierte neue Daimler-Chef.

Er war ein Verlierer auf der ganzen Linie, als er im Mai 1995 vom Aufsichtsratsvorsitzenden Hilmar Kopper das Steuer des größten europäischen Industriekonzerns in die Hand gedrückt bekam, doch heute steht er als grandioser Sieger fest. Kein anderer Manager hat die Gemüter der Nation so bewegt wie der am 15. September 1944 in Freiburg geborene Sohn eines Verwaltungsbeamten.

Mit 16 verläßt er gegen den Willen des Vaters das Gymnasium, um in der Freiburger Mercedes-Niederlassung als Lehrling anzufangen. Als ihm sein Bildungsdefizit bewußt wird, hat er Glück, daß ihn die Ingenieursschule in Offenburg auch ohne Abitur aufnimmt, und das Glück bleibt ihm treu, als er sein Studium mit dem Titel eines graduierten Ingenieurs beendet. Denn just zu der Zeit wird die Ingenieursschule zur Fachhochschule befördert und Schrempp damit automatisch zum Diplom-Ingenieur aufgewertet.

Schon früh zeigt sich sein Talent, Vorgesetzte auf sich aufmerksam zu machen. Durch seine Künste als Jazz-Trompeter gelingt es ihm, das Wohlwollen des Freiburger Mercedes-Niederlassungsleiters Karlfried Nordmann zu erringen, der ihn, als er in die Zentrale versetzt wird, nach Stuttgart mitnimmt. Als Sachbearbeiter fängt Schrempp 1967 im Kundendienst für Nutzfahrzeuge an.

Die Eigenschaften, die ihn in 30 Jahren an die Spitze eines der größten Automobilunternehmen der Erde führen werden, charakterisiert sein Biograph Jürgen Grässlin so: »Hohe Intelligenz, Mut, eine unbändige Energie sowie die Fähigkeit, offen auf Menschen zuzugehen und sie für sich einzunehmen.«

So offen und geradeheraus, wie er auf die Menschen in seiner Umgebung wirkt, ist er natürlich nicht. Denn seine Biographie beweist, daß er über eine zusätzliche Eigenschaft verfügt, die nahezu alle sozialen Aufsteiger unter Deutschlands Topmanagern auszeichnet: Jürgen E. Schrempp ist ein hemmungsloser Opportunist. Stets sagt und macht er genau das, was seine Chefs von ihm erwarten – oder was man ihm zum Vorteil anrechnen kann. Mit Sicherheit wäre er nie ins Topmanagement des Daimler-Konzerns gelangt, wenn er schon früher die Fehler seiner jeweiligen Chefs so offen kritisiert hätte wie heute. Opportunisten freilich gibt es viele, aber nur wenige schaffen es bis ganz nach oben. Und noch nie in der jüngeren Industriegeschichte absolvierte ein Manager, der so oft kläglich gescheitert ist wie Jürgen E. Schrempp, eine solch beeindruckende Karriere.

Niederlagen in Siege verwandeln

Anfang der achtziger Jahre soll er sein Gesellenstück als Topmanager ablegen, als ihn der damalige Konzernchef Gerhard Prinz nach Amerika abkommandiert, um die marode Daimler-Tochter Euclid Inc. im Bundesstaat Ohio zu sanieren. Eineinhalb Jahre später beschreibt er seinen US-Job selbst als »a bloody desaster« – ein blutiges Desaster. Der aus Südafrika angereiste Nachwuchsstar schafft es nicht, den Hersteller schwerster Baustellenfahrzeuge aus den roten Zahlen zu bringen. Doch zum ersten Mal beweist er sein Talent, auch drohende Niederlagen in erstaunliche Siege zu verwandeln. Anstatt einzugestehen, daß er gescheitert ist, erklärt er seinen Stuttgarter Chefs geradeheraus, eine Sanierung sei unter keinen Umständen möglich, der Verkauf die einzige Lösung. Und obwohl am Ende für den schwäbischen Konzern ein hoher Millionenverlust zu Buche steht, imponiert den Stuttgarter Bossen der forsche Auftritt des gescheiterten Sanierers.

Zum Dank für den Verkauf der Euclid Inc. befördern sie ihn wenig später an die Spitze der südafrikanischen Daimler-Tochter, und auch da erweist sich Schrempp als nicht gerade erfolgreich. Bereits im zweiten Jahr nach seinem Amtsantritt rutscht die Mercedes Benz of South Africa (MBSA) tief in die roten Zahlen und meldet das zweitschlechteste Ergebnis aller Konzerngesellschaften nach Stuttgart. Doch selbstverständlich ist Schrempp auch am zweiten Schrempp-Desaster vollkommen unschuldig und schiebt alles auf die chaotischen Verhältnisse am Kap, wofür ihn der neue Daimler-Chef Edzard Reuter 1987 prompt in den Konzernvorstand nach Stuttgart befördert. Unnötig zu erwähnen, daß Sepp van Hüllen, Schrempps Nachfolger am Kap, bereits ein Jahr später wieder ordentliche Gewinne erwirtschaftet.

Und so geht es weiter. Wo immer dieser Jürgen E. Schrempp Verantwortung übernimmt, stellen sich Mißerfolge ein, und nie ist er selbst dafür verantwortlich. Auf Geheiß seines Mentors Reuter soll er die hastig zusammengekauften Beteiligungen an MTU, Dornier und MBB in der Deutschen Aerospace AG (DASA) zusammenführen und daraus einen gewinnstarken Luft- und Raumfahrtkonzern schmieden. Doch auch dies mißlingt, denn die Zusammenarbeit der drei Firmen klappt ebensowenig wie die Akquisition lukrativer Aufträge. Jahr für Jahr müssen die Daimler-Oberen größere Beträge nach München überweisen, um die Löcher in der DASA-Bilanz zu stopfen, und Schrempps Stern droht zu erlöschen. Doch wie immer, wenn es brenzlig wird, fällt dem kaltblütigen Badenser etwas Besonderes ein.

Lernt die DASA nicht aus eigener Kraft das Fliegen, nun, dann braucht sie Hilfe auf europäischer Ebene. Mit Begeisterung überredet der glücklose Karrierist die Konzernchefs zu einer folgenschweren Fehlinvestition: Für gut eineinhalb Milliarden Gulden will Schrempp die holländische Flugzeugfirma Fokker kaufen, um ins angeblich so zukunftsträchtige Geschäft mit mittelgroßen Jets für den regionalen Flugverkehr einzusteigen. Der Rest ist bekannt: Fokker entwickelt sich zum Fiasko und geht am Ende in Konkurs, die sechs Schrempp-Jahre bei der DASA kosten die Daimler-Aktionäre rund 6 Milliarden Mark, und der Hauptverantwortliche für die Misere wird 1995 der oberste aller Daimlerianer.

Wie man Rivalen ausschaltet

Kaum im Amt, bricht er radikal mit seinem langjährigen Gönner Edzard Reuter, ohne den er nicht den Hauch einer Chance zum Aufstieg in den Manager-Olymp gehabt hätte, und schiebt diesem die Schuld für die Verluste der vergangenen Jahre in die Schuhe. Er läßt alles, was sich irgendwie abschreiben oder absetzen läßt, in die Bilanz fürs laufende Geschäftsjahr stopfen, präsentiert den erschaudernden

Aktionären auf der Hauptversammlung den ersten verlustreichen Abschluß des einstmals bestverdienenden deutschen Unternehmens. Der Zweck ist klar: Im darauffolgenden Jahr wird der neue Chef einen beeindruckenden Gewinnanstieg vermelden können.

In Daimlers »Bullshit castle« (Originalton Schrempp) schart er eine kleine Truppe ebenso fähiger wie ehrgeiziger Nachwuchsmanager um sich, die ihm helfen, den einzigen ernstzunehmenden Rivalen zu demontieren – Helmut Werner, Chef der mit Abstand größten und ertragreichsten Konzerntochter Mercedes-Benz. Dies gelingt ihm ebenso zuverlässig, wie er zuvor schon bei der DASA den als Sachkenner hochgeschätzten MBB-Chef Hartmut Mehdorn hatte abservieren lassen. Hier wie da erscheinen zur rechten Zeit kritische Artikel über die Schrempp-Gegner in Magazinen wie *Spiegel* und *Focus*, die ihre Wirkung nicht verfehlen. Zu den engsten Mitarbeitern des Konzernchefs zählt seit Jahren einer der gewieftesten deutschen PR-Profis namens Detmar Grosse-Leege, der einst für den Chef des Verlagshauses Gruner + Jahr tätig war und aus dieser Zeit über beste Beziehungen in die Redaktionsstuben verfügt.

Den Todesstoß versetzt der Freiburger seinem Gegner, der als einer der fähigsten Automanager Deutschlands gilt, mit einem organisatorischen Trick. Als dessen Erfinder gilt Eckhard Cordes, ein anderer enger Mitstreiter Schrempps, der später den berühmten Daimler-Chrysler-Deal einfädeln wird.

Cordes' Idee ist ebenso simpel wie genial: Die Tochter

Mercedes-Benz wird einfach aufgelöst und auf die Muttergesellschaft Daimler-Benz übertragen.
Der gesamte Mercedes-Vorstand ist damit überflüssig, und es bleibt der Gnade des obersten Kriegsherrn Schrempp überlassen, welche Mercedes-Manager er in den Daimler-Vorstand zu übernehmen gedenkt. Scheinbar großmütig bietet er Helmut Werner an, als sein Stellvertreter in das Konzerngremium einzurücken, wohl wissend, daß der selbstbewußte Mercedes-Herrscher nicht der Schattenmann des großen Vorsitzenden sein wollte. Mit einer Abfindung von rund fünfeinhalb Millionen Mark komfortabel ausgestattet, verläßt der Mann, der den Stern der Marke Mercedes wieder hell erstrahlen ließ, die Konzernzentrale. In der hatte fortan nur noch einer das Sagen.

Schachmatt nach zweieinhalb Minuten

Schrempps Ehrgeiz ist damit freilich noch nicht gestillt. Er braucht einen Knüller, der all die peinlichen Pannen aus der Vergangenheit vergessen läßt. Und mit Hilfe seiner getreuen Beteiligungsexperten Eckhard Cordes und Rüdiger Grube gelingt ihm tatsächlich der ganz große Coup: die Fusion mit dem US-Konzern Chrysler. Die Idee, als Kontrast zum gescheiterten Diversifizierer Reuter der Autobranche treu zu bleiben und den Merger mit einem ebenbürtigen Partner anzustreben, war naheliegend und erforderte keine besondere strategische Weitsicht. Zudem paßte das bestens in den gerade aktuellen Managementtrend: »Konzentration auf Kernkompetenzen« einerseits, schiere Größe um ihrer selbst willen andererseits. Doch durch die Wahl

des Partners und die Art, wie dieses Projekt gemanagt wurde, verdiente sich der vielfache Versager Schrempp die neidlose Anerkennung seiner Standeskollegen.
Es war, rein technisch betrachtet, ein Meisterwerk in Sachen Fusionsmanagement, und wenn an den Details des Deals auch jede Menge hochkarätiger Leute, etwa aus der Investmentbank Goldmann Sachs, mitgewirkt haben, so ist es im wesentlichen doch Schrempps »Love-Baby«. Ob sich der Zusammenschluß mit dem so ganz anders gearteten Partner Chrysler langfristig segensreich auswirken wird, ist freilich noch keineswegs erwiesen. Denn was auf dem Reißbrett der Konzernplaner so schön zusammenpaßt, erweist sich in der Wirklichkeit bisher recht sperrig. So fürchten die Mercedes-Männer um den Bestand der Marke, wenn sie vom amerikanischen Chef-Einkäufer des Konzerns, Gary Valade, gezwungen werden, ihre Kosten aufs weitaus niedrigere Chrysler-Niveau zu drücken. In den USA verließen über ein halbes Dutzend Chrysler-Spitzenmanager den Konzern, und die US-Aktionäre warfen die Papiere des transatlantischen Autoriesen reihenweise aus den Depots. Überall zwischen Stuttgart-Möhringen und Auburn Hills herrscht mittlerweile Aufruhr im Riesenreich des Jürgen E. Schrempp und seines Partners Robert J. (Bob) Eaton, und die vielen Integrationsteams haben alle Hände voll zu tun, den Betriebsfrieden wenigstens nach außen hin zu wahren.
Über Kreuz sind die Finanzleute, die sich über die Höhe notwendiger Reserven streiten, ebenso wie die Designer und Entwickler, und auch in den Belegschaften rumort es

gewaltig. Die Gewerkschaften fürchten um ihren Einfluß auf den Aufsichtsrat, und die Angestellten gewöhnen sich nur schwer an die neu verordnete Konzernsprache Englisch. Und selbst Schrempp ist sich offenbar nicht mehr ganz sicher, ob er aufs richtige Pferd gesetzt hat, seit Bob Eaton öffentlich erklärte, er könne sich durchaus vorstellen, daß eines Tages ein Amerikaner den Konzern führt. Also könnte der vermeintliche Geniestreich des Mannes, der sich alles zutraut, ebenso enden wie seine Schachpartie gegen Weltmeister Garri Kasparow: schachmatt nach zweieinhalb Minuten.

Rambos Erfolgsgeheimnis

Was bringt wohl Menschen wie Jürgen E. Schrempp dazu, derartige Risiken einzugehen, die einem Normalbürger keine ruhige Minute ließen? Man stelle sich vor: Ein angestellter Manager, der selber über kein nennenswertes Vermögen verfügt, brüstet sich öffentlich damit, daß er (im Fall Fokker) »zwei Milliarden Mark versenkt habe« und dennoch befördert worden sei. Ein Gescheiterter, der in der Stunde seiner größten Niederlage trotzig verkündet: »Daimler braucht mich mehr, als ich Daimler brauche.« Ein ehemaliger Mechanikerlehrling, der die hundertjährige Tradition der ältesten Automobilfabrik der Welt beendet und 250000 Daimlerianer in amerikanisierte Umgangs- und Arbeitsformen zwingt. Ein sozialer Aufsteiger, der einfach die Spielregeln in der bedeutendsten Industrie der Welt ändert!

»Sein ganzes Auftreten ist doch so, wie klein Fritzchen

sich das vorstellt«, lästert die Münchner Rechtsanwältin und Dornier-Verkäuferin Martine Dornier-Tiefenthaler über ihren Widersacher, der sie einst aus dem Mercedes-Aufsichtsrat hinauskomplimentiert hatte. Die spöttische Bemerkung erklärt das Phänomen Schrempp sicher nicht vollständig, doch sie weist in die richtige Richtung. Daimlers Supermann und seine Standeskollegen aus der Machergeneration schafften den Aufstieg an die Spitze ihrer Unternehmen, weil sie einen Typus verkörpern, den die deutsche Wirtschaft in den Krisenzeiten ab 1992 so dringend benötigte wie eine Herde Schafe den Leithammel.

Als die Aufträge ausblieben und die Gewinne einbrachen, hielten die Aufsichtsräte in den großen Publikumsgesellschaften Ausschau nach Figuren, die ganz anders waren als die zur Verabschiedung anstehenden Amtsinhaber. Galt die Sympathie der Ratsherren, unter denen seit jeher Banker und Versicherungsmogule den Ton angeben, über Jahrzehnte hinweg Managern, die sich durch Berechenbarkeit und angepaßtes Verhalten auszeichneten, so verspürten sie nun plötzlich Bedarf an eher hemdsärmeligen Figuren, die einem Konflikt nicht aus dem Weg gehen. Der »Unternehmer im Unternehmen« wurde gesucht, ein Kerl also, der es mit den Gewerkschaften aufnahm, der für höhere Produktivität und steigende Renditen stand. Auslandserfahrung sollte er mitbringen und die Spielregeln des US-Kapitalismus beherrschen. Doch so was hatte Seltenheitswert in »Corporate Germany«, denn wer es in den aufgeblähten Konzernbürokratien deutscher Großunternehmen bis zum

Vorstand geschafft hatte, war in der Regel abgeschliffen und angepaßt.
Wer in solchen Zeiten Erfolg haben wollte, der mußte sich, wenigstens ein bißchen, wie ein Rambo aufführen. Wenn er zum Beispiel im richtigen Moment bekundete, er kenne nur ein Ziel: »Profit, Profit, Profit«, dann kam das in den Ohren der unter dem Druck der Aktionäre stehenden Räte wie Schalmeien-Klang an, und wenn dann prompt der Betriebsrat losheulte und die IG-Metall vor einem »Rückfall ins Manchester-Zeitalter« warnte, dann war dem Aufsteiger der Vorstandsposten so gut wie sicher, selbst wenn er bis dato brav alle Vorlagen und Investitionspläne seines Vorgängers selbst entworfen hatte.

Ein Schnäppchen wird zum Flop

Auf dem frisch gekürten Hoffnungsträger lastete nun freilich ein enormer Erwartungsdruck. Er brauchte Erfolge, und zwar plötzlich. Solide Managerarbeit aber, wie etwa die Entwicklung und Durchsetzung innovativer Produkte, die Förderung begabter Mitarbeiter oder auch die intelligentere Vernetzung der Produktionsstätten – das alles ist mühselig und bringt sichtbare Resultate erst in ferner Zukunft. Eine schicke, schnelle Ubernahme aber, oder der Zusammenschluß mit einem lieben Konkurrenten, elektrisiert Aktionäre und Öffentlichkeit auf der Stelle. Und sie liefert den Chefs und Gönnern des künftigen Shooting-Stars die sofortige Bestätigung, daß sie die richtige Wahl getroffen hatten.
Selbst ein scheinbar so selbstsicherer Mann wie Bernd Pi-

schetsrieder erlag der Versuchung, als er 1993 wider Erwarten zum obersten BMW-Lenker erkoren wurde. Er mußte beweisen, daß er besser war als sein Studienfreund und Rivale Wolfgang Reitzle, der unter den Autobauern der Nation als begnadetes Talent gilt und nur deshalb nicht die Nummer 1 wurde, weil er sich den Zorn des BMW-Übervaters Eberhard von Kuenheim zugezogen hatte. Reitzle nämlich hatte ein Angebot angenommen, Chef der Sportwagenfirma Porsche zu werden, und wollte schon Anfang der neunziger Jahre weg von BMW, doch von Kuenheim bestand so lange auf Erfüllung seines Arbeitsvertrags, bis das Porsche-Angebot zurückgezogen wurde, und warf Reitzle hinterher »Fahnenflucht« vor. Gegen die Warnung Reitzles und anderer BMW-Vorstände landete Pischetsrieder gleich nach seiner Inthronisierung einen Coup, den die Wirtschaftsjournalisten begeistert als »strategisches Meisterstück« feierten. Für nur zwei Milliarden Mark kaufte er die britische Firma Rover und bekam damit auf einen Schlag ein Unternehmen, das fast so viele Autos wie BMW herstellte und Preziosen wie die allradgetriebenen Geländefahrzeuge Range Rover und Land Rover im Angebot hatte. »Ein Schnäppchen«, begründete Pischetsrieder den Kauf und rechnete seinen Aufsichtsräten vor: »Allein die Entwicklung eines eigenen Sports Activity Vehicle (Geländewagen) würde BMW so viel kosten, wie wir jetzt bezahlen müssen.«
Obwohl die BMW-Leute vor dem Kauf wochenlang die Rover-Bücher geprüft, die Werkshallen durchstreift und die Produkte auf Herz und Nieren getestet hatten, übersa-

hen sie die Schönheitsfehler der britischen Braut. Deren Fahrzeuge erwiesen sich, mit Ausnahme der Geländewagen, als nahezu unverkäuflich, die Produktionsanlagen als hoffnungslos rückständig, die Belegschaften als demotiviert und unproduktiv. Aus dem scheinbaren Schnäppchen wurde schnell ein Milliardengrab und aus dem strahlenden Helden Pischetsrieder ein genervter Pannenhelfer, der, nachdem er in England zwei Managergarnituren verschlissen und über sechs Milliarden Mark aus der BMW-Kasse verbraten hatte, seinen Spitzenjob verlor.

Da half es auch wenig, daß ihm beim Poker um Rolls-Royce ein Punktsieg über den mitbietenden VW-General Ferdinand Piëch gelungen war, denn die britische Edelmarke bringt BMW allenfalls ein bißchen Prestige, die teure Rover-Tochter hingegen satte Verluste bis weit übers Jahr 2000 hinaus. Etwas spät bereute der BMW-Boß im Januar 1999: »Vielleicht werden wir in 10 Jahren über das Immer-größer-werden genauso kritisch urteilen wie heute über die Diversifikation.«

Schon möglich, doch dann sind jene kapitalen Fehler längst gemacht, die nicht nur das Vermögen der Aktionäre riskieren, die Identität vieler Unternehmen aufs Spiel setzen, in den Belegschaften Angst und Unsicherheit verbreiten, sondern zusehends auch den Bestand der gesellschaftlichen Ordnungen in den Industriestaaten gefährden.

Furchterregende Konsequenz

Was ein ehrgeiziger Manager anrichten kann, der von sich und seinen Ideen überzeugt ist, das läßt sich am trefflichsten im Frankfurter Stadtteil Hoechst beobachten. In der Zentrale eines der berühmtesten Chemiekonzerne der Welt spielt dort seit 1994 ein Mann, der für viele seiner Mitarbeiter der meistgehaßte Mensch auf Erden ist, eine Art Glasperlenspiel. Dessen Regeln ändern sich ständig und werden, außer vom großen Meister selbst, von fast niemandem mehr verstanden. Früher einmal hieß es »Shareholder-Value«, heute nur noch »Dormann-ärgere-dich-nicht«. Der diplomierte Volkswirt Jürgen Dormann, Jahrgang 1940, erhitzt wie kaum ein zweiter Manager die Gemüter in der deutschen Geschäftswelt. Gilt er den einen als »kreativer Zerstörer« im Sinn des großen Ökonomen Joseph Schumpeter, sehen die anderen in ihm nur noch den Zerstörer. Mit beinahe furchterregender Konsequenz setzte der persönlich eher leise und bescheiden auftretende Familienvater (vier Töchter) die Lehrbuchweisheiten des amerikanischen Turbokapitalismus in die deutsche Wirklichkeit um, und das Ergebnis ist alles andere als überzeugend.

Jürgen Dormann lieferte zwar ein beeindruckendes Schauspiel für die Veränderungsmacht eines einzelnen Managers, aber bis dato ist nicht ersichtlich, daß sich der gewaltige Aufwand und die Opfer, die er seinen Mitarbeitern abverlangte, irgendwie gelohnt hätten. Aus dem umjubelten Reformer, der noch 1995 zum »Manager des Jahres« gekürt wurde, ist längst ein Gejagter geworden, von dem seine einstigen Bündnispartner aus dem Kreis der Bankanalysten und Investoren immer gebieterischer die versprochenen Renditen einfordern.

Wie die Pischetsrieders, Breuers und all die anderen Reformer in den Chefetagen deutscher Konzerne kennt auch Jürgen Dormann die Welt seiner amerikanischen Vorbilder nur vom Hörensagen. Nie hat einer dieser nach außenhin so weltläufigen Bewunderer angelsächsischer Geschäftssitten in einem anderen als dem eigenen Unternehmen gearbeitet. Sie sind typische Kaminkarrieristen, die früh lernten, sich anzupassen, Freunde und Gönner zu suchen – und diese bei Bedarf auch wieder fallenzulassen. »Vatermörder« nennen Psychologen jenen Managertypus, der, kaum daß er die Macht erobert hat, alles anders machen will als sein Vorgänger.

Auf das falsche Pferd gesetzt

Als Jürgen Dormann 1963 als Verkäufer für Kunstfasern bei den Farbwerken Hoechst anfängt, ist die Welt der Großchemie noch in Ordnung. Zusammen mit ihren Schwesterfirmen, den ebenfalls aus der einstigen IG Farben hervorgegangenen Chemieunternehmen Bayer und BASF, zählt die Hoechst AG zu den solidesten und wachstumsstärksten Großunternehmen der Bundesrepublik. In 21 Jahren arbeitet sich der ebenso begabte wie ehrgeizige Volkswirt übers Controlling und das Finanzwesen bis zum Vorstand hoch, in dem traditionell Chemiker das Sagen haben.

Von Chemie versteht er nicht allzuviel, dafür aber um so mehr von Zahlen. Unaufhörlich nervt er seine Vorstandskollegen mit Rentabilitätsberechnungen und Betriebsvergleichen und verlangt energisch die Ausweitung des Ame-

rika-Geschäfts. Es gelingt ihm schon bald, Vorstand und Aufsichtsrat von der Notwendigkeit zu überzeugen, eine große US-Gesellschaft zu kaufen. Dormann entscheidet sich für den Kunststoffhersteller Celanese und macht damit den entscheidenden Fehler in seiner Karriere, der ihn später zu immer neuen Abenteuern zwingt.
Die Übernahme klappt zwar perfekt und verschafft dem jungen Finanzgenie schon Mitte der achtziger Jahre die Aura eines meisterhaften Strategen, doch in Wahrheit hatte Jürgen Dormann auf das falsche Pferd gesetzt. Im Geschäft mit Kunststoffen und Fasern brachen nämlich die Margen weg, als die ölexportierenden Länder, die den Rohstoff lieferten, selbst große petrochemische Anlagen errichteten und die Welt mit preiswerten Kunststoffen überschwemmten. Besser wäre es für Hoechst zweifellos gewesen, man hätte damals, als die Preise für Unternehmen dieser Art noch günstig waren, eine Pharmafirma anstatt des Faserproduzenten Celanese gekauft.
Noch ums Jahr 1990 ist Hoechst unter dem Vorsitzenden Wolfgang Hilger ein mächtiger und scheinbar kerngesunder Konzern, der rund 46 Milliarden Mark umsetzt und über 170 000 Mitarbeiter beschäftigt. Doch Jürgen Dormann läßt an der Vergangenheit kein gutes Haar. Hoechst sei schon damals, rechtfertigt er heute den Totalumbau des Konzerns, in einer wesentlich schlechteren Wettbewerbsposition als Bayer und BASF gewesen und hätte keine Zukunftschancen gehabt.
Als die Celanese-Zahlen unerfreulicher werden, verteidigt er seine Investition mit der Bedeutung, die die »strategi-

sche Position« des Konzerns in den USA für die Zukunft habe. Im Vorstand macht er sich jetzt für den Ausbau des lukrativen Pharmageschäfts stark, wo Hoechst seit jeher eine dominierende Position einnimmt. Der Konzern gilt als größte Apotheke der Welt und zieht drei Viertel seines Gewinns aus der Pillensparte. Doch der Vorstand, gelähmt von heftigen Machtkämpfen der einzelnen Spartenchefs, mag sich nicht entscheiden.

Nichts als ein Haufen Schrott

Wolfgang Hilger, der introvertierte Vorsitzende, traut weder den Plänen seines Finanzchefs noch den Verheißungen seiner Chemiker. Als es zu einer Reihe von Störfällen in den Werksanlagen kommt und der Konzern die Öffentlichkeit über die Ursachen im unklaren läßt, sind die Tage Hilgers gezählt. Als erster Nichtchemiker in der 131jährigen Geschichte der »Hoechster Rotfärber« wird Jürgen Dormann im April 1994 zum Vorsitzenden gewählt.

Wie Jürgen E. Schrempp bei Daimler räumt er als erstes seinen Vorgänger beiseite. Hilgers Rat ist nicht mehr gefragt, und seine Hinterlassenschaft für den tatendurstigen Volkswirt nicht mehr als ein Haufen Schrott. Anders als seine Kollegen Jürgen Strube von der BASF und Manfred Schneider von Bayer will Jürgen Dormann seinen Konzern nicht behutsam optimieren, sondern radikal reformieren.

Wirtschaftsjournalisten und Bankanalysten, Aktionäre und Vorstandskollegen sind vom Tatendrang des amerikanophilen Finanzexperten begeistert. Endlich einer, der aufräumt, den Konzern in Bewegung bringt, einer mit einem

klaren Konzept für die Zukunft, ein Macher eben, wie er im Buche steht. Hatte sich der öffentlichkeitsscheue Chemiker Hilger im Olymp des Konzerns verbarrikadiert, so geht der jugendlich wirkende, ein wenig an den Schauspieler Steve McQueen erinnernde Kaufmann Dormann ohne Berührungsängste auf Geschäftspartner, Politiker und Journalisten zu, und alle finden ihn ganz prima.
Daß da kein Dampfplauderer am Werk ist, stellt der neue Hoechst-Chef sofort unter Beweis, als er für nicht weniger als zehn Milliarden Mark die amerikanische Pharmafirma Marion Merrell Dow an Land zieht und damit aller Welt signalisiert, wohin die Reise gehen soll: weg von der altmodischen Industriechemie, hin zu den modernen Life Sciences, zu Bio- und Gentechnik. So richtig der Entschluß im Kern gewesen sein mag, so fehlerhaft setzt ihn Dormann in die Tat um. Nach Meinung führender Branchenexperten griff er sich nämlich mal wieder die falsche Firma, die außer einer starken Präsenz am US-Markt nicht viel zu bieten hatte.
Dennoch übernahmen nun die Amerikaner mit dem Marion-Merrell-Manager Richard Markham an der Spitze das Kommando über die gesamte Pharmasparte. Als mit Frank Douglas ein weiterer Amerikaner auch noch zum Leiter des Forschungs- und Entwicklungsbereichs befördert wurde, war für viele Hoechster Forscher das Maß voll. Reihenweise wanderten sie zur Konkurrenz ab, und die einstige »größte Apotheke der Welt« versank ins Mittelmaß.
Da gleichzeitig einige der schärfsten ausländischen Konkurrenten fusionierten – in England schlossen sich Glaxo und Wellcome zusammen, in der Schweiz Ciba-Geigy und San-

doz –, rutschte Hoechst trotz der teuren Zukäufe auf den achten Platz in der Weltliga der Pharmaproduzenten ab. Dabei wuchs der Schuldenberg immer höher, denn Dormann brauchte weitere 5 Milliarden, um die restlichen Anteile an der französischen Pharmafirma Roussel Uclaf zu übernehmen, an der Hoechst schon mit 50 Prozent beteiligt war. Unter dem Druck der Finanzschulden wie der Aktionäre, die allmählich bessere Zahlen sehen wollten, machte sich der rastlose Vorsitzende an den Totalumbau des Frankfurter Traditionskonzerns.

Hatte er zuvor schon lukrative Töchter wie den Shampoohersteller Schwarzkopf, die Kosmetikmarken Jade und Marbert, das Chemieunternehmen Riedel-de Haën, den Graphitlieferanten SGL Carbon, den Anlagenbauer Uhde, die Faserfirma Trevira und den Lackhersteller Herberts verscherbelt, so ging er jetzt daran, auch noch die restlichen Konzernteile zu zerlegen.

Zerstörungsgewalt eines Managers

Die verbliebenen Chemie-Aktivitäten brachte Dormann in die neugegründete Celanese AG ein, und das künftige Herzstück, den Bereich »Life Sciences«, verschmolz er schließlich mit dem französischen Konzern Rhône-Poulenc. Am Ende blieben zwei deutsch-französische Zwitter namens Aventis Pharma (Straßburg) und Aventis Agro (Lyon) übrig. Der Name »Aventis« stammt übrigens von »Aventure« und heißt übersetzt: »Abenteuer«. Nach dem Willen des Großen Zerstörers soll der seit über 100 Jahren in aller Welt bekannte Name Hoechst verschwinden.

Branchenkenner wie der Frankfurter Pharmaprofessor Ernst Mutschler und der Schweizer Großaktionär Martin Ebner bezweifeln bis heute, ob Dormanns Abenteuer ein Happy-End finden wird. Die von ihm und dem Franzosen Jean-René Fourtou gleichberechtigt geführten Aventis-Firmen brachten es 1998 auf eine Umsatzrendite von gerade mal 12 Prozent, während Weltmarktkonkurrenten wie Glaxo Wellcome oder Novartis Renditen bis zu 30 Prozent erzielen und dabei auch noch weniger Zinsen an die Banken zahlen müssen als der mit rund 15 Milliarden Mark hochverschuldete Retorten-Konzern in Straßburg. An der Börse ist denn auch die Begeisterung für das Shareholder-Value-Konzept des Konzernzertrümmerers Dormann längst verflogen, und auch Großaktionär Chalid Buhamra, Vertreter der mit 24,5 Prozent am Hoechst-Kapital beteiligten Kuweit Petroleum Corporation, zeigte Mißmut über die dürftigen Ergebnisse des Konzernumbaus und drängte Dormann zu einer schnelleren Gangart bei der Fusion. Ziehen sich die Kuweitis zurück, kann Hoechst leicht zur Beute eines Aufkäufers werden. Konzernzerstörer Dormann hätte dann auch seine eigene Karriere zerstört.

Gelassen betrachteten unterdes Manfred Schneider, Chef des Bayer-Konzerns, und Jürgen Strube, Herr über die BASF, das bunte Treiben ihres Kollegen in Frankfurt. Sie standen vor den gleichen Problemen wie der Hoechst-Konzern, doch sie reagierten anders. Bayer baute zwar ebenfalls das Pharmageschäft weltweit aus, hielt aber am Verbund mit der Chemie fest. Und die BASF, traditionell am stärksten in der Chemie verhaftet, reduzierte die Kosten und setzte auf Spezialitäten, die anderswo nicht in gleicher Qualität herzustellen waren. Mit Seitenblick auf den brachialen Kollegen dozierte Jürgen Strube: »Wir machen lieber kleine Schritte und verändern uns leise, gehen aber gezielt vor. Das Ergebnis ist eine Verbundstrategie, die Megafusionen aus unserer Sicht nicht erstrebenswert erscheinen läßt.«

Man könnte also zur Tagesordnung übergehen und die – bislang wenig fruchtbare – Zerschlagung eines Weltkonzerns als einmaligen Fall von Mißmanagement abhaken – wenn Jürgen Dormann nicht noch immer weitere Nachahmer finden würde. Die Rigorosität, mit der er seinen Machtanspruch gegenüber den Führungskräften und Belegschaften seines Konzerns durchsetzte, imponiert noch immer vielen Managerkollegen, die ebenfalls aufräumen wollen mit dem deutschen Konsenskapitalismus. Jürgen Dormann ist für sie zu einer Symbolfigur wie Jack Welch geworden. Der legendäre Chef des US-Konzerns General Electric und Darling aller Wallstreet-Banker bewies der Welt, zu welchen gigantischen Profiten ein Manager seiner Firma verhelfen kann, wenn er nur intelligent und konsequent genug vorgeht. Den Deutschen aber bewies Jürgen Dormann bisher freilich nur die Zerstörungsgewalt, die von einem Manager ausgehen kann.

Vom Dormann-Virus infiziert

Dem Übermut der Macher, der sich hinter scheinbaren Notwendigkeiten versteckt – die Schlagworte heißen Globalisierung, Wettbewerbsdruck, Steigerung der Shareholder-Values, etc. –, fiel nicht nur das Wir-Gefühl zum Opfer, das Belegschaften, Management und Eigentümer einst einte, sondern auch jene spezifische Unternehmenskultur, aus denen Firmen wie Daimler-Benz, Hoechst oder auch die Deutsche Bank bis dato ihre Kraft bezogen. Kaltschnäuzig antwortete Jürgen Dormann auf den Vorwurf, er habe die Hoechst-Familie ihres Zusammenhalts beraubt: »Welche Familie? Lassen Sie uns von Mitarbeitern reden.« Man muß kein Traditionalist sein, um derlei zu bedauern.

Der Dormann-Virus infizierte nicht nur viele Schmalspurbosse im ganzen Land, sondern in unmittelbarer Frankfurter Nachbarschaft auch die sonst so gelassenen Herren im 32. Stock der gläsernen Zwillingstürme der Deutschen Bank. Im größten und mächtigsten Geldhaus der Nation, dem früher der Nimbus der Unfehlbarkeit anhaftete, herrscht seit 1994 totale Konfusion. Unzufrieden sind die Aktionäre, da sich der Börsenkurs des Bankenprimus schlechter als der Branchendurchschnitt entwickelte, und ebenso mißmutig sind die vom organisatorischen Chaos genervten und vom drohenden Arbeitsplatzverlust bedrohten Mitarbeiter. Nicht weniger als siebenmal bauten die Bankvorstände die innere Organisationsstruktur des Geldhauses um – und das in nur vier Jahren. Anstatt vorausschauend zu handeln und die Trends der Branche selbst zu bestimmen, hechelten sie verzweifelt den Maschen und Moden hinterher, die von anderen in die Welt gesetzt wurden.

Geisterte die Idee von Allfinanz-Konzernen, die unter ihrem Dach sowohl Geld- als auch Versicherungsgeschäfte betrieben, durch die Branche – nun, dann beteiligte sich auch die Deutsche flugs am Deutschen Herold, an Gerling und an der Nürnberger Versicherung, nur um ein paar Jahre später festzustellen, daß das Ganze nicht so recht funktionierte und man besser daran tat, sich aus der Assekuranz wieder zurückzuziehen.

War es schick, in der Londoner City vertreten zu sein – nun, dann kaufte die Deutsche eben für ein paar Milliarden die Londoner Geschäftsbank Morgan Grenfell und, koste es, was es wolle, gleich noch ein paar der teuersten Leute von der Konkurrenz dazu. Daß auch dieses Abenteuer ähnlich wie der Ausflug in die Versicherungsbranche endete, ist bekannt: Morgan Grenfell kam bei den Investmentbanken nie über das Mittelfeld hinaus und wurde zuletzt wieder sang- und klanglos ins Mutterhaus integriert, nachdem zuvor die in Frankfurt tätigen Investment-Banker nach London hatten umziehen müssen.

Deutschbankiers auf dem Egotrip

Fusionierten die zwei Schweizer Großbanken SBV und SBG zur UBS – nun, dann mußte die Deutsche selbstverständlich auch sofort fusionieren. Schon weil sie ihr Gewohnheitsrecht verletzt sahen, stets die Größten zu sein, machten sich die Frankfurter Geldherren eilends auf die Suche nach einem passenden Übernahmekandidaten. Wichtigstes Kriterium war offenbar eine Bilanzsumme, die ausreichte, die frechen Schweizer zu übertreffen. Denn alles andere, was der nach vieler Mühe gefundene Bankers Trust zu bieten hatte, trieb den Börsianern keineswegs die

Freudentränen in die Augen. Sie hielten den Kaufpreis von 17 Milliarden Mark, der für eine Bank zu bezahlen war, die in Amerika einen höchst zweifelhaften Ruf genießt, für viel zu hoch.

Bankers Trust war verwickelt in windige Geschäfte mit Finanzderivaten und mußte den geschädigten Kunden mehr als 400 Millionen Dollar Entschädigung zahlen, und auch am zusammengebrochenen Spekulationsfonds LTCM hatten sich die New Yorker Banker die Finger verbrannt. Schließlich kam auch noch heraus, daß die Bank zwischen 1994 und 1996 ihre Bilanzen manipuliert hatte, indem sie unbeanspruchte Schecks und Forderungen von Kunden ihren Aktiva zuschlug. Ein New Yorker Gericht verurteilte sie deshalb zu einer Geldbuße von 63,5 Millionen Dollar.

Einmal auf dem Egotrip, ließen sich die Herren der Deutschen Bank weder von derlei Lappalien noch von den Widerständen im eigenen Haus aufhalten. Was zählten die Bedenken der Mitarbeiter – 430 Betriebsräte lehnten die Übernahme der US-Bank ab, und auch die Arbeitnehmervertreter im Aufsichtsrat blieben skeptisch – und was die Launen der Börsianer, die den Kurs der Deutschen Bank sofort nach Bekanntgabe des Deals in den Keller schickten, wenn es ums Prestige einer Handvoll Topmanager ging?

Modellhaft zeigen sich an der größten Einzelinvestition, die je ein deutsches Geldhaus vornahm, die Züge einer brachialen Managerdiktatur, die weder auf die Belange der Eigentümer noch auf jene der Mitarbeiter Rücksicht nimmt. Wie Jürgen Schrempp von Daimler und Jürgen

Dormann von Hoechst brauchte auch Rolf E. Breuer, der im Mai 1997 den glücklosen Hilmar Kopper an der Spitze der Deutschen Bank abgelöst hatte, einen schnellen und spektakulären Erfolg. Gehörte es früher zum Stil des Geldprimus, schnell und geräuschlos zu operieren, so ließen Breuer und seine Vorstandskollegen bald alle Welt wissen, daß sie Großes im Schilde führten – was ihre Verhandlungsposition natürlich nicht gerade verbesserte.

Widerstände mit dem Scheckbuch beseitigt

Daß bei vielen Übernahmen und Fusionen der letzten Zeit die Interessen der Manager im Vordergrund standen, bestätigte sich einmal mehr bei der New Yorker Eroberung des Rolf E. Breuer. Weil er den Coup zur Stärkung seines Status innerhalb der Bank dringend brauchte, schlug er alle Warnungen in den Wind. Die Drohungen amerikanischer Anwälte, den Deal so lange zu stoppen, bis die Deutsche Bank hohe Entschädigungen für im Zweiten Weltkrieg beschäftigte jüdische Zwangsarbeiter gezahlt hat, ließ ihn ebenso kalt wie die Gefahr, daß das Management der US-Bank, wie einst auch bei Morgan Grenfell, vor der Machtübernahme der Deutschen geschlossen abmusterte. Über eine Milliarde Mark stellte Breuer zusätzlich zum Kaufpreis bereit, um alle Widerstände mit dem Scheckbuch zu beseitigen. 10 Millionen Dollar bekam allein Frank Newman, der wenig erfolgreiche Chef von Bankers Trust, der gerade für das dritte Quartal 1998 einen Rekordverlust von 488 Millionen Dollar bekanntgegeben hatte, und auch die anderen Spitzenleute des New Yorker Instituts wurden von den spendierfreudigen Deutschen mit millionenschweren Handgeldern zum Bleiben überredet. Kein Problem für die Bank, die kurz zuvor hatte verlauten lassen, daß sie sich binnen drei Jahren von knapp 9000 Mitarbeitern zu trennen gedachte.

Auch wenn Rolf E. Breuer seinen Fischzug gern als »Quantensprung nach vorne« verkauft, vermochten die meisten Aktien-Analysten einen rechten Sinn hinter dem 17-Milliarden-Dollar-Investment nicht zu erkennen. Im lukrativen Investmentbanking spielt Bankers Trust allenfalls in der zweiten Liga, und die beiden Fusionspartner haben völlig unterschiedliche Unternehmenskulturen. Die Aktien der Deutschen Bank jedenfalls profitierten bisher kaum von dem ehrgeizigen Projekt, dafür dürfen sich deren Manager in der Gewißheit sonnen, wieder einmal die Größten zu sein.

Attacke in Wildwest-Manier

Die Aufmerksamkeit, die den Personalien zuteil wird, festigt den Verdacht, daß es selbst bei den Mega-Mergers mehr um Geld und Prestige der handelnden Personen als um die Zukunft der Unternehmen geht. So auch bei der mühseligen Vermählung der beiden Ruhr-Konzerne Thyssen und Krupp, deren Dramaturgie gelegentlich so aussah, als wäre es ein Schurkenstück aus *Dallas* und *Denver Clan*. Den Schurken gab Krupp-Chef Gerhard Cromme, als er im März 1997 die Thyssen-Aktionäre mit der Ankündigung überraschte, er wolle ihnen ihre Anteilscheine zum Fabelpreis von 435 Mark pro Stück abkaufen. An

der Börse notierte das Thyssen-Papier gerade mal bei 350 Mark.
Dieser erste Versuch einer feindlichen Übernahme (»unfriendly takeover«) nach amerikanischem Muster verstörte nicht nur das Wirtschaftsestablishment an Rhein und Ruhr, sondern gleichermaßen Politiker und Gewerkschafter.
Crommes Vorstoß signalisierte unzweideutig, daß die Tage des rheinischen Konsenskapitalismus endgültig vorüber waren. Doch er kündete auch vom neuen Selbstbewußtsein der Manager, die sich anschickten, das mühsam austarierte Kräfteverhältnis zwischen den gesellschaftlichen Gruppen zu ihren Gunsten zu verändern.
Sinn machte die Attacke des kleinen Krupp auf den großen Thyssen ohnehin nur aus der Sicht von Cromme. Sein Unternehmen war, auch nach der ein paar Jahre zuvor erfolgten Fusion mit dem Dortmunder Hoesch-Konzern, allein zu klein und zu ertragsschwach, um auf Dauer im weltweiten Wettbewerb mit den Stahlgiganten aus Japan, Korea und den USA bestehen zu können. Diese Sorgen hatte sein Duzfreund Dieter H. Vogel an der Spitze des Thyssen-Konzerns nicht. Thyssen war groß und stark genug, um auch allein zu überleben. Frühere Versuche, wenigstens die Stahlsparten beider Konzerne zu vereinigen, waren gescheitert, weil der große Thyssen den kleinen Krupp entweder zu seinen Bedingungen oder gar nicht haben wollte. Mit seiner Attacke in »Wildwest-Manier« (Vogel) drehte nun Cromme den Spieß um und brachte damit nicht nur seinen »Freund«, sondern das gesamte Old-Boys-Network der Deutschland AG in Bedrängnis. Bevor er losschlug,

hatte Cromme nämlich die Deutsche Bank mit ins Boot gezogen. Die Gralshüter des Konsenskapitalismus, die Initiatoren feindlicher Übernahmen einst als »Räuber« betrachteten, denen man getrost »verbrecherische Neigungen« unterstellen könne, signalisierten mit der Unterstützung des Krupp-Konzerns, daß an Rhein und Ruhr jetzt rauhere Sitten herrschten. Und nebenbei versprachen sich die Bankiers – auch die Dresdner mischte mit – einen satten Gewinn, denn die Übernahme sollte mit Bankkrediten von rund 15 Milliarden Mark finanziert werden.

Macht und wirtschaftliche Logik

Dazu kam es dann doch nicht, denn Duzfreund Vogel mobilisierte alle jene Kräfte, die an der Erhaltung des Status quo interessiert sein konnten. Den Thyssen-Aktionären rechnete er vor, daß ihr Konzern noch mehr wert war, als Cromme zu zahlen versprach, und die Gewerkschaften erschreckte er mit düsteren Prognosen über den Abbau von Arbeitsplätzen. Prompt machten sich ein paar Hundertschaften empörter Stahlwerker, von der IG Metall auf die Reise geschickt, auf nach Frankfurt, um in den Taunusanlagen vor der Zentrale der Deutschen Bank gegen Crommes Coup zu protestieren.

Als die feinen Geldherren sich der grölenden Menge gegenüber sahen und die ersten Farbbeutel flogen, da ahnten sie wohl, daß die Steigerung der Shareholder-Values noch ein wenig auf sich warten lassen müsse. Die Banken zogen schließlich unter dem Druck der öffentlichen Meinung – Vogel hatte sogar den Bundeskanzler alarmiert – ihre Kre-

ditzusagen zurück, und der Thyssen-Chef schien das Spiel gewonnen zu haben.
Doch es schien nur so. Hinter dem Rücken der verfeindeten Duzfreunde Vogel und Cromme verständigten sich Berthold Beitz, Herr über die Krupp-Stiftung, und Thyssen-Aufsichtsratsvorsitzender Heinz Kriwet, daß eine friedliche Fusion, wenn schon eine feindliche Übernahme nicht möglich sei, durchaus im Interesse beider Konzerne liege.
Auch die Banken, bei denen Krupp schon tief in der Kreide stand, drängten aus Sorge um ihre Kredite auf einen Zusammenschluß mit dem finanzstarken Thyssen-Konzern. Jetzt ging es nur noch um die Frage, wieviel die beiden ungleichen Partner wert waren und, fast noch wichtiger, wer den vereinigten Stahlkoloß, der etwa 180000 Mitarbeiter beschäftigen und rund 70 Milliarden Mark im Jahr umsetzen würde, lenken sollte. Und da zeigte sich wieder einmal, daß Macht nicht gleichbedeutend ist mit wirtschaftlicher Logik.
Logisch wäre es zweifellos gewesen, wenn der nahezu doppelt so große Thyssen-Konzern Krupp übernommen und Cromme allenfalls den Chefposten der Tochtergesellschaft überlassen hätte. Doch Berthold Beitz, der um seinen Einfluß auf den Krupp-Konzern fürchtete, wollte keine Übernahme, sondern eine Fusion. Entschiedenster Gegner dieses Konzepts war Thyssen-Chef Dieter Vogel, der die Gewinnhochrechnungen der Kruppianer nicht gelten lassen wollte und die Stärke seines Unternehmens mit einer glänzenden Bilanz untermauerte.

Die Partie schien für Gerhard Cromme schon verloren, da erhielt er unerwarteten Beistand. Mitten hinein in die Schlammschlacht, an der sich auch einige sorgfältig ausgewählte Wirtschaftsjournalisten beteiligen durften, die mal von der einen, mal von der anderen Seite mit Informationen »geimpft« wurden, platzte eine Nachricht aus Berlin. Oberstaatsanwalt Theodor Bosche gab im Dezember 1997 bekannt, daß er Anklage gegen Dieter Vogel und zwei weitere Thyssen-Manager erheben werde.

»Dringender Tatverdacht«

Es ging um ein Geschäft aus den Tagen nach der deutschen Wiedervereinigung. Die Thyssen-Handelsunion, der Vogel damals vorstand, hatte von der Treuhand-Anstalt den Auftrag erhalten, einen der reichsten DDR-Betriebe abzuwickeln, und dabei hatte sich, so vermuteten die Berliner Justizbehörden, Thyssen am Vermögen der Firma Metallurgiehandel (MH) durch fingierte Abrechnungen für die Schulung des Personals ungerechtfertigt bereichert. Obwohl Thyssen freiwillig über 100 Millionen Mark an die Treuhand zurückzahlte und Vogel anhand detaillierter Unterlagen nachwies, daß die Vorwürfe unberechtigt waren, erwirkten die Staatsanwälte einen Haftbefehl gegen den prominenten Manager. Nur die Hinterlegung einer Kaution über 5 Millionen Mark bewahrte ihn vor dem Knast.

Viel ist gerätselt worden über die ungewöhnliche Hartnäckigkeit der Strafverfolger im Fall Vogel. Und bis heute ist die Frage nicht beantwortet worden, warum dieser Oberstaatsanwalt nach Ermittlungen, die sich über Jahre hinzogen, gerade zu dem Zeitpunkt seine Absicht verkündete, Anklage zu erheben, als der Machtkampf in Düsseldorf auf Messers Schneide stand. Der schwer belastete Thyssen-Chef gab schließlich den Kampf auf und erklärte seinen Rücktritt. An seine Stelle rückte Thyssens Stahlchef Ekkehard Schulz, der den fusionierten Konzern zusammen mit Gerhard Cromme seither gleichberechtigt führt.

Daß der »dringende Tatverdacht« gegen Dieter H. Vogel wohl doch nicht so dringend gewesen sein kann, erwies sich erst ein gutes Jahr später. Kurz vor Weihnachten 1998 gab die 19. Große Strafkammer des Landgerichts Berlin bekannt, daß sie das Strafverfahren gegen Vogel und zehn weitere Thyssen-Manager »mit Zustimmung der Staatsanwaltschaft« eingestellt habe.

Wer sich über die seltsamen Wege wundert, auf denen die Gerechtigkeit manchmal daherkommt, kennt die Methoden nicht, mit denen auf den Chefetagen Macht- und Prestigekämpfe ausgetragen werden. Unverhoffte Sonderprüfungen im Bereich des Rivalen gehören ebenso zum Arsenal wie in die Fachpresse lancierte Gerüchte, anonyme Schreiben an die Aufsichtsräte oder gar die Einschaltung der Justiz – wenn es sein muß, auch mit Hilfe fragwürdigen Beweismaterials. Das Privatleben der Konkurrenten wird bis ins letzte Detail ausgeforscht, Kontenbewegungen und alle sonstigen finanziellen Transaktionen werden durchleuchtet und mitunter auch noch die Büros mitsamt den Privatwohnungen verwanzt. Die Adressen und Telefonnummern der auf solche Dienste spezialisierten und als leistungsfähig bekannten Agenturen zählen heutzutage –

das bestätigten mir mehrere Vorstandsmitglieder – zum wichtigsten Rüstzeug eines jeden Topmanagers.
Geht es schon beim Rennen um die Topjobs innerhalb eines Unternehmens mitunter recht ruppig zu, so verschärft sich die Situation im Falle von Übernahmen noch ganz beträchtlich. Denn jetzt kämpfen nicht nur die Konkurrenten aus dem eigenen Haus, deren Schwächen man einigermaßen kennt, um die begehrten Spitzenjobs, sondern auch noch die angeheirateten Schwippschwäger aus einer fremden Firma. Und ganz eng wird es im Fall einer Fusion. Denn wenn es ein echter »Merger of Equals«, also eine Verschmelzung von Gleichen, werden soll, bildet sich für gewöhnlich eine Doppelspitze aus zwei nominell gleichberechtigten Chefs heraus, und jeder dieser beiden Heroen will natürlich seine Anhänger so günstig wie möglich in der neuen Firmenhierarchie plazieren. Und bei diesen Rangeleien um die strategisch günstigsten Positionen bestätigt sich fast immer der Verdacht, daß das ganze Manöver in Wirklichkeit ein Machtspiel und keine wirtschaftliche Notwendigkeit war.

Zusammenprall der Egomanen

Im Frühjahr 1998 zum Beispiel wollten sich die beiden britischen Pharmakonzerne Glaxo Wellcome und Smith Kline Beecham, jeder für sich bereits ein Gigant, zum weltgrößten Unternehmen der Branche zusammenschließen. Die Börsianer jubelten, und die Analysten der Banken errechneten für den künftigen Pillenkonzern bereits einen Börsenwert, der um 85 Milliarden Mark höher war, als es den Tageskursen der beide Einzelfirmen entsprach. Zusammen hätten die Fusionspartner in der Tat eine furchterregende Dominanz über die weltweite Pharmabranche erreicht, denn sie verfügten über die leistungsfähigsten Forschungsabteilungen, die höchsten Entwicklungsbudgets und weiträumigsten Vertriebsnetze.

Was auf dem Reißbrett der Fusionsplaner wunderbar zusammenpaßte, scheiterte jedoch im letzten Moment an der Machtfrage. Drei Tage und drei Nächte lang rangelten Richard Sykes, Spitzenmann von Glaxo Wellcome, und Jan Leschly, der Boß von Smith Kline Beecham, um die Hackordnung in der Superfirma. Alles war geklärt, die Finanzierung, die Geschäftsstrategie, das Fusionsmanagement, der Zeitplan. Sogar über ihre Titel hatten sich die beiden Leitwölfe verständigt. Leschly sollte Vorstandsvorsitzender, Sykes Verwaltungsratsvorsitzender werden. Zum Eklat kam es erst, als die Machtbefugnisse definiert werden sollten.

Jetzt erst wurde den beiden Egomanen klar, daß jeder von ihnen die Führungsrolle für sich beanspruchte und jede denkbare Form einer Doppelspitze bedeutet hätte, daß sich einer dem anderen würde unterordnen müssen. Doch dazu waren weder Sykes noch Leschly bereit, und so ließen sie die mit immensem Aufwand bis ins Detail vorbereitete Fusion platzen – was die Börse mit einem zweistelligen Kursrutsch der Aktien beider Unternehmen quittierte. Auf einen Schlag hatte der »Clash of Egos« (so die *Neue Zürcher Zeitung*) die Aktionäre um über 30 Milliarden Mark ärmer gemacht. Doch die beiden Firmen existieren seither – jede für sich allein – weiter und machen keine schlechteren Geschäfte als zuvor.

Wie sehr Fusionen von einzelnen Topmanagern geprägt werden, das ließ sich auch in München beobachten, als sich Hypo- und Vereinsbank zusammenschlossen. Den Anstoß gaben auch in diesem Fall nicht betriebswirtschaftliche Überlegungen; ausschlaggebend war vielmehr die Furcht des Vereinsbank-Vorstehers Albrecht Schmidt, seine Unabhängigkeit zu verlieren. Nachdem die Deutsche Bank nämlich offiziell bekanntgegeben hatte, daß ihr bereits mehr als 5 Prozent der Vereinsbank-Aktien gehörten, mußte Schmidt fürchten, eines Tages seine Weisungen aus der Frankfurter Zentrale des mächtigsten Geldhauses der Nation zu bekommen. Dies wollte er auf jeden Fall vermeiden, und deshalb alarmierte er seinen Großaktionär, die Allianz Versicherung.

»Eine gehörige Wut im Bauch«

Auch Allianz-Chef Henning Schulte-Noelle war nicht begeistert vom Vorstoß der Deutsch-Banker in sein angestammtes Revier, und so ließ er eine Verteidigungsstrategie erarbeiten. Da die Allianz kraft ihrer Aktienpakete bestimmenden Einfluß sowohl auf die Dresdner Bank als auch auf die beiden Münchner Großbanken hatte, wäre eine Dreierlösung die überzeugendste Antwort auf die Attacke der Deutschen gewesen. Doch weder Albrecht Schmidt noch sein Kollege Eberhard Martini von der Hypo-Bank verspürten große Lust, unters Dach der Dresdner zu flüchten, die bei einem Zusammenschluß über

die beiden Münchner Regionalinstitute dominiert hätte. So kam man schließlich zu der »kleinen Lösung«, nachdem sich Schmidt und Martini darauf verständigt hatten, daß ihre Häuser nahezu gleichwertig seien und keiner den anderen bevormunden dürfe.
Als Initiator des angeblichen »Merger of Equals« beanspruchte Albrecht Schmidt allerdings den Posten des Vorstandsvorsitzenden für sich, während der fast gleichaltrige Hypo-Chef Martini den Vorsitz im Aufsichtsrat übernehmen durfte. Damit hatte Schmidt die Macht, doch Martini das Prestige, und das konnte nicht gutgehen. Insider wetteten denn auch bald darauf, daß es eines Tages zum High Noon der beiden Bankmanager kommen werde.
Bereits bei den Fusionsverhandlungen drängten die Vereinsbanker ihre neuen Kollegen in die Defensive, als sie bestätigt fanden, was in München die Spatzen von den Dächern pfiffen: daß nämlich die Hypo-Bank Milliardenkredite an wacklige Schuldner ausgeliehen hatte. Vor allem bei den Immobilienfinanzierungen im deutschen Osten entdeckten die Wirtschaftsprüfer Wertberichtigungsbedarf, und so war eigentlich niemand überrascht, daß im Topmanagement der fusionierten Großbank Albrecht Schmidts Mannen dominierten.
Um so aufgeregter reagierte dann das Bankvolk, als Hobby-Jäger Schmidt zum Fangschuß ansetzte. Kaum war nämlich die Fusion vollzogen, bestellte er seinen Aufsichtsratsvorsitzenden Ende Oktober 1998 in sein Chefbüro im sechsten Stock der Vereinsbank-Verwaltung im Münchner Tucherpark und eröffnete dem perplexen Studienfreund,

seine Prüfer hätten erneute Wertberichtigungen von wenigstens dreieinhalb Milliarden Mark entdeckt. Martini müsse deshalb sofort zurücktreten. Als der rundliche Aufsichtsrats-Präsident entrüstet ablehnte, beging der sonst so beherrschte Vorstandschef einen Fehler, denn am nächsten Tag ließ er die Münchner Presse wissen, er sei »tief enttäuscht und habe eine gehörige Wut im Bauch über die Bilanzierungstricks der Hypo-Banker«.

Daß es dann doch nicht zu den von ihm angekündigten »personellen Konsequenzen« kam, hatte sich Schmidt freilich selber zuzuschreiben. Mit seinem verbalen Rundumschlag verstieß er nämlich gegen das erste Gebot im Katechismus der deutschen Bankenwelt, das da heißt: »Eine Krähe hackt der anderen kein Auge aus.« Schmidt aber hatte mehr als nur eine Krähe getroffen, und die hackten nun zurück.

Ein Bankier wird verhaftet

»Der Schmidt hat meine berufliche Existenz in den Dreck gezogen«, ließ sich Martini vom *Spiegel* zitieren und wetterte über seinen Kontrahenten: »Schmidts Charakter ist von Eitelkeit zerfressen, so ein Mann kann keine Bank führen.« Rückendeckung erhielt Martini von seinem ehemaligen Aufsichtsratsvorsitzenden Klaus Götte, der im Interesse des Großaktionärs, der Allianz Versicherung, an einem schnellen Ende des Streits um die Wertberichtigungen in der Hypo-Bilanz interessiert war. Stimmten nämlich die Vorwürfe Schmidts, dann hatten die Vereinsbank-Aktionäre zuviel, die Hypo-Aktionäre aber zuwenig für ihre Anteile am fusionierten Institut bezahlt. Der ganze Deal müßte

möglicherweise rückgängig gemacht werden, und dabei stünden dann auch enorme Steuervorteile, die der Freistaat Bayern der Vereinsbank bei der Finanzierung gewährte, erneut im Feuer.
Albrecht Schmidt, wegen seiner Körpergröße gern als der »Napoleon der Münchner Bankenwelt« tituliert, wurde zwar nicht in die Verbannung geschickt, mußte aber bei seinem Aufsichtsratsvorsitzenden zu Kreuze kriechen. Eberhard Martini durfte, bis auf weiteres, auf seinem Posten bleiben, obwohl sich mittlerweile bereits der Staatsanwalt für die dubiosen Immobiliengeschäfte der Hypo-Bank interessierte.
Anfang März 1999 durchsuchten mehr als drei Dutzend Kripobeamte und Staatsanwälte Geschäftsräume und Privatwohnungen ehemaliger Hypo-Bank-Manager sowie der Wirtschaftsprüfungsgesellschaft Wedit wegen des Verdachts auf Untreue und Bilanzfälschung. Die beschlagnahmten Unterlagen füllten Hunderte Aktenordner und führten zur Verhaftung von Peter Stumpf, dem einstigen Generalbevollmächtigten der Hypo-Bank für Immobilienfinanzierung. Auch gegen die Ex-Vorstände Eberhard Martini, Werner Münstermann, Hans Fey und Klaus Heiss wurde ermittelt.
Die Strafverfolger gingen dem Verdacht nach, daß die Hypo-Bank jahrelang mit Wissen ihrer Vorstände über Tochterfirmen wie die Terreno GmbH & Co. KG Immobilien in Milliardenwert zu teuer eingekauft und finanziert hatte. Einzelne Bank-Manager sollen dafür von Bauträgern Sachwerte und Geldbeträge entgegengenommen ha-

ben. Damit der Schwindel nicht auffiel, seien die praktisch unverkäuflichen Immobilien mit weit überhöhten Wertansätzen bilanziert worden.

Als er mit den Details der Ermittlungen konfrontiert wurde, trat Klaus Götte, der zuvor noch seinem ehemaligen Vorstandschef Eberhard Martini die Stange halten wollte, als Aufsichtsratsvorsitzender zurück, und »Nestbeschmutzer« Albrecht Schmidt bekam wieder Oberwasser.

So lehrte der Machtkampf der beiden Münchner Spitzenbanker wieder einmal, daß die Topmanager nicht für die Unternehmen da sind, sondern die Unternehmen zur Befriedigung der Machtgelüste von Topmanagern dienen. Wenn eine Großbank jahrelang ihre Kreditrisiken verstecken und Immobilien zu hoch bewerten konnte, ohne daß dies den Wirtschaftsprüfern und Aufsichtsräten auffiel, dann ist etwas faul im System. Und wenn ein Aufsichtsratsvorsitzender, der die Verantwortung für derlei Fehlleistungen zu übernehmen hätte, auf seinem Posten bleiben darf, dann ist es nicht weit her mit der Aktionärsdemokratie im Staate Deutschland.

Daß es auch anders geht, zeigt das Führungsdebakel bei der Schweizer Großbank UBS. Verwaltungsratspräsident Mathis Cabiallavetta mußte seinen Hut nehmen, als sich herausstellte, daß die Bank beim Zusammenbruch des hochspekulativen US-Hedge Fund LTCM (Long Termin Capital Management) insgesamt etwa 900 Millionen Franken verloren hatte. Obwohl der Verlust viel geringer war als etwa die Wertberichtigungen bei der Münchner Hypo-Bank, reagierten die UBS-Aktionäre rigoroser als die deutschen. Binnen weniger Stunden stießen sie so viele Anteilscheine ab, daß der Börsenwert der damals größten Bank Europas um rund 30 Milliarden Mark absackte.

Die Schweizer machen es besser

Obwohl die Schweizer Manager keineswegs im Ruf stehen, besonders freundlich zu ihren Aktionären zu sein, scheinen sie Fusionen und Übernahmen besser zu planen als ihre deutschen Kollegen. Beinahe mustergültig verlief zum Beispiel der Zusammenschluß der beiden Basler Pharmakonzerne Ciba-Geigy und Sandoz zur Novartis AG, und auch die Fusion des Schweizerischen Bankvereins in Basel mit der Schweizerischen Bankgesellschaft in Zürich zur UBS klappte, von den Fehlspekulationen abgesehen, erstaunlich gut. Denn anders als die Chefs der deutschen Konzerne Daimler-Benz, Hoechst oder Deutsche Bank, achteten die Architekten der Schweizer Fusionen vor allem darauf, daß die sogenannten »weichen Faktoren« stimmten.

Ging es den Schrempps, Dormanns oder Breuers vor allem um den Zuwachs an Größe und Ertragskraft, legten die Schweizer größten Wert darauf, daß die Menschen in den zusammengelegten Unternehmen gut miteinander auskamen. So erlitten die Chemiewerker und Pharmazeuten von Sandoz keinen Kulturschock, als sie mit ihren Ciba-Kollegen vom anderen Rheinufer zusammenarbeiten mußten, und auch die Banker in Basel und Zürich konnten sich derselben Sprache bedienen, als sie sich unterm Konzerndach der UBS zusammenfanden.

Auch die mit rund 19 Milliarden Mark teuer bezahlte Über-

nahme der deutschen Pharmafirma Boehringer Mannheim durch den Basler Roche-Konzern verlief vergleichsweise unproblematisch. Da sich diese Firmen als Konkurrenten seit Jahrzehnten sehr genau kannten, blieben ihnen nach den Fusionen unangenehme Überraschungen weitgehend erspart. Wenn dann doch, wie im Fall der UBS, »Leichen« im Keller eines Fusionspartners entdeckt werden, dann rollen eben die Köpfe. Bei der Bankgesellschaft zum Beispiel, die zuvor schon mehrere hundert Millionen Franken verspekuliert hatte, wurden von insgesamt 17 Generaldirektoren nur zwei in den Vorstand der fusionierten UBS übernommen. Die Widerstände der Belegschaften hielten sich deshalb in Grenzen, obwohl UBS-Chef Marcel Ospel angedroht hatte, daß er bis zu 13 000 Stellen streichen werde.
Mit ihren »Fusionen unter Freunden« (so Novartis-Chef Daniel Vasella) verleiteten die Schweizer Manager aus der Hochfinanz wie der Pharmaindustrie ihre ausländischen Konkurrenten nicht nur zu fragwürdigen transatlantischen Bündnissen, sondern machten ihnen auch vor, wie man Führungsprobleme richtig löst.
Wenn es freilich um Macht und Einfluß geht, kennen auch die Eidgenossen kein Pardon. So ließen sie die bereits beschlossene Fusion zwischen ihrem Aluminiumproduzenten Algroup und dem Münchner Mischkonzern Viag im letzten Monat platzen, als sich herausstellte, daß der deutsche Partner wohl doch ein bißchen wertvoller war, als sie sich das zunächst vorgestellt hatten. Weil dadurch der Schweizer Anteil am gemeinsamen Unternehmen kleiner geworden wäre als 35 Prozent, zogen sie es vor, solo zu bleiben,

obwohl der Zusammenschluß zwischen einem Energieverbraucher (Algroup) und einem Energieproduzenten (Viag) durchaus Sinn gemacht hätte.
Schon die Hahnenkämpfe bei Thyssen und Krupp, Hypo und Vereinsbank, Glaxo Wellcome und Smith Kline Beecham demonstrierten, daß in den Chefetagen andere Regeln gelten als jene, nach denen sich die unteren Chargen zu richten haben. Geruhen nämlich die Herren Topmanager, ihren Untergebenen überall in der Welt die Bereitschaft zur Teamarbeit zu verordnen, so sind sie selber offenbar weder willens noch in der Lage, einen anderen neben sich gelten zu lassen. Ganz nach Julius Cäsars Motto (»divide et impera« – teile und herrsche) trachten die angestellten Egomanen danach, die Befugnisse ihrer Untergebenen zu beschneiden, selber aber wollen sie ihre Macht mit niemandem teilen.

Der Staat ist der Verlierer

Sogenannte Doppelspitzen funktionieren deshalb vielleicht in einer Fußballmannschaft, aber nur selten in einem Unternehmen. Die Verbissenheit, mit der die Manager um die Macht rangeln, verrät viel über die wahren Motive der zahlreichen Zusammenschlüsse der letzten Jahre, deren volkswirtschaftlicher Nutzen höchst fragwürdig erscheint.
Außer den wenigen Gewinnern, die sich im Glanz ihrer – mit fremdem Geld – zugekauften Imperien sonnen dürfen, produziert die globale Fusionsmaschine hauptsächlich Verlierer. Der wichtigste von ihnen ist zweifellos der Nationalstaat. Die fusionierten Multis überlassen ihm für gewöhn-

lich weniger Steuern, weniger Beschäftigte und mehr Arbeitslose als zuvor. Durch die Verlagerung von Produktionsstätten und Verwaltungszentren in Länder mit den jeweils günstigsten Bedingungen minimieren sie ihre Kosten zu Lasten der Allgemeinheit.

Da sie in vielen Staaten der Erde zu Hause sind, können sie die einzelnen Regierungen gegeneinander ausspielen und sich stets die günstigsten Bedingungen erkaufen. Die Welt AG, so glaubt der amerikanische Volkswirtschafts-Professor und ehemalige Arbeitsminister Bill Clintons, Robert B. Reich, führt fast zwangsläufig zum Ende der Volkswirtschaften. Eine nationale Wirtschaftspolitik ist gegen die Interessen der den Weltmarkt beherrschenden Konzerne kaum noch möglich, und diesen Machtverlust dürften die demokratisch gewählten Regierungen schwerlich verkraften.

An die Wand gespielt haben die Manager mittlerweile auch ihre Belegschaften mitsamt den Gewerkschaften. Zwar begründen sie beinahe jede Fusion und jede Übernahme mit der angeblichen Sicherung von Arbeitsplätzen, tatsächlich bezwecken sie aber fast immer genau das Gegenteil. Nicht die Sicherung der Jobs ist ihr Ziel, sondern deren Abbau. So kostet allein der Zusammenschluß von Thyssen und Krupp rund 6000 Stellen, und ebenso viele Jobs werden nach der Fusion der Deutschen Bank mit dem Bankers Trust gestrichen. Ob HypoVereinsbank oder Novartis, BP-Amoco oder Exxon-Mobil Oil, ob Roche-Boehringer oder Société Générale-Paribas: überall bleiben Tausende von Mitarbeitern auf der Strecke.

Wenn aber die Jobs immer rarer werden, dann erweisen sich auch Streiks als stumpfe Waffe. Und offenbar fällt es den Gewerkschaften schwerer als den Managern, sich international zu organisieren. Bis heute jedenfalls haben sie es nicht geschafft, Konzernen wie Adidas, Bayer oder DaimlerChrysler international verbindliche Sozialstandards vorzuschreiben. Und die Aussichten, daß das gelingen wird, stehen um so schlechter, je unterschiedlicher die Löhne und Arbeitsbedingungen an den verschiedenen Produktionsstandorten der Konzerne sind. Da Deutschlands Arbeitnehmer im internationalen Vergleich über die höchsten Sozialstandards verfügen, werden sie mit großer Wahrscheinlichkeit zu den Hauptverlierern des Machtspiels der Macher zählen.

Am Größenwahn gescheitert

Etwas besser dran sind, freilich auch nur vorübergehend, die Kunden. Noch profitieren sie vom verschärften Wettbewerb der Giganten, doch dies dürfte sich bald ändern. Steht die Hackordnung in einer Branche erst einmal fest, dann weicht der Wettbewerb für gewöhnlich ganz schnell einem »abgestimmten Verhalten« der wenigen marktbeherrschenden Konzerne. Bestes Beispiel dafür ist die Mineralöl-Industrie, die dem Verbraucher an der Tankstelle einen Wettbewerb vorgaukelt, der in Wahrheit gar keiner ist. Längst nämlich haben sich die weltweit agierenden Konzerne darauf geeinigt, auf ruinöse Preiswettkämpfe zu verzichten und das Spiel nach den gleichen Regeln zu spielen. Sie liefern überall auf der Welt ähnlich gute Produkte ab und helfen sich gegenseitig mitunter sogar mit ihrer Logistik aus. So kann es passieren, daß ein Esso-Tankwagen an einer Shell-Tankstelle vorfährt und BP-Rohöl in einer Raffinerie der Elf Aquitaine angeliefert wird.

Was den Verbrauchern blüht, das hat große Ähnlichkeit mit den bisherigen Verhältnissen auf dem deutschen Strom- und Telefonmarkt. Weil hier viele Jahre ein Monopolist (die Deutsche Bundespost) sowie ein Oligopol (die großen Energieversorger) die einzigen Anbieter waren, mußten die deutschen Verbraucher höhere Preise bezahlen als ihre europäischen Nachbarn und sich oft allzu rüde Umgangsformen gefallen lassen. Erst als diese Märkte dereguliert wurden, erfuhren die verdutzten Kunden der Telekom beispielsweise, wie günstig das Telefonieren unter Wettbewerbsbedingungen sein kann, und auch die Stromabnehmer sollen ja, sofern sie größere Mengen benötigen, künftig in den Genuß frei aushandelbarer Preise kommen. Die große Freiheit freilich wird wohl nur von begrenzter Dauer sein, denn schon formieren sich weltweit agierende Telekom- und Energie-Konzerne, die den Wettbewerb, den sie selbst angezettelt haben, so bald wie möglich wieder beenden wollen.

Derweil können Verbraucher, Arbeitnehmer und die Regierungen nur darauf hoffen, daß die Manager an ihrem Größenwahn scheitern. So unwahrscheinlich ist das durchaus nicht, wie die vielen mißlungenen Firmenübernahmen der vergangenen Jahre beweisen. Als sich die Pharmafirmen Upjohn aus den USA und Pharmacia aus Schweden 1995 das Ja-Wort gaben, da galten sie, wie zuletzt Daimler-

Benz und Chrysler, als beinahe ideales Paar. Produkte und Vertriebsnetze ergänzten sich, Überschneidungen gab es nicht, und auch die Topmanager schienen sich zu verstehen. Geplant war der Aufstieg vom 9. auf den 1. Platz in der Weltliga der Pillenproduzenten.

Daraus wurde freilich nichts, denn das Klima zwischen den beiden Fusionspartnern sank bald auf den Gefrierpunkt. Die Amerikaner störten sich an den langen Urlaubszeiten ihrer schwedischen Ansprechpartner, und die Skandinavier machten sich über die vielen »Reports«, auf die die Amerikaner so viel Wert legen, lustig. 1997 trat Konzernchef John Zabriskie frustriert zurück, und bis heute fanden die beiden Unternehmenskulturen nicht zueinander.

Dilettanten – Image der »Krauts«

So ähnlich könnte es eines Tages auch im Weltkonzern DaimlerChrysler und in der Deutschen Bank zugehen. Die Stuttgarter Autobauer fürchten nicht zu Unrecht, daß ihnen ihre Kunden die Treue kündigen, wenn die rigorosen Kostenvorgaben amerikanischer Kontrolleure zu Qualitätseinbußen führen. So kostet ein in den USA gefertigter V8-Motor für den Chrysler-Jeep Grand Cherokee mit 4,7 Litern Hubraum in der Herstellung gerade mal halb soviel wie ein gleich großer Schwabenmotor für Daimlers S-Klasse. Der hat dann freilich auch seine besonderen Meriten, für die die Mercedes-Kunden Preise bezahlen, von denen die Chrysler-Verkäufer nur träumen können.

Wie blank die Nerven bei den Mercedes-Mannen bereits liegen, bewiesen die konzerninternen Streitereien um scheinbar nebensächliche Dinge von hohem Symbolgehalt. Damit Chrysler-Chef Bob Eaton zuließ, daß auf der Aktie des neuen Unternehmens auch der Kopf des Mercedes-Patrons Carl Benz prangen durfte, beglückte ihn Jürgen Schrempp mit einem originalgetreuen Nachbau des legendären Benz-Motorwagens von 1886 und berappte den Preis von 70000 Mark angeblich sogar aus eigener Tasche. Nicht weniger listig gingen die Untertürkheimer Autobauer vor, als sie erfuhren, daß ihr Wahrzeichen, der berühmte Mercedes-Stern, vom Dach der Konzernzentrale in Stuttgart-Möhringen abmontiert werden sollte, weil gleichzeitig auch der Chrysler-Fünfzack in Auburn Hills zu verschwinden hatte. Flugs mieteten sie den Platz, auf dem sich ihr sechseinhalb Meter hoher Stern drehte, von der Muttergesellschaft als Werbefläche an und gewannen damit die erste Runde im Krieg der Sterne.

Weil sie derlei Tricks als Indizien für eine »totale Machtergreifung« der Germans werteten, wanderten bereits Dutzende hochrangige Chrysler-Manager zur rein amerikanischen Konkurrenz ab, obwohl die Vorstände mit Dollarprämien in zweistelliger Millionenhöhe geködert wurden. Dies mißfiel den amerikanischen Chrysler-Aktionären derart, daß sie die Papiere des fusionierten Autokonzerns reihenweise aus den Depots kippten. Waren sie kurz nach der Fusion noch mit knapp 50 Prozent beteiligt, so sank ihr Anteil bis zum Frühjahr 1999 auf unter 30 Prozent, zumal DaimlerChrysler wegen der ausländischen Kapitalmehrheit nicht mehr in dem wichtigen US-Aktienindex SP 500 vertreten ist.

Die Deutsche Bank indes hat in Frankfurt wie in New York schon viel Kredit verspielt. Seit Vorstandssprecher Rolf Ernst Breuer im Frühjahr 1998 seine Pläne aufdeckte, 4600 Stellen im Inland zu streichen und das gesamte Filialgeschäft mit seinen 17 000 Mitarbeitern einschließlich der Direktbank-Tochter »Bank 24« in eine neu zu gründende AG auszulagern, hängt in Deutschlands führendem Geldhaus der Haussegen schief. An der Wallstreet gelten die Deutschen spätestens seit dem Debakel mit Morgan Grenfell als Tölpel, und so mochte ihnen auch keines der führenden Investmentbankhäuser die Hand reichen, als sie nach der UBS-Fusion der beiden Schweizer Großbanken zur Brautschau in New York einschwebten.
Zwar wußte jeder, daß die Germans für einen guten Namen jede Summe zahlen würden, doch die Wallstreet-Stars von Morgan Stanley, Goldman Sachs oder Merrill Lynch schreckte das Dilettantenimage der »Krauts« so sehr, daß sie froh waren, als diese schließlich beim Bankers Trust andockten. Und selbst bei dieser zweitklassigen US-Bank, die in mehr Affären als jedes andere Wallstreet-Haus verstrickt war, mußten die unter Erfolgsdruck stehenden Fusionierer aus Frankfurt reichlich Handgelder verteilen, damit ihnen wenigstens ein Rest der führenden Leute erhalten blieb.

Alle grasen auf derselben Weide

Angesichts solcher Glanzleistungen besteht wenig Grund, die neu entstandenen Konzerngiganten zu verherrlichen. Vielleicht zeichnet sich hier bereits das Ende des Fusionsfiebers ab, das in Wirklichkeit eher ein Wahn denn eine wirtschaftliche Notwendigkeit ist. Die Prognose sei erlaubt, daß künstlich geschaffene Riesengebilde wie DaimlerChrysler oder Deutsche Bank-Bankers Trust ihren Aktionären einen Großteil der auf dem Reißbrett geplanten Gewinne schuldig bleiben werden, weil deren Manager ihren selbst gestellten Aufgaben nicht mehr gewachsen sind. Für Topmanager wie Jürgen Schrempp oder Rolf Breuer ist es relativ leicht, eine Fusion zu beschließen, die dann von ihren Untergebenen vollzogen werden muß. Aber da gerade im Mittelmanagement die meisten Jobs wegfallen sollen, werden die betroffenen Führungskräfte alles daransetzen, der Fusion zu einem baldigen Scheitern zu verhelfen. »Fusion ist«, spottete einst die Zürcher *Weltwoche*, »wenn jeder gegen jeden kämpft.«

Ob die Macher ihren Machtrausch genießen können, hängt indes in erster Linie von den bisherigen Verlierern ab. Wenn die Kunden den Global Players den Rücken kehren und deren fähigste Mitarbeiter zu kleineren Konkurrenten wechseln oder sich selbständig machen, wenn die Staaten ihre Steuergesetze harmonisieren, die Gewerkschaften einheitliche Sozialstandards durchsetzen, dann endet der globale Fusionspoker eines Tages von selbst als Nullsummen-Spiel.

Erste Ansätze dazu gibt es bereits: Nach der Fusion der beiden Schweizer Großbanken kündigten etwa 300000 UBS-Kunden umgehend ihre Konten. Und die Manager vieler Investmentfonds warfen reihenweise Papiere der Deutschen Bank aus dem Depot, als der Abschluß mit

Partnersuche

Wer aufs richtige Pferd setzte – und wer nicht

TOPS		*FLOPS*	
Joachim Funk *(bis 1999)*	Mannesmann	Bernd Pischetsrieder *(bis 1999)*	BMW
Daniel Vasella	Novartis	Rolf E. Breuer	Deutsche Bank
Fritz Gerber *(bis 1999)*	Roche	Jürgen Dormann	Hoechst
Manfred Schneider	Bayer	Albrecht Schmidt	HypoVereinsbank
Gerhard Cromme	Krupp	Wilhelm Simson	Viag

Bankers Trust bekanntgegeben wurde. Den größten Wertzuwachs schafften in den letzten Jahren denn auch nicht die eifrigsten Aufkäufer und Fusionierer, sondern die Manager jener Firmen, die aus eigener Kraft neue Geschäftsfelder eroberten.

In Deutschland war dies der Mannesmann-Konzern, dem der Boom seiner Mobilfunk-Tochter den größten Zuwachs beim Shareholder-Value bescherte und dem nun nach krassen Managementfehlern seiner Konkurrenten RWE und Veba auch noch deren gemeinsame Telefon-Tochter Otelo praktisch in den Schoß fiel. Und in den USA war in den letzten Jahren niemand erfolgreicher als die Software-Schmiede Microsoft, die das Vermögen ihrer Aktionäre binnen weniger Jahre vertausendfachte und bereits den General-Electric-Konzern des John F. Welch als teuerste Firma der Welt ablöste.

4. Kapitel

Treiber und Getriebene

»Nur die Paranoiden werden überleben«, prophezeite Andy Grove, der legendäre Gründer des kalifornischen Chip-Herstellers Intel, seinen Manager-Kollegen in aller Welt, und er könnte recht behalten. Bekanntlich gelten Menschen dann als paranoid, wenn sie sich von Wahnvorstellungen leiten lassen, die nur sie selbst für Realität halten. So gesehen, zeigt das Verhalten vieler Topmanager durchaus paranoide Züge.

Obwohl Deutschlands Unternehmer in den vergangenen Jahren gründlicher reformiert wurden als je zuvor in der Nachkriegszeit, sind sie im europäischen Vergleich immer noch recht schwach auf der Brust. Zwar verfügt Deutschland über die mit Abstand stärkste Wirtschaftskraft in Euroland, doch die einzelnen Unternehmen zählen nur selten zu den besten ihrer Branche. Als Finanzprofessor Reinhart Schmidt von der Universität Halle-Wittenberg zusammen mit Bilanzexperten der Wirtschaftsprüfergesellschaft Arthur Andersen im Auftrag des *Manager Magazins* 1998 die

500 größten Aktiengesellschaften Europas danach untersuchte, welchen Wert für sie ihre Aktionäre geschaffen haben, fanden sich nur wenige deutsche Firmennamen auf den vorderen Plätzen.

Jetzt wird das Portfolio »bereinigt«

So belegte der Software-Lieferant SAP als bestes deutsches Unternehmen Rang 7 auf der Euro-Liste, gefolgt von der Hannoverschen Rückversicherung auf Platz 13 und dem Sportartikelhersteller Adidas auf Rang 14. Den höchsten Shareholder-Value schafften der schwedische Textilfilialist Hennes & Mauritz, gefolgt von dem niederländischen Zeitarbeitsunternehmen Randstad und dem französischen Dienstleistungsriesen Cap Gemini Sogeti. Auch bei der Bewertung nach Branchen gab es nur selten deutsche Sieger. Lediglich Porsche (bei Autos) und Adidas (bei Konsumgütern) schafften den Sprung an die europäische Spitze. Gemeinsames Kennzeichen sowohl der Branchenbesten als auch der absoluten Europa-Champions: Sie erzielten ihre herausragenden Ergebnisse aus eigener Kraft. Die Fusionsartisten, Firmenaufkäufer und Konzernreformer hingegen finden sich durchwegs auf den hinteren Rängen. Hoechst zum Beispiel landete auf Platz 137, die Veba auf Platz 214 und die Deutsche Bank gar erst auf Platz 343. Zu den schlimmsten Wertevernichtern zählen neben der Fleischfirma Moksel die Baukonzerne Strabag und Philipp Holzmann.

Machtbewußte Konzernherren wie Jürgen Schrempp, Jürgen Dormann oder Rolf E. Breuer sehen im schlechten

Abschneiden ihrer Unternehmen freilich keine Widerlegung ihrer bisherigen Geschäftspolitik, sondern, im Gegenteil, den Ansporn zu weiteren Großtaten. Nachdem sie die Restrukturierungswelle überstanden und das Fusionsfieber ausgelebt haben, spielen die von ihren amerikanischen Vorbildern faszinierten Konzernlenker bereits die nächste Runde im Powerplay der Macher. Jetzt geht es nicht mehr um die schiere Größe, sondern um die Bereinigung der Portfolios.
Auf gut deutsch heißt das: Alle Geschäftszweige, die nur durchschnittliche Erträge einbringen, werden verkauft und die Erlöse dort investiert, wo die fettesten Gewinne winken. So einfach und überzeugend sich das Konzept anhört, so verhängnisvoll kann es sich für die Unternehmen auswirken, wie die Beispiele Hoechst und Deutsche Bank aufs schönste beweisen.
Wenn ein Vorstandsvorsitzender zum Beispiel öffentlich erklärt, daß er einen wesentlichen Geschäftsbereich seines Unternehmens zu verkaufen gedenkt, dann richtet er damit in den Köpfen der gesamten Belegschaft verheerenden Schaden an. Die Mitarbeiter, die zu dem betroffenen Bereich gehören, müssen sich ungeliebt und ausgestoßen vorkommen, sie werden deshalb kaum mehr besonders motiviert zur Arbeit erscheinen und gelegentlich wohl auch versuchen, der Firma zu schaden, wo sie nur können. Die Restbelegschaft muß befürchten, eines Tages ebenfalls auf der Abschußliste zu landen, und deswegen werden die besten Köpfe sofort nach sicheren Positionen in anderen Unternehmen Ausschau halten.

Schwächt das Verhalten der Führungsspitze schon die Leistungsbereitschaft der Mitarbeiter, so wird das Ziel, durch die Bereinigung des Portfolios die Ertragskraft zu steigern, kaum jemals wirklich erreicht. Denn da alle Manager in etwa zur gleichen Zeit das gleiche tun, wird auf den wenigen fetten Weiden, die die Wirtschaft zu bieten hat, das Gedränge immer größer. Streben die Chemiekonzerne zum Beispiel nach einem immer größeren Anteil am besonders lukrativen Pharmamarkt, schnellen die Preise für gut plazierte Pharmafirmen in abenteuerliche Höhen. Selbst einem so gut verdienenden und hervorragend gemanagten Unternehmen wie Roche wird es deshalb schwerfallen, den Preis von 19 Milliarden Mark, den die Übernahme von Boehringer Mannheim gekostet hat, in absehbarer Zeit wieder hereinzuholen.

Die Kleinen schlagen die Großen

Überteuert sind mittlerweile nahezu alle gutgehenden Software-Firmen, Investment-Banken, Telekom-Konzerne, Fernsehsender und Biotech-Unternehmen, da sich die Manager von diesen Branchen die größten Zuwächse versprechen. Nur wenige von ihnen freilich schaffen es, sich zu einem Zeitpunkt in zukunftsträchtige Geschäftsfelder einzukaufen, da die Preise noch niedrig sind und der Wettbewerbsdruck erträglich ist. Eine glückliche Hand bewies etwa der ehemalige Chef des Mannesmann-Konzerns, Werner H. Dieter, mit seinem Einstieg ins Mobilfunk-Geschäft und dem Zukauf von Automobilzulieferer-Firmen wie Boge und Fichtel & Sachs. Erfolgreich waren auch die

Manager des Haniel-Konzerns, der aus dem Berg- und Maschinenbau (Gute-Hoffnungs-Hütte) hervorgegangen und heute hauptsächlich in den Bereichen Einzelhandel (Metro AG) und Pharma-Großhandel (Gehe AG) engagiert ist.
Doch seit der ehemalige Daimler-Chef Edzard Reuter mit seinem »integrierten Technologiekonzern« so grandios scheiterte, ist die Diversifizierung, also der Einkauf in fremde Branchen, für Deutschlands Manager vorläufig kein Thema mehr. Statt dessen versuchen sie alle, in ihren angestammten Geschäften zum Marktführer aufzusteigen. Nach einer ebenfalls aus den USA importierten Lehrbuch-Weisheit verdienen nämlich in jeder Branche jene Unternehmen am meisten, die den größten Marktanteil erkämpft haben. Nummer 1 oder Nummer 2 in einem Markt zu sein ist deshalb das erklärte Ziel aller großen Anbieter.
Daß damit freilich eher dem Ego der Manager Genüge getan wird als der Firmenkasse, beweist schon ein erster Blick auf die wichtigsten Industrien.
Im Automobilgeschäft zum Beispiel heißt der Marktführer VW, die höchsten Gewinne aber scheffelt Daimler-Benz, obwohl die Stuttgarter nur ein Fünftel soviel Autos herstellen wie der Wolfsburger Konzern. Und am allermeisten pro verkauftem Auto verdient ausgerechnet Deutschlands kleinster Hersteller, die Stuttgarter Porsche AG, die nach der sozialdarwinistischen Marktführerphilosophie eigentlich gar keine Überlebenschance haben dürfte. Im lukrativen Pharma-Geschäft wiederum ist das vergleichsweise kleine Darmstädter Unternehmen Merck lukrativer als die Branchengiganten Hoechst und Bayer, und bei den Finanz-

dienstleistern schlägt die kleine Heidelberger MLP AG sämtliche Großbanken um Längen.
Die angeblich so tief durchdachten Handlungsmaximen unserer Führungskräfte entpuppen sich denn auch bei näherem Hinsehen allzuoft als kurzlebige Modetorheiten. Längst ist nämlich erwiesen, daß der unternehmerische Erfolg von ganz anderen Dingen abhängt als von der Ausrichtung auf den jeweiligen Trend. Ein kluges Management, das die Fähigkeiten seiner Belegschaft optimal zu fördern versteht, wird auch in scheinbar ausgereizten Geschäftsfeldern noch gute Ergebnisse erzielen, während Konzerne mit Durchschnittsleuten an der Spitze selbst in schnell wachsenden High-Tech-Branchen erfolglos bleiben. Das beste Beispiel dafür bietet der Münchner Siemens-Konzern, der zwar permanent umstrukturiert wird, aber bis heute wenig Mehrwert für seine Aktionäre geschaffen hat, während gleichzeitig Familienbetriebe wie der Motorsägen-Hersteller Stihl oder der Hochdruckreiniger-Bauer Kärcher mit vergleichsweise konventionellen Produkten satte Gewinne erwirtschaften.

Vom Champion zum Problemfall

Die vielgepriesene Portfolio-Strategie ist denn wohl auch nicht mehr als ein neues Schlagwort, das dem Aktionismus und Selbstdarstellungsdrang mancher Topmanager die Legitimation liefert. Und weil so viele am Umbau der Firmen verdienen – Unternehmensberater, Investmentbanken, Firmenmakler, M+A- (Mergers + Acquisitions-)Firmen –, haben die sogenannten Change-Manager eine gute Presse.

Nicht mehr der langfristige, solide Ausbau ihrer Unternehmen ist das Ziel der Manager aus der Macher-Generation, sondern die schnelle, spektakuläre Aktion. Sie wollen verändern um des Veränderns willen, wollen sich und aller Welt beweisen, daß sie besser sind als ihre Vorgänger. Doch in ihrem Drang, die Gewinne stets noch schneller zu steigern als die Konkurrenz, zerstören sie oft nicht nur den Stil und die Kultur ihrer Unternehmen, sondern letzten Endes auch das Vertrauen der Anleger.

Daß der permanente Umbau einer Firma auf Dauer nicht gut bekommt, zeigt sich an dem einstigen Vorzeigeunternehmen ABB. Jahrelang galt der schwedisch-schweizerische Kraftwerks- und Maschinenbau-Konzern als Modellfall für exzellentes Management. 1987 aus der Fusion der schwedischen Firma ASEA mit dem schweizerischen Elektrokonzern BBC hervorgegangen, glänzte ABB unter der Führung seines charismatischen Vorstandsvorsitzenden Percy Barnevik mit einem beispielhaften Vereinigungsmanagement und von Jahr zu Jahr steigenden Gewinnen.

Der Schwede steuerte den Riesenkonzern (über 200000 Mitarbeiter und 50 Milliarden Mark Umsatz) mit nur 60 bis 70 Getreuen von den beiden Firmensitzen in Zürich und Stockholm aus. Doch irgendwann begann er es mit seinen permanenten Restrukturierungs- und Kostensenkungsprogrammen zu übertreiben. Die legendäre Betriebstreue und Motivation der Mitarbeiter, vor allem am Standort Mannheim, verflüchtigte sich, und Mißmut, Ärger und Angst um den Arbeitsplatz machten sich breit. Kaum hatte Barnevik 1996 den Chefposten bei ABB vorzeitig aufgegeben, um in die Dienste des Hauptaktionärs, der schwedischen Wallenberg-Gruppe, zu treten, da offenbarte sich seinem Nachfolger Göran Lindahl schnell das bis dato verborgen gebliebene Desaster. Erst mußte er mit ansehen, wie sein Deutschland-Statthalter Michael Pohr in einen der größten Bestechungsskandale der Nachkriegszeit verwickelt wurde. Staatsanwälte aus Braunschweig gingen dem Verdacht nach, daß der ABB-Konzern jahrelang Kunden aus der Autoindustrie (etwa bei VW, Opel und General Motors) mit Millionenbeträgen geschmiert hatte, um an Aufträge für Lackieranlagen heranzukommen. Um Pohr aus der Schußlinie zu nehmen, erstattete Europa-Chef Eberhard von Koerber Strafanzeige gegen Unbekannt, doch der Schuß ging nach hinten los.

Die Ermittler fanden immer neue Beweise für die Verstrickung der ABB-Geschäftsleitung in dubiose Praktiken der Geldwäsche, die dazu dienten, Schmiergeldzahlungen zu finanzieren. ABB-Boß Göran Lindahl zog die Konsequenzen und feuerte im März 1998 seinen Mannheimer Statthalter samt 20 weiteren Managern und ein halbes Jahr später auch noch den in Zürich residierenden Anzeigeerstatter Eberhard von Koerber. Damit waren die Probleme des ausgepowerten Konzerns freilich nicht gelöst, sondern fingen erst so richtig an.

Angst im Nacken der Bosse

In Mannheim protestierten Betriebsräte gegen die Zusammenarbeit mit einer obskuren Beratungsfirma, die den Mitarbeitern den Umgang mit permanenten Veränderungen beibringen sollte und im Ruf stand, mit ähnlichen Methoden wie die Psycho-Sekte Scientology zu operieren. Dann brachen die Zahlen ein. Das Ergebnis des Gesamtkonzerns schrumpfte um die Hälfte, und die Deutschland-Tochter, das Flaggschiff des Konzerns, tauchte ab in die Verlustzone. Trotz permanenter Umorganisation, der in vier Jahren über 13000 Mitarbeiter zum Opfer fielen, wurde das einstige Vorzeigeunternehmen bei wichtigen internationalen Ausschreibungen von seinen Konkurrenten regelmäßig abgehängt. »Das Stammwerk für Kraftwerkstechnik in Mannheim-Käfertal wirkt zeitweise geradezu gespenstisch, weil die wenigen Mitarbeiter sich in den Hallen verlaufen«, notierte fassungslos ein Reporter der *Wirtschaftswoche* Anfang 1999 und fand heraus: »Jetzt soll fast die Hälfte des Geländes verkauft oder vermietet werden.« Und immer wieder gab es zwischendurch Ärger mit den Behörden: Weil ABB-Manager die Preise im Behördengeschäft mit Fernwärme-Anlagen mit Konkurrenten abgesprochen hatten, verhängte EU-Kommissar Karel van Miert gegen den Konzern eine Geldbuße von 70 Millionen Euro. Das Geld war noch nicht bezahlt, da gerieten ABB-Manager erneut ins Zwielicht, weil sie ihr Insider-Wissen zu einträglichen Spekulationsgeschäften mißbraucht haben sollen. Es ging um den niederländischen Automatenhersteller Elsag Bailey Process Automation N.V., dessen Aktienmehrheit ABB vom italienischen Staatskonzern Finmeccanica zu kaufen gedachte und dessen Aktienkurs noch vor der offiziellen Bekanntgabe der Übernahme verdächtig rasch angestiegen war.

Schlechte Ergebnisse, demotivierte Mitarbeiter und Führungskräfte, die in die eigene Tasche wirtschaften – Symptome eines Unternehmens, das sich ganz der Steigerung des Shareholder-Values verschrieben hat und auf die Interessen und Stimmungen seiner Mitarbeiter wenig Rücksicht nimmt.

Und weil sich das Karussell immer schneller dreht, die Ansprüche der Investoren steigen, der Druck der Konkurrenten wächst, verwandeln sich die Topmanager, die sich eben noch als Antreiber notwendiger Anpassungsprozesse wähnten, schnell in Getriebene, denen die Angst im Nakken sitzt. Der Shareholder-Value-Teufel läßt sich, einmal aus der Flasche, nicht wieder verkorken, und deshalb müssen sie ihm, auch wenn es schwerfällt, immer weiter Futter zuwerfen.

Finanziers statt Unternehmer

Sie haben rationalisiert, restrukturiert, konzentriert, fusioniert und ihr Portfolio optimiert – und nun suchen sie verzweifelt nach neuen Tricks und Methoden, um noch ein Quentchen mehr Gewinn aus dem Laden herauszupressen, in dem sich außer ihnen selbst niemand mehr wohl fühlt. Die Autofirmen zum Beispiel fangen an, mit dem Autobauen aufzuhören, und beschränken sich, vereinfacht ausgedrückt, aufs Kassieren.

Im jüngsten Lkw-Montagewerk des VW-Konzerns im brasilianischen Resende bauen die Zulieferer bereits die kompletten Trucks zusammen, und von den rund 1500 Beschäftigten sind nur knapp etwas über 200 bei VW do Brasil angestellt. Sie überwachen die Arbeit der Fremdfirmen, kontrollieren die Qualität der eingebauten Teile, besorgen die Auslieferung der fertigen Lkws an die Kunden. Ähnlich geht es bei der Montage des Kleinwägelchens »Smart« der Daimler-Benz-Tochter MCC zu, und auch die anderen Autoproduzenten bereiten den stufenweisen Ausstieg aus der kapitalbindenden Produktion vor. Sie wollen künftig nur noch entwickeln, werben, verkaufen und finanzieren. Schon heute sind bei manchen Autoproduzenten die hauseigenen Finanzierungsbanken lukrativer als das eigentliche Autogeschäft.

Ähnliche Pläne hegen die Bankhäuser, die sich aus dem Stammgeschäft des Zahlungsverkehrs verabschieden und nur noch die lukrativeren Sparten (Vermögensverwaltung, Unternehmensfinanzierung, Wertpapierhandel etc.) selbst betreiben wollen. Anstatt also nach Mitteln und Wegen zu suchen, die angestammten Geschäfte lukrativer zu gestalten, überläßt man diese der Konkurrenz und investiert das Geld der Aktionäre lieber dort, wo alle anderen auch investieren.

Die angestellten Firmenlenker aus der Machergeneration wollen möglichst leichte und vor allem schnelle Erfolge erzielen. Sie sind betriebswirtschaftlich perfekt ausgebildet, haben aber in der Regel keinerlei innere Bindung an ihre Firma, geschweige denn an die Produkte oder auch nur an die Branche, in der sie tätig sind. Sie sehen sich eher als Finanziers und Investoren denn als echte Unternehmer, und das bekommt ihren Firmen immer schlechter.

Besorgniserregend ist etwa die anhaltende Innovationsschwäche der deutschen Wirtschaft, die in keiner der maßgeblichen Zukunftstechnologien eine Spitzenstellung innehat. Zahlreiche Studien und Statistiken bestätigen die geringe Neigung der deutschen Unternehmenslenker, den durchaus vorhandenen Erfindergeist und Ideenreichtum der Nation in marktgängige Produkte umzusetzen. Weil sie den Umgang mit den Kreativen scheuen, nutzen die Bürokraten und Finanzartisten in den Geschäftsleitungen oft nicht mal das Potential ihrer eigenen Forschungs- und Entwicklungsabteilungen. Weil spektakuläre Zukäufe ihrer Karriere mehr nützen, stecken sie zu wenig Geld in die Entwicklung innovativer Produkte.

Innovationen? Fehlanzeige!

»Die deutschen Manager sind in den vergangenen Jahren phantasieloser, lahmer und weniger unternehmerisch geworden«, urteilt zum Beispiel der Bonner Unternehmensberater Rolf Berth. Der geschäftsführende Gesellschafter der Akademie Schloß Garath untersucht seit 1971 regelmäßig, welchen Anteil an ihrem Gesamtumsatz die deutsche Industrie mit innovativen Produkten erzielt. Deprimierender Befund: Die Innovationskraft der deutschen Firmen läßt kontinuierlich nach und lag 1998 um rund 38 Prozent unter dem Wert von 1971.
Zu ähnlichen Ergebnissen kam die Düsseldorfer Unternehmensberatung Droege & Compagnie, als sie in Kooperation mit dem Bundesverband der Deutschen Industrie bei 1900 Firmen in aller Welt die Innovationsfähigkeit ermitteln ließ. Dabei stellte sich heraus, daß die Deutschen

nicht nur weniger innovativ als ihre japanischen und amerikanischen Kollegen, sondern sogar innerhalb der EU auf einen der hinteren Plätze zurückgefallen sind. Während die Firmen etwa in den Benelux-Staaten über die Hälfte ihrer Umsätze mit Produkten machten, die jünger als drei Jahre sind, so beläuft sich dieser Anteil bei den Deutschen auf dürftige 20,8 Prozent. Selbst in Ländern wie Großbritannien, Österreich, Frankreich und Italien ist demnach die Industrie noch wagemutiger und an Neuerungen interessierter als die heimischen Firmen.

Die Unlust, neue Produkte und Verfahren zu vermarkten, ist in kleinen wie großen Betrieben gleichermaßen verbreitet. Die Unternehmensberater von Mercer Management Consulting stießen nach einer Untersuchung von rund 750 Firmen aus zehn Ländern auf die verblüffende Tatsache, daß in Deutschland nur etwa jedes fünfte Unternehmen als innovativ einzustufen ist. Und als die *Wirtschaftswoche* die 20 umsatzstärksten Konzerne der Republik von einer zehnköpfigen Jury analysieren ließ, fanden die Experten viel Kapital- und wenig Innovationskraft. Gesamtsieger wurde der Chemiekonzern Bayer, das Schlußlicht bildete die Ruhrkohle AG.

Beunruhiger noch als ihre mangelnde Bereitschaft zu Neuerungen ist die Tatsache, daß die Manager der deutschen Betriebe offenbar eine Scheu vor den Schlüsseltechnologien des kommenden Jahrtausends haben. Denn drei Viertel aller innovativen Produkte bringen sie in nur vier konventionellen Branchen auf den Markt: im Automobilbau, der Elektroindustrie, dem Maschinenbau und der

Chemie. Hingegen haben sie sich aus den Geschäften mit der Gentechnik und der Informationstechnologie weitgehend zurückgezogen.

High-tech findet woanders statt

Als das amerikanische Nachrichtenmagazin *Time* die 50 wichtigsten Köpfe für die Weiterentwicklung der Informationstechnologie vorstellte, da waren nur zwei Deutsche dabei, nämlich die Chefs der Walldorfer Software-Firma SAP, Henning Kagermann und Hasso Plattner, die in der Meute der amerikanischen und japanischen Cyberspace-Giganten recht verloren wirkten. Angeführt wurde das Ranking von Microsoft-Gründer Bill Gates, gefolgt von Noboyuki Idei, dem Chef des japanischen Sony-Konzerns.
Selbst dort, wo deutsche Unternehmen noch einen Fuß in der Tür des Zukunftsgeschäfts mit Computer-Hard- und -Software hatten, zogen sie sich in den letzten Jahren immer mehr zurück. Siemens Nixdorf zum Beispiel wollte seine PC-Fertigung an den taiwanesischen Hersteller Acer verkaufen, was nur deshalb nicht klappte, weil der Käufer von der asiatischen Finanzkrise erwischt wurde. Der Handelskonzern Metro stieß die Computerhandelskette Vobis mit ihrer Eigenmarke HighScreen ab, der Viag-Konzern verkaufte seine Tochterfirma Computer 2000 in die USA, und Kanzler Gerhard Schröders Beinahe-Wirtschaftsminister Jost Stollmann machte Kasse durch den Verkauf seiner Firma CompuNET.
Zwar gibt es inzwischen jede Menge Existenzgründer, die sich mit Software- oder Biotech-Firmen selbständig ma-

chen, doch sie können das Vakuum, das die von risikoscheuen und ignoranten Managern geführten Konzerne hinterlassen, noch lange nicht ausfüllen. Beklagte sich Norbert Haugg, Chef des Deutschen Patentamtes in München: »In keiner einzigen Zukunftstechnologie kann Deutschland den Japanern und Amerikanern das Wasser reichen.« Nur noch 19 Prozent der von Deutschen angemeldeten internationalen Patente fallen in die Kategorie »Zukunftstechnologie«. Das ist die geringste Quote aller Industrienationen, mit Ausnahme der Schweiz. Zwar werden seit einiger Zeit wieder mehr Patente angemeldet – allein 1997 betrug der Zuwachs rund 14 Prozent –, doch die meisten stammen von ausländischen Konzernen, vor allem aus den USA und Japan. Seit Jahren ist die deutsche Patentbilanz negativ. Das bedeutet: Die deutschen Firmen geben mehr Geld für die Nutzung fremder Patente aus, als sie selbst durch den Verkauf von Lizenzen aus ihren Schutzrechten erlösen. 1997 betrug das Defizit immerhin 3,5 Milliarden Mark.

Nicht die heimischen Forscher und Entwickler sind schuld an der geringen Zahl innovativer Produkte, sondern die Manager. Dies jedenfalls ergibt sich aus zahlreichen Untersuchungen von Forschungsinstituten wie von Unternehmensberatern. Das fängt schon damit an, daß die Geschäftsleitungen in der Rezession überall die Entwicklungsbudgets herunterschraubten und sich von vielen ihrer kreativen Köpfe trennten. Inzwischen wurden zwar die F+E-Etats wieder etwas erhöht – 1998 steckten die deutschen Firmen insgesamt rund 62 Milliarden Mark in For-

schung und Entwicklung –, doch die Zahl der beschäftigten Forscher liegt noch immer um etwa 25 000 Köpfe unter dem Stand von 1989.
Dennoch verfügen die deutschen Firmen über eine Vielzahl von ungenutzten Ideen und Erfindungen, und selbst dann, wenn sie es wagen, ein Entwicklungsprojekt bis zur Marktreife voranzutreiben, setzen sie jedes zweite Vorhaben in den Sand. Dies jedenfalls ergibt sich aus einer Studie der Unternehmensberatung Diebold Deutschland GmbH aus Eschborn, die 800 Firmen aus der verarbeitenden Industrie befragte. Auf dem Weg »von der Idee zum Erfolg« (so der Titel der Studie) scheitern die meisten Vorhaben nicht im Entwicklungsstadium, sondern bei der Umsetzung in ein marktgängiges Serienprodukt – und dafür ist das Management verantwortlich.

Keine Zeit für neue Ideen

»Manager haben keine Zeit für innovative Ideen«, behauptet Daniel F. Pinnow, Geschäftsführer der Akademie für Führungskräfte der Wirtschaft nach einer Befragung von 246 leitenden Angestellten aus deutschen und österreichischen Unternehmen. Als wirksamste Innovationsbremsen erwiesen sich seiner Studie zufolge: Führungsmangel, organisatorische Schwächen, persönliche Probleme der Manager und allgemeiner Widerstand gegen jede Veränderung.
Von solchen Problemen kann auch der Chef des Münchner Siemens-Konzerns ein Lied singen, der sich mit rund 8 Milliarden Mark das größte Forschungsbudget aller deutschen Unternehmen leistet. »Unser Innovationstempo ist leider

nicht so recht zu erkennen«, beklagte sich Heinrich von Pierer öffentlich über seine konservativen Siemensianer und brachte deshalb zusammen mit dem Unternehmensberater Bolko von Oetinger ein Buch heraus mit dem schönen Titel *Wie kommt das Neue in die Welt?* Offenbar fand er selbst bisher noch nicht die richtige Antwort, denn obwohl Siemens innerhalb Europas mit über 1000 internationalen Patenten die meisten Schutzrechte nach dem holländischen Philips-Konzern besitzt, erzielte der Münchner Elektroriese zuletzt nur eine Umsatzrendite von kargen 2,5 Prozent, während Konkurrenten wie IBM oder General Electric zwei- bis dreimal soviel verdienen.

Stoßen schon die angestellten Forscher und Entwickler im eigenen Haus auf unüberwindliche Schwierigkeiten, wenn sie mit ihren Ideen bei den für Produktion, Verkauf und Finanzierung zuständigen Managern vorsprechen, so finden die wenigen freien Erfinder in »Corporate Germany« kaum noch Gehör. Jahrelang versuchte zum Beispiel der in der Nähe von Salzburg lebende Betriebswirt Christoph Klein der Pharmaindustrie ein neuartiges Inhalationsgerät für Asthmatiker zu verkaufen. Obwohl das renommierte Strömungsphysikalische Institut der Fachhochschule Münster seiner Erfindung einen wesentlich höheren Wirkungsgrad als den handelsüblichen Geräten zubilligte, fand er keinen Interessenten und ließ deshalb sein neuartiges Produkt auf eigene Rechnung herstellen.

Zwar konnte er über 4000 Stück davon verkaufen, aber dennoch stand ihm bald das Wasser bis zum Hals, weil ihm die Bank die Kredite kündigte und sein Partner ihn unter

Druck setzte. Erst als das ZDF einen Beitrag über den glücklosen Erfinder ausstrahlte, meldete sich ein vermögender Investor aus Hongkong und kaufte ihm die weltweiten Patentrechte für 700 000 Mark ab.

Forscher meiden die Konzerne

Die Abwehr fremder Ideen begründen Unternehmensberater mit dem sogenannten NHI-Effekt (»not here invented« = nicht hier erfunden), der die hauseigenen Entwickler mit den risikoscheuen Managern schnell einig werden läßt, daß die angebotene Idee nichts tauge. Lieber pflegen die angestellten Firmenlenker für teures Geld komplette Firmen einzukaufen, die ihre Innovationsfähigkeit unter Beweis gestellt haben.

Zählten Firmen wie Bayer, Hoechst oder BASF einst zu den Wegbereitern der Forschung in der Chemie und Pharmazie, so fielen sie in letzter Zeit nur noch durch spektakuläre Aufkäufe auf. Trotz ihrer milliardenschweren Forschungsbudgets schafften sie den Anschluß in der Gen- und Biotechnologie nicht aus eigener Kraft. Fast zwei Milliarden Mark gab der Bayer-Konzern zum Beispiel für das Diagnostika-Geschäft der amerikanischen Chiron Corporation aus, und den Zugang zu Schlüsseltechnologien der Genom-Forschung verschaffte er sich durch eine Zusammenarbeit mit Millennium Pharmaceuticals in Cambridge (USA) – und dabei ist Bayer noch einer der forschungsintensivsten und der erfolgreichsten Pharmaproduzenten Deutschlands. Spitzenforscher sagen deshalb dem Heimatland immer häufiger ade. Horst Störmer beispielsweise, der Physik-Nobelpreisträger des Jahres 1998, arbeitet seit Jahren für die amerikanischen Bell Laboratories und begründete seinen Exodus so: »Während Deutschland das gute Mittelmaß pflegt, findet man hier etwas für jedes Intelligenzniveau.«

Hoffnung machen allenfalls jene Wissenschaftler, die beizeiten dem Dunstkreis der Konzerne entfliehen konnten und nun auf eigene Faust versuchen, ihre Ideen zu vermarkten. Dazu zählt beispielsweise Ulrich Aldag, der einst dem Diagnoselabor des Pharmakonzerns Boehringer Ingelheim vorstand und inzwischen mit der Qiagen in Hilden und der Evotec Biosystems in Hamburg zwei der hoffnungsvollsten deutschen Biotech-Firmen gründete und an die Börse brachte. Von ähnlichem Schlag ist Peter Stadler, der seinen Posten als Chef der Pharma-Biotechnologie-Sparte beim Bayer-Konzern aufgab, um zusammen mit den hochdekorierten Wissenschaftlern Christiane Nüsslein-Vollhard (1995 mit dem Medizin-Nobelpreis ausgezeichnet) und Klaus Rajewsky die Artemis Pharmaceuticals AG zu gründen.

Unternehmerische Leistungen dieser Art aber haben für die Globalstrategen in den Konzernzentralen schon lange keinen Reiz mehr. Seit der amerikanische Betriebswirtschaftler Alfred Rappaport die schnelle Steigerung des Shareholder-Values zum Ziel aller Managerkünste erhob, verkürzten auch Deutschlands Firmenlenker ihren Planungshorizont. Nicht mehr die langfristige Sicherung der Unternehmen hat jetzt höchste Priorität, sondern die kurzfristige Steigerung der Gewinne. Nach amerikanischem

Vorbild trachten sie danach, ihre Aktionäre von Quartal zu Quartal mit optimistischen Zwischenberichten bei Laune zu halten. Ihr Planungshorizont reicht selten weiter als fünf Jahre, nämlich bis zum Ablauf ihrer Arbeitsverträge. Erst wenn eine Verlängerung signalisiert wird, pflegen die Bosse, denen ihr eigenes Schicksal naturgemäß wichtiger ist als das der ihnen anvertrauten Unternehmen, sich mit der Zeit danach zu beschäftigen.

Da der Gang der Geschäfte indes immer sprunghafter verläuft, die Aktionäre aber eine kontinuierliche Steigerung der Gewinne erwarten, retten sich die Vorstände entweder mit hektischen Umbau-Aktivitäten oder mit wilden Finanzmanipulationen über die Runden. Mutiert der Betrieb zur permanenten Großbaustelle, fallen immer irgendwelche »außerordentlichen Erträge« an, die dann als Gewinne deklariert werden können. Bleiben sie aus, nun, dann wird der Vorstand guten Gewissens auf Investitionen verweisen, »die der langfristigen Sicherung des Unternehmens dienen«.

»Der Unsinn hat Methode«

Noch können Deutschlands Manager ihre Bilanzen praktisch nach Belieben gestalten, und viele von ihnen nutzen das weidlich aus, um die wahre Lage ihres Unternehmens zu verschleiern. Die geltenden Bilanzierungsregeln nach dem Handelsgesetzbuch (HGB) stammen nämlich noch aus dem letzten Jahrhundert, als der Gläubigerschutz höchste Priorität hatte. Und so dürfen Deutschlands Konzerne bis heute Rücklagen in praktisch unbegrenzter Höhe bilden, die den Gewinn schmälern, und andererseits Gewinne vortäuschen, indem sie Rücklagen auflösen. Warenbestände können mal höher, mal niedriger bewertet werden, betriebsfremde Erträge mit den im operativen Geschäft erzielten Gewinnen in einen Topf geworfen, Pensionsrückstellungen mit beliebigem Zinsfuß diskontiert werden. Vergeblich bemühten sich Finanzanalysten und Wirtschaftsprüfer bisher, die Bilanzierungsregeln für Großunternehmen den internationalen Standards (IAS) oder wenigstens den amerikanischen Vorschriften (GAAP) anzupassen, da diese für wesentlich mehr Transparenz in den Bilanzen sorgen würden. Doch außer den wenigen Konzernen, die nach Einführung ihrer Aktien an den US-Börsen gezwungenermaßen die dort gültigen Bilanzregeln anwenden müssen, mochten nur wenige vom gewohnten Spiel mit der Verschleierung lassen.

Allein das von der Deutschen Vereinigung für Finanzanalyse und Anlageberatung (DVFA) und der Schmalenbach-Gesellschaft für Betriebswirtschaft zur Gewinnermittlung pro Aktie (das sogenannte DVFA-Ergebnis) eingesetzte Verfahren gibt dem Aktionär ein bißchen mehr Gewißheit, wie es um »sein« Unternehmen bestellt ist. Das hält die Bilanzartisten in den Konzernzentralen freilich nicht davon ab, weiterhin zu schummeln, wo immer sie können.

Nicht mal die Banken bedienen sich einheitlicher Bilanzrichtlinien, und so sind denn auch die Abschlüsse der Geldhäuser überhaupt nicht miteinander vergleichbar. HypoVereinsbank und Dresdner Bank zum Beispiel bilanzieren noch nach HGB, Deutsche Bank und Commerzbank hin-

gegen nach IAS. Aber auch die IAS-Regeln werden von beiden Instituten unterschiedlich angewendet: Im ordentlichen Ertrag der Commerzbank beispielsweise sind Gewinne aus Verkäufen von Beteiligungen enthalten, während die Deutsche solche Zuflüsse gesondert ausweist.
»Der Unsinn hat Methode«, behauptet der Saarbrücker Bilanzexperte Karlheinz Küting nach gründlicher Analyse der Jahresabschlüsse von 200 deutschen Aktiengesellschaften. Im Wirtschaftsmagazin *Capital* bestätigte der Direktor des Instituts für Wirtschaftsprüfung an der Universität des Saarlands, was erfahrene Börsianer seit langem vermuteten: Verdient eine Firma gut, dann versuchen die Manager sich arm zu rechnen, um sich gegen die Begehrlichkeiten der Belegschaften wie des Finanzamts zu schützen, und geht es einer Firma schlecht, dann zaubern die Manager Gewinne herbei, wo längst Verluste entstanden sind, um ihr Versagen zu kaschieren.

Gewinne versteckt, Bilanzen geschönt

Zu den Konzernen, die sich arm rechneten, zählte Küting 1998 die Autokonzerne VW und BMW, weil sie in Wahrheit viel mehr verdient hatten, als ihre Bilanz auswies. VW-Chef Piëch zum Beispiel wechselte binnen zwei Jahren nicht weniger als siebenmal die Bewertungsmethoden, um Gewinne von über 4 Milliarden Mark vor den Aktionären und Belegschaften zu verstecken. Mal wurden Maschinen und andere Sachanlagen mehrfach abgeschrieben, mal Halbfertigerzeugnisse zu Einzel- statt zu Vollkosten bewertet, ein andermal gewaltige Pensionsrückstellungen mit einem geringeren Zinsfuß berechnet. »Von einem Einblick in die Ertragslage kann keine Rede sein«, kommentierte der Bilanzexperte das Piëchsche Gesamtkunstwerk. Ähnlich phantasievoll versteckte BMW-Finanzchef Volker Doppelfeld die Gewinne des bayerischen Nobelwagenherstellers, die erst im folgenden Jahr durch die Verluste der britischen Tochter Rover real geschmälert wurden.

Als »Blender und Buchgewinnler« identifizierte Küting hingegen den Handelskonzern Karstadt, den Verpackungshersteller Schmalbach-Lubeca wie den Bauriesen Philipp Holzmann, der fürs Jahr 1997 einen Fehlbetrag von 768 Millionen Mark auswies, tatsächlich aber nach Kütings Analyse etwa 1,4 Milliarden Mark verloren hatte. Geschönt wurden deren Bilanzen durch die Auflösung von Sonderposten oder Rückstellungen, den Verkauf von Beteiligungen, Gebäuden oder sonstigen nicht betriebsnotwendigen Teilen des Anlagevermögens sowie durch geringere Abschreibungen.

Reichlich Spielmasse liefert auch der Posten des Geschäfts- oder Firmenwertes, in den »weiche Faktoren« wie das Image des Unternehmens bei den Kunden oder auch die künftigen Marktchancen einfließen und der, je nach Interessenlage des Managements, mal überhöht oder auch mal zu niedrig angesetzt werden kann. Nach HGB können die Konzernchefs den Firmenwert etwa erfolgswirksam oder erfolgsneutral behandeln, und schon allein die Entscheidung für die eine oder andere Methode kann die Bilanz erheblich verändern. Denn nicht selten ist der Geschäfts- oder Firmenwert größer als das gesamte Eigen-

kapital einer Firma, und da haben Bewertungsänderungen natürlich gravierende Folgen.
Bei 82 der 200 untersuchten Gesellschaften entdeckte der Saarbrücker Bilanzprofessor »sonstige betriebliche Erträge«, die höher waren als der gesamte Gewinn nach Steuern. Ein Großteil dieser Firmen hat also wahrscheinlich mit Verlusten abgeschlossen, was die Manager zu verbergen versuchten, indem sie Grundstücke, Gebäude oder Tochtergesellschaften verkauften und den Erlös in die Bilanz einstellten. Unauffällig läßt sich zum Beispiel der Firmensitz zu Geld machen, indem man die Verwaltungsgebäude an eine Leasinggesellschaft verscherbelt und künftig dafür Miete bezahlt (»sale and lease back«).
Als wahre Bilanzartisten machte der Betriebswirtschaftsprofessor aus dem Saarland die Chefs der Duisburger Klöckner Werke aus, die in der Bilanz von 1997 einen Gewinn von 163 Millionen Mark deklarierten, in Wahrheit aber einen dicken Verlust eingefahren hatten. Des Rätsels Lösung: Aus dem Verkauf einer Tochtergesellschaft, der Kautex-Werke, hatten sie 203 Millionen Mark erlöst, und nach Abzug der Verluste blieben 163 Millionen als »Gewinn« übrig. Nur sehr scharfsinnige Aktionäre waren wohl in der Lage, zu ergründen, woher der plötzliche Gewinn ihres Unternehmens stammte, das im Jahr zuvor gerade mal eine Million Mark verdient hatte.

»Keiner blickt mehr durch«

Aus echten Verlusten Buchgewinne zu zaubern, das verstanden nach Kütings Analyse auch die Finanzchefs des Büromaschinenherstellers TA Triumph Adler, der Batteriefabrik Varta und der Schneider Rundfunkwerke. Die kreativste Buchführung aber bescheinigte der Professor der deutschen Tochter des Elektrokonzerns ABB, die 1997 bei 8,1 Milliarden Mark Umsatz gerade mal 87 Millionen Mark als Jahresüberschuß auswies, tatsächlich aber einen beträchtlichen Verlust erwirtschaftet hatte. So genau vermochte das nicht mal das Team des Saarbrücker Bilanzexperten zu ermitteln, denn in der ABB-Bilanz wimmelte es von unklaren Positionen. »Perfektes Chaos, keiner blickt mehr durch«, notierte *Capital*-Redakteur Tasso Enzweiler.

Doch das Versteckspiel der Manager geht dem Ende zu. Immer öfter werden sie von den Finanzanalysten der Banken gezwungen, ihre Bilanzen nach den internationalen Standards aufzustellen, die für mehr Transparenz in den Zahlenwerken sorgen und die Abschlüsse von Unternehmen in der ganzen Welt vergleichbar machen. An scheinbaren Nebensächlichkeiten wie den Bilanzierungsregeln zeigt sich deutlicher als auf den Hauptversammlungen der Konzerne, wie sich die Machtverhältnisse in der Wirtschaft während der vergangenen Jahre verschoben haben. Bestimmte früher ein kleiner Zirkel von etwa 200 bis 300 Topmanagern unangefochten die Geschicke der deutschen Publikumsgesellschaften, so müssen sich die Firmenlenker heute die Macht mit den Verwaltern der großen Investmentfonds und Pensionskassen teilen. Und die haben ganz andere Interessen als die Mitglieder des alten Machtkartells.

Ging es den Vorständen der Banken und Versicherungskonzerne, die einst die Industrieunternehmen mit Kapital versorgten, vor allem um die Ausleihung hoher Kredite und deren Absicherung durch stille Reserven in den Konzernbilanzen, so wollen die Verwalter des Geldes von Millionen Kleinanlegern nur eines sehen: hohe Erträge auf das investierte Kapital.

Den Konzernchefs Beine gemacht

Die Globalisierung der Wirtschaft beschleunigte zwar die Entwicklung der Finanzmärkte, entschieden aber haben den Machtkampf zwischen Kapital und Arbeit Millionen kleiner Sparer in aller Welt. Zuerst in den USA, dann in England und schließlich auch auf dem europäischen Kontinent vertrauten immer mehr ihr Geld in den letzten Jahren professionellen Verwaltern an. Hatten sie früher ihre Spargroschen, von denen sie im Alter leben wollten, hauptsächlich in mündelsichere Staatsanleihen gesteckt, so begannen sie seit dem Niedergang der Zinsen in immer stärkerem Maße Aktien zu kaufen. Anfangs ließen sie sich dabei noch von Banken beraten und stiegen auf eigenes Risiko ins Börsengeschehen ein. Doch bald mußten sie erfahren, daß die Tips der Banken für gewöhnlich nicht viel wert waren und die Geschäftspolitik der Unternehmen mehr den Interessen der Manager und Belegschaften diente als jenen der Aktionäre.

Es war ein Amerikaner namens Bernie Cornfeld, der den Deutschen erstmals beibrachte, wie sich mit Hilfe geschickter Investments in Aktienfonds schnell viel Geld machen ließ. Cornfelds IOS (Investors Overseas Services) ließ die Anteilsscheine von Investmentfonds durch psychologisch gut geschulte Vertreter an der Haustür verkaufen und machte so den Anlegern bereits Ende der sechziger Jahre Lust am Investieren. Doch weil die IOS ihren Vertretern überhöhte Provisionen bezahlte, die sie auf die Preise der Spekulationspapiere draufschlug, krachte sie bald zusammen, und die geprellten Sparer ließen erst mal wieder die Finger von den Aktien.

Weniger als 4 Prozent des jährlich neu gebildeten Sparkapitals flossen damals an die Börse, und die meisten Kleinaktionäre übertrugen das Stimmrecht der in ihren Depots schlummernden Anteilsscheine den Banken, die so, zusammen mit ihren eigenen Beteiligungen, bei den meisten Publikumsgesellschaften über die Mehrheit verfügten. Mit dem Anfang der neunziger Jahre einsetzenden Börsenboom begann die neue Blüte der Investmentfonds. Hatten die Deutschen im Jahr 1990 erst 14,3 Milliarden Mark in Fonds angelegt, so waren es sieben Jahre später bereits über 100 Milliarden.

Gewitzt durch ihre schlechten Erfahrungen als Kleinaktionäre, vertrauten sie ihr Geld jetzt professionellen Verwaltern an, in der Hoffnung, ähnliche Ergebnisse zu erzielen wie die amerikanischen Vorbilder. Denn nachdem die ersten US-Fonds wie Templeton oder Fidelity angefangen hatten, ihre Anteilsscheine auch in Deutschland zu verkaufen, erfuhren die Kleinanleger hierzulande, welche erstaunlichen Renditen mit einer professionellen Geldanlage zu erzielen waren.

In den USA wie in England hat das Fondssparen eine lange Tradition und ersetzt dem bürgerlichen Mittelstand häufig die staatliche Rentenversicherung. Die gewaltigen Summen, die durch die Vielzahl der Fondssparer gebündelt werden, sichern den Verwaltern der privaten Vorsorgekassen beträchtlichen Einfluß, und das bekamen vor allem einige große US-Konzerne nachhaltig zu spüren. Waren es zuerst einzelne private Firmenjäger wie Carl Icahn, T. Boone Pickens oder der berüchtigte Ivan Boesky, die den selbstherrlichen Konzernchefs Beine machten, so entwickelten sich im vergangenen Jahrzehnt allmählich die Verwalter der großen Investmentfonds zur stärksten Kraft an der Wallstreet. Rund 9000 US-Fonds gebieten über ein Kapital von nahezu 5 Billionen Dollar, und seit der Dow-Jones-Index seinen Zenit überschritten hat, fließt ein immer größerer Teil der Finanzmasse auch an die europäischen Börsen.

Alle Macht den Investoren

Spekulierten die Fonds-Manager zunächst nicht viel anders als Kleinaktionäre, indem sie die ihnen anvertrauten Gelder mal hier, mal dort anlegten, so schlüpften sie, als ihre Aktienpakete immer schwerer wurden, fast zwangsläufig in die Rolle von Investoren, die dem Management Beine machen mußten, wenn sie höhere Erträge sehen wollten. Die Verwalter der gewichtigsten Fonds wurden denn auch zum Vorreiter der Shareholder-Value-Bewegung, die jetzt die deutsche Wirtschaft so brutal durcheinanderwirbelt.

William D. Crist beispielsweise, der als Präsident des Calpers-Fonds (»California Public Employees Retirement System«) einen Großteil der Ersparnisse der Bediensteten des US-Bundesstaats Kalifornien verwaltet, brachte schon die Bosse von Konzernen wie General Motors, Texaco oder Dow Chemical ins Schwitzen. Beinahe noch mächtiger sind die Geldverwalter des Pensionsfonds TIAA-CREF, in den die amerikanischen Lehrer und Professoren ihre Beiträge zur Altersvorsorge einzahlen. Die Manager solcher Fonds bewegen Summen, die dem Bruttosozialprodukt kleinerer Staaten entsprechen, entsprechend stark ist ihre Position gegenüber den Vorständen der an ihrem Tropf hängenden Aktiengesellschaften.

Versuchten die Manager mancher Konzerne sich anfangs gegen den Einfluß der Investoren abzuschirmen, indem sie ihre eigenen Aktien zurückkauften (in den USA) oder wesentliche Aktienbestände bei befreundeten Unternehmen plazierten (in Deutschland), so haben sie mittlerweile rund um den Globus kapituliert. Wer sich den Wünschen der Geldprofis verweigerte, wurde mit sofortigem Kapitalentzug bestraft und mußte dann seine Expansionspläne in den Schornstein schreiben, während die Günstlinge der Fondsverwalter ein forciertes Wachstumstempo anschlugen.

Fonds wie Calpers und TIAA-CREF wurden schnell zu Vorbildern der deutschen Investment-Szene. Christian Strenger, Chef der größten deutschen Investmentgesellschaft DWS, folgte als erster einheimischer Fonds-Manager dem Beispiel der Amerikaner und begann schon Mitte der neunziger Jahre lahme Konzernvorstände unter Druck zu setzen. Das Pikante daran: Mit Strenger verletzte ausgerechnet ein Mitglied aus dem inneren Machtzirkel die ungeschriebenen Gesetze der Deutschland AG. Denn die DWS, die über 130 Milliarden Mark verwaltet, ist eine hundertprozentige Tochter der Deutschen Bank, und ihre Fonds-Manager wie Elisabeth Weisenhorn, Myriam Scharff oder Klaus Martini machen Druck auch bei solchen Unternehmen, in deren Aufsichtsräten Deutsch-Bankiers sitzen.

Glaubten die Konzernfürsten anfangs, sie könnten mit den Abgesandten der Investmentfonds ähnlich umspringen wie einst mit renitenten Kleinaktionären, denen sie auf ihren Hauptversammlungen notfalls das Mikrophon abschalten und die sie vor die Tür setzen ließen, mußten sie sich inzwischen eines Besseren belehren lassen. Bei Konzernen wie BASF, Bayer, Siemens oder Veba halten institutionelle Anleger mittlerweile die größten Aktienpakete, und deren Analysten lassen sich nicht mehr mit kunstvoll frisierten Bilanzen abspeisen.

Kurse in den Keller geschickt

Akribisch zerlegten sie die Zahlenwerke der Konzerne so lange, bis sie herausgefunden hatten, welche Vorstände das Vermögen ihrer Aktionäre mehren konnten und welche Kapital vernichtet hatten. Die Quittung stellten sie umgehend über die Börse aus, indem sie die Kurse der Kapitalvernichter in den Keller schickten und die Werteschöpfer mit steigenden Notierungen belohnten. So avancierten

einst wenig beachtete Papiere wie die Aktien des Sportartikelherstellers Adidas, des Kohlenstoffproduzenten SGL Carbon oder des Dialyse-Spezialisten Fresenius plötzlich zu Lieblingen der Börsianer, während Deutschlands Traditionskonzerne, von BASF bis Siemens, so lange verschmäht wurden, bis sich deren Chefs ebenfalls zu einer klaren Shareholder-Value-Politik durchrangen.
Hatten sie zuvor den Fonds-Managern jeden tieferen Einblick in ihre Zahlenwerke verweigert, so bemühten sich nun plötzlich sogar so selbstbewußte Konzernlenker wie Kajo Neukirchen von der Metallgesellschaft, Jürgen Strube von der BASF und Ron Sommer von der Deutschen Telekom, den Analysten der Fonds auf sogenannten Road-Shows die Vorzüge ihrer Unternehmen anzupreisen. Aus Antreibern, die ihre Firmen nach eigenen Vorstellungen umkrempelten, wurden Getriebene, die sich abstrampeln müssen, die Vorgaben der Kapitalverwalter zu erfüllen. »Ich brauche die Investoren, weil ich auf einen hohen Aktienkurs angewiesen bin. Je höher der Kurs ist, desto größer ist mein unternehmerischer Manövrierraum«, gestand zum Beispiel Hubertus von Grünberg, der inzwischen in den Aufsichtsrat gewechselte Chef des Hannoveraner Reifenkonzerns Continental, mit bemerkenswerter Offenheit dem *Spiegel* und beschrieb seine Lage so: »Die Investoren sind Könige, ich bin der Diener.«
Und der Druck wird nicht nachlassen. Im Frühjahr 1999 gründeten fünf der größten europäischen Anleger eine sogenannte Corporate-Governance-Rating-Agentur. Die in Brüssel installierte Firma mit dem Namen Deminor soll

Werteschöpfer – Wertevernichter

Wer den Shareholder-Value steigerte – und wer nicht

TOPS		*FLOPS*	
Henning Kagermann	SAP	Lothar Mayer *(bis 1997)*	Philipp Holzmann
Manfred Lautenschläger	MLP	Uwe Tillmann	Moksel
Joachim Funk	Mannesmann	Wolfgang Rupf	Bankgesellschaft Berlin
Wendelin Wiedeking	Porsche	Heinrich von Pierer	Siemens
Robert Louis-Dreyfus	adidas	Rolf E. Breuer	Deutsche Bank

die 160 wichtigsten Börsenwerte aus Deutschland, Großbritannien, Frankreich, den Niederlanden, Belgien und Schweden anhand von 70 Kriterien laufend danach beurteilen, welchen Shareholder-Value sie geschaffen haben. Wer im Rating gut abschneidet, dessen Aktien werden verkauft, wer zurückbleibt, wird verschmäht.

Weil es vielen der deutschen Vorstände offenbar schwerfällt, selbst bescheidene Klassenziele zu erreichen – 15 Prozent Rendite aufs eingesetzte Kapital, ein klares Konzept für die Zukunft, einfache, überschaubare Strukturen für den ganzen Konzern –, versuchen sie durch Fusionen und Joint-Ventures, Zu- und Verkäufe das Gesetz des Handelns wieder an sich zu reißen und dabei selbst am meisten zu profitieren.

5. Kapitel

Der Griff nach dem großen Geld

Wenn Deutschlands Topmanager, was selten genug vorkommt, über die Gründe Auskunft geben, die zum brachialen Umbau ihrer Unternehmen führten, dann ist viel von den Werten die Rede, die für die Aktionäre geschaffen werden sollen. Aber noch nie hat einer der Spitzenverdiener zugegeben, daß er und seinesgleichen am meisten von jenem »werteorientierten Management« profitieren, das die deutschen Arbeitnehmer um Tausende ihrer Jobs brachte. Denn der Pakt mit den Shareholdern, das bewiesen die Standeskollegen aus den USA, hat für die teuersten Angestellten der Unternehmen durchaus angenehme Begleiterscheinungen. Endlich können sie, gedeckt durch die Gier der Aktionäre, die Niederungen einfacher Millionengehälter hinter sich lassen und sich nach Unternehmerart direkt an den Erträgen ihrer Konzerne bereichern. Mit dem kleinen Unterschied freilich, daß sie zwar viel zu gewinnen, aber nichts zu verlieren haben.

Nun zählten Vorstandsmitglieder auch bisher schon nicht

zu den Sozialfällen, denn die angestellten Firmenlenker verstanden es auch in der Vergangenheit, ihre Bezüge weit über das Schickliche hinaus anzuheben. Tatsächlich gibt es weit und breit keinen erlernbaren Beruf, der einem abhängig Beschäftigten derart hohe Einkünfte beschert, wie jener des Managers. Und nirgendwo entwickelten die Gehälter in den letzten Jahren einen so starken Auftrieb wie in den Vorstandsetagen der deutschen Aktiengesellschaften. Ein Durchschnittsverdiener zum Beispiel hatte Ende 1997 nach einer Untersuchung der Kienbaum-Vergütungsberatung mit rund 50000 Mark brutto gerade mal 10 Prozent mehr auf dem Konto als im Krisenjahr 1993, doch in dieser Zeit erhöhten die Vorstände ihre Bezüge um über 33 Prozent auf durchschnittlich 1,368 Millionen Mark im Jahr. Die etwa 250 Vorstandsmitglieder der 30 größten Konzerne, deren Börsenkurse im deutschen Aktienindex (DAX) zusammengefaßt sind, genehmigten sich im Schnitt pro Kopf sogar mehr als 1,7 Millionen Mark jährlich.

Stargagen für Angestellte?

Die Spanne reichte dabei von den knapp 3 Millionen, die die VW-Vorstände durchschnittlich mit nach Hause nahmen, bis zu der guten Million, die für die Loser von der Bayerischen Hypo-Bank übrigblieb. Ein Vorstand billigte sich demnach, je nach Unternehmensgröße und Branche, zwischen dem 20- und 60fachen eines durchschnittlichen Arbeitnehmergehalts zu. Das aber, so finden die leitenden Angestellten, sei viel zuwenig und ihrer Leistung nicht angemessen.

Sie fordern deshalb keine Gehaltserhöhung, sondern wollen allenfalls »angemessen bezahlt werden« (so Lufthansa-Chef Jürgen Weber) oder zumindest ein »international wettbewerbsfähiges« Salär einstecken (wie Daimler-Chefpilot Jürgen E. Schrempp). Neid und Mißgunst verhinderten bisher, so lamentieren die Millionäre in den Chefetagen, eine wahrhaft leistungsgerechte Entlohnung. Sie selbst werden selbstverständlich niemals von derlei Regungen geplagt – bis auf Jürgen Hubbert, im Daimler Vorstand für den Pkw-Bereich zuständig, der sich während eines Formel-1-Rennens in Hockenheim darüber beklagte, daß Rennfahrer wie Michael Schumacher, von denen er sich »ein ganzes Dutzend halten« könne, doppelt und dreifach soviel verdienten wie der gesamte Daimler-Vorstand.
Natürlich ist nichts dagegen einzuwenden, wenn Geschäftsführer, Vorstände und Aufsichtsräte ordentlich bezahlt werden. Denn von ihnen hängt, wenn auch nicht alles, so doch manches von dem ab, was den Erfolg einer Firma ausmacht. Und sicherlich wirken die Gagen mancher freischaffender Tenöre, Fernsehunterhalter oder Fußballspieler im Vergleich zu den Bezügen ernsthafter Firmenlenker ebenso überhöht wie die Jahreseinkommen etlicher Zahnärzte, Radiologen oder Klinikchefs.
Doch zumindest die Gagen der Stars aus der Unterhaltungsbranche werden auf dem freien Markt ausgehandelt und ergeben sich schlicht aus dem Kräftespiel zwischen Angebot und Nachfrage. Die oberen Angestellten der Unternehmen aber setzen ihre Einkünfte weitgehend selbst fest und sind sowohl den Aktionären als auch den Mitar-

beitern und Kunden Rechenschaft schuldig. Ihre Ausnahmestellung verdanken sie nicht, wie ein Künstler, einmaligen Talenten, sondern schlicht dem Nachweis von beruflicher Qualifikation.
Kaum ein Kunde wird auf den Kauf eines BMW verzichten, weil aus diesem Unternehmen zwei Topmanager ausgeschieden sind, und niemand wird nur deshalb mit dem Zug fahren, weil ein gewisser Herr Ludewig der Bahn AG vorsteht. Hunderttausende aber kommen an den Nürburgring, um Michael Schumacher bei der Arbeit zuzusehen, und Millionen kaufen die CDs mit den Arien der drei Tenöre.

Kassieren wie die Amis

Bereits in den *Nieten in Nadelstreifen* habe ich darauf hingewiesen, wie verkehrt das Entlohnungssystem für Manager hierzulande konstruiert ist. Es beschert nämlich einer Vielzahl mittelmäßiger Leute zu hohe Gehälter, Pensionen und Sachleistungen, und zwar unabhängig von deren Arbeitsleistung, während die wahren Könner vergleichsweise spärlich entlohnt werden. Bis hinauf zum Topmanagement bezogen die deutschen Führungskräfte den größten Teil ihrer Einkünfte nämlich als vertraglich fixierte Gehälter und nur einen kleinen Rest von 20 Prozent als erfolgsabhängige Komponente. Daß ein solches Entlohnungssystem als Leistungsanreiz wenig taugt, fand in den mäßigen Resultaten der »Nieten in Nadelstreifen« seine Bestätigung. Seit einiger Zeit suchen deshalb die Personalchefs nach besser geeigneten Systemen, das Mittelmanagement auf Trab zu

bringen, während die Herren Vorstände ganz andere Dimensionen anstreben.
Nicht erst seit den transatlantischen Zusammenschlüssen der beiden großen D-Konzerne (Daimler und Deutsche Bank), richten sich die begehrlichen Blicke der Topmanager auf die Portemonnaies ihrer amerikanischen Kollegen. Denn so, wie sie deren Unternehmenskonzepte kopierten, möchten sie auch am Geldsegen teilhaben, der seit ein paar Jahren auf die Häupter der US-Bosse niedergeht. Zwar verdienten die schon immer ein bißchen mehr als die deutschen Firmenchefs – schließlich waren ihre Unternehmen meist auch größer und gewinnstärker. Doch seit der Dow-Jones-Index immer neue Rekordhöhen erreichte, wuchsen die Saläre jenseits des Atlantiks in den Himmel. So verdienten die amerikanischen »Chief Executive Officers« (CEOs), vergleichbar den deutschen Vorstandsvorsitzenden, bereits 1997 8,7 Millionen Dollar pro Kopf und Jahr. Das sind, bei Dollarkursen um 1,75 Mark, über 15 Millionen Mark im Jahr – etwa doppelt soviel, wie der höchstbezahlte deutsche Manager, Mark Wössner, der ausgeschiedene Vorstandsvorsitzende des Medienkonzerns Bertelsmann, zuletzt kassierte. Soviel wie die angestellten Spitzenverdiener im US-Businеß durften hierzulande allenfalls ein paar Großaktionäre in guten Jahren einstreichen.
Sanford Weill, Chef des Finanzkonzerns Travellers Group, kassierte 1997 Gesamtbezüge von 231 Millionen Dollar, umgerechnet also über 400 Millionen Mark, und sein Chefkollege Roberto Goizueta vom Getränkekonzern Coca-Cola durfte sich über rund 112 Millionen Dollar, also gut

190 Millionen Mark, freuen. Hohe zwei- und dreistellige Millionen-Dollar-Summen gönnten sich auch Andrew Grove vom Chiphersteller Intel, Lou Gerstner von IBM und Ray Irani von Occidental Petroleum. Rekordhalter aber war Michael Eisner von Walt Disney, der sich 1998 nicht weniger als 589,1 Millionen Dollar gönnte – rund 1,1 Milliarden Mark.

Der Trick, mit dem sich die US-Manager in die Einkommensliga der Milliardäre katapultierten, ist so simpel, daß er auch in Deutschland immer mehr Nachahmer findet: Zusätzlich zu ihrem Gehaltsscheck ließen sich die Amerikaner mit Optionsscheinen bezahlen. Ein solcher Schein gibt dem Inhaber das Recht, Aktien des eigenen Unternehmens nach Ablauf einer bestimmten Frist zu einem festgelegten Kurs zu kaufen. Wird der Einstandspreis niedrig angesetzt und klettert der Aktienkurs während der Laufzeit der Option zügig, vervielfacht sich der Wert der Option. Der Manager kann dann wählen, ob er die Option zu Geld macht, indem er sie an der Börse verkauft, oder ob er sie ausübt und sich entsprechend viele Aktien des eigenen Unternehmens sichert.

160 Millionen Dollar an einem Tag

Die US-Aktionäre duldeten die enorme Selbstbereicherung der Konzernmacher, weil sie davon ausgingen, daß ihnen die Identität der Interessen zugute kommen würde. Ihr Kalkül: Wenn die Manager persönlich von steigenden Aktienkursen profitieren, werden sie für eine aktionärsfreundliche Unternehmenspolitik sorgen.

Daß diese Rechnung aufging, ist mittlerweile erwiesen, doch immer mehr Amerikaner bezweifeln, daß das auch den Unternehmen nützt. Der Gewerkschaftsverband AFL-CIO, vergleichbar mit dem DGB, beklagte die »obszöne Höhe« der Managerbezüge, die in keinem Verhältnis zu den Durchschnittsgehältern stünden. Verdiente ein CEO 1965 noch etwa 40mal soviel wie ein Arbeiter, so lagen seine Einkünfte 1997 etwa 230mal so hoch.

Neben den Arbeitnehmervertretern findet mittlerweile auch das Finanzestablishment die Bereicherung der Managerkaste nicht mehr lustig. Wallstreet-Legende Warren Buffett zum Beispiel, nach Microsoft-Chef Bill Gates der zweitreichste Amerikaner, ließ in den von seinen Investmentfonds kontrollierten Unternehmen die Optionsprogramme für Manager streichen und durch weniger kostspielige Anreizsysteme ersetzen. Selbst in *Business Week*, dem Leib- und Magenblatt der Wirtschaftselite, erschienen kritische Berichte über die schwindelerregenden Einkommen der Stars aus den Chefetagen, und auch die Analysten mancher Investmentfonds bemängeln die Tricks, mit denen US-Manager die wahren Kosten ihrer Optionsrechte verschleiern und die Aktienkurse ihrer Unternehmen manipulieren.

Verhandelt ein Vorstand beispielsweise über einen neuen Vertrag, der ihm Optionsrechte einräumt, dann wird er seine Presseabteilung anweisen, die Börsianer so lange mit schlechten Nachrichten zu füttern, bis der Kurs seinen Tiefststand erreicht hat. Die Bezugsrechte sind dann entsprechend billig und steigen im Wert um so mehr, wenn der

Vertrag unterzeichnet ist und aus dem Unternehmen nur noch positive Nachrichten zu hören sind. Gut für den Kurs sind natürlich auch immer Ankündigungen von Entlassungen und Werksschließungen oder Meldungen über Aufkäufe und Fusionen.

Als Rekordverdiener »Sandy« Weill im Frühjahr 1998 die Fusion seiner Travellers Group mit der New Yorker Großbank Citicorp bekanntgab, wurde er an einem einzigen Tag allein durch die Kursgewinne seiner Travellers-Aktienoptionen um rund 160 Millionen Dollar reicher. Von solchen Vermögenszuwächsen können gewöhnliche Aktionäre, deren Anteilsscheine nicht über die Hebelwirkung der Optionen verfügen, nur träumen.

Unkalkulierbare Kosten

Beim Ölkonzern Occidental Petroleum etwa erzielten die Aktionäre zwischen 1992 und 1997 nur eine dürftige Rendite von jährlich 11 Prozent, weil sich der Kurs schlechter als der Index entwickelte. Konzernchef Ray Irani aber verdiente mit seinen Optionen allein 1997 rund 100 Millionen Dollar. Mehr noch als die Ungleichbehandlung der Anteilseigner erzürnt die Analysten der Investmentfonds, daß die Kosten der Optionspläne in amerikanischen Unternehmen kaum mehr kalkuliert werden können. Denn die Topmanager sicherten sich die Loyalität ihrer Führungsmannschaften, indem sie immer mehr leitende Angestellte am Geldregen aus den Optionsprogrammen teilhaben ließen, ohne aber für die in Zukunft anfallenden Zahlungen entsprechende Rücklagen zu bilden.

Da die Kosten der Optionsprogramme bei manchen Konzernen Größenordnungen von über einer Milliarde Dollar erreichen, würden sie bei sauberer Bilanzierung die Gewinne schmälern und damit auch den Aktienkurs bremsen. Also lassen die Herren Manager ihre Aktionäre lieber im unklaren.

Die Kritik am dreisten Finanzgebaren ihrer amerikanischen Kollegen ließ die deutschen Bosse keineswegs kalt, denn sie wissen um die Sprengkraft, die der soziale Neid hierzulande hat. Siemens-Chef Heinrich von Pierer zum Beispiel – Jahresbezüge ca. 2,5 Millionen Mark – beeilte sich mit der Feststellung, die raketenartig angestiegenen Einkünfte mancher US-Manager seien »in dieser Höhe nicht gerechtfertigt«. Und als Daimlers Chefpilot Jürgen E. Schrempp – Jahresbezüge damals ca. 3,5 Millionen Mark – auf die 20 Millionen Mark angesprochen wurde, die sein Chrysler-Vorstandskollege Bob Eaton 1997 kassierte, antwortete er pikiert: »Ich wußte gar nicht, daß ich mich an der Armutsgrenze befinde.«

Die flapsigen Sprüche der Großverdiener können freilich nicht darüber hinwegtäuschen, daß Deutschlands Topmanager ein neues Gehaltsziel anpeilen. Anders als bei den Tarifkämpfen mit der IG Metall geht es hier nicht um 3 oder 4 Prozent mehr, sondern um den Aufstieg in eine ganz andere Einkommensliga. Mit Hilfe der transatlantischen Mergers wollen sie, auch wenn das bisher keiner zugibt, den traditionellen Gehaltsrahmen in der deutschen Oberklasse sprengen und ihre Bezüge auf US-Niveau liften. Anstatt 3,5 Millionen wird Jürgen E. Schrempp von

DaimlerCrysler dann mindestens 10 Millionen im Jahr verdienen, und ähnlich hoch dürften die Zuwächse der übrigen Konzernlenker ausfallen, wenn sie mit ihren Aktienoptionsplänen durchkommen.

Die Herrschaft der Mittelmäßigen

Eine grundlegende Reform des Vergütungssystems für Manager ist zwar längst überfällig, doch sie sollte nicht ausschließlich den Interessen einer Kaste dienen, die sich mehr und mehr zu einer Gefahr für die Wirtschaft entwickelt. Die Fehler des bisherigen Systems sind bekannt: Es belohnte eine viel zu große Zahl mittelmäßiger Manager mit zu hohen Fixgehältern und einem undurchsichtigen Paket von Sachleistungen von Versorgungszusagen, während es andererseits außergewöhnliche Leistungen zu gering honorierte.

Eine Folge war die »Herrschaft der Mittelmäßigen«, die zum Reformstau Anfang der neunziger Jahre führte und einen bedenklichen Rückstand im Bereich von Schlüsseltechnologien (Mikroelektronik, Informationstechnik, Gen-Manipulation, Werkstoffentwicklung) hinterließ. Und sie schuf eine unüberbrückbare soziale Distanz zwischen den nach Tarif entlohnten Belegschaften und ihren mit siebenstelligen Jahresgehältern ausgestatteten Vorgesetzten.

Ein neues Gehaltssystem für Deutschlands Führungskräfte müßte deshalb mehr variable, erfolgsabhängige Bestandteile enthalten. Würden die Fixgehälter und Pensionszusagen gekürzt, könnten erfolgsabhängige Bonuszahlungen und Prämien erhöht werden, dadurch ergäbe sich ein

viel stärker differenziertes Gehaltsgefüge, das mit Sicherheit zu einer Leistungssteigerung des Managements beitragen würde.
Woran aber soll man die Leistung eines Managers messen? Weder die Arbeitszeit, noch die Ausbildung sagen etwas über seinen Beitrag zum Unternehmenserfolg aus. Die amerikanische Methode, die Bezüge der Topmanager ausschließlich an die Entwicklung des Aktienkurses zu koppeln, hat ebenfalls einige gravierende Nachteile. Sie ermuntert die Bosse nämlich zur kurzfristigen Optimierung der Gewinne, und das geht naturgemäß zu Lasten langfristiger Investitionen, etwa in neue Produkte und Verfahren. Außerdem belohnt es die Manager auch für Entscheidungen, die andere getroffen haben. Senkt etwa die Notenbank die Zinsen, führt dies beinahe zwangsläufig zu einer Steigerung der Aktienkurse und damit zu höheren Manager-Bezügen, auch wenn die Gewinne der Unternehmen stagnieren.
Ist die Koppelung der Einkünfte an den Aktienkurs also schon im Prinzip problematisch, so sind es die von den deutschen Konzernen ausgetüftelten Varianten noch viel mehr. Ob bei DaimlerChrysler, VW, Deutsche Bank oder Metallgesellschaft: stets wollen die Manager zu ihren hohen Fixgehältern und Tantiemen auch noch Kursgewinne einstreichen, aber keinerlei Risiko eingehen. Auch wenn die Pläne für eine »leistungsgerechtere Vergütung« der Manager von Unternehmen zu Unternehmen variieren, so ist das Grundprinzip doch überall gleich: Die Vorstände und der obere Führungskreis erhalten zu Vorzugskondi-

tionen Optionsscheine oder Wandelschuldverschreibungen. Diese Papiere berechtigen die Manager, Aktien des eigenen Unternehmens nach Ablauf einer bestimmten Frist zu einem vorher festgelegten Basispreis zu erwerben.

Falsch konstruierte Gehaltssysteme

Sinn der Sache sollte sein, daß die Manager aus eigenem Interesse dafür sorgen, daß der Aktienkurs ihres Unternehmens innerhalb der Zeichnungsfrist möglichst stark zulegt. Die Gehaltsexperten in den Vorständen der deutschen Konzerne aber machten aus dem Leistungsanreiz der Aktienoptionen eine Art Zusatzrente, indem sie den Basispreis so niedrig ansetzten, daß ein Kursgewinn auch dann anfällt, wenn das Unternehmen schlechter abschneidet als der Börsenindex.

Von einer Beteiligung an möglichen Kurs*verlusten* indes wollen die Manager schon gar nichts wissen, deshalb fehlt in nahezu allen Beteiligungsplänen die *Pflicht* zum Umtausch der Optionen in Aktien. Das heißt: Bei steigenden Aktienkursen verdienen die Manager überproportional gut, bei sinkenden hingegen verzichten sie einfach auf die Ausübung ihrer Optionsrechte und verdienen dann »nur noch« genauso viel wie vorher.

»Das hat wenig mit Shareholder-Value, aber viel mit Selbstbedienung zu tun«, wetterte der Wirtschaftswissenschaftler Ekkehard Wenger aus Würzburg und zog vor Gericht. Seinen Klagen gegen die Einführung von Aktienoptionsplänen bei DaimlerChrysler, der Deutschen Bank und VW blieb jedoch der Erfolg versagt, denn die Gerichte bescheinigten den Konzernen, daß ihre Pläne nicht gegen das geltende Aktienrecht verstießen.

Immerhin erreichte der streitbare Professor, daß die Konzerne ihre Optionspläne etwas revidierten und später als geplant in Kraft treten ließen. Wie lukrativ Optionen sein können, rechnete Fonds-Manager Christian Strenger auf der Daimler-Hauptversammlung des Jahres 1998 vor: Wäre der Optionsplan bereits 1996 in Kraft getreten, hätten die Daimler-Vorstände und die bezugsberechtigten Manager der ersten und zweiten Führungsebene zusammen rund eine halbe Milliarde Mark zusätzlich verdient.

Nur wenige Firmen konnten sich bislang dazu aufraffen, wirklich leistungsorientierte Vergütungssysteme für ihre Topmanager anzuwenden. Als die Berliner Humboldt-Universität im Herbst 1998 rund 50 Aktienoptionsprogramme deutscher Firmen analysierte, verdienten sich zwei Drittel davon das Prädikat »mangelhaft«, weil sie ungenau definiert waren oder zu geringe Leistungsanreize enthielten. Auch die für ihr eigenes Vergütungssystem allseits gelobte Unternehmensberatung Boston Consulting Group (BCG) kam zu keinem schmeichelhaften Ergebnis, als sie im Auftrag des Wirtschaftsmagazins *Capital* die 30 im Deutschen Aktienindex (DAX) zusammengefaßten Konzerne untersuchte.

Uneingeschränktes Lob erntete nur der Chemiekonzern Bayer, der die Entlohnung seiner acht Vorstände und 21 Bereichsleiter auf drei Säulen stellte: ein fixes Grundgehalt, ferner Bonuszahlungen, die von internen Kennzahlen abhängen, sowie Gewinne aus Aktienoptionen. Um diese

Gewinne realisieren zu können, müssen die Bayer-Manager aber erst mal eigenes Geld investieren und bestimmte Vorgaben erfüllen. Die Optionen dürfen nämlich frühestens nach drei Jahren und dann auch nur ausgeübt werden, wenn einerseits der interne Wert des Unternehmens (Economic Value Added) zulegte, andererseits der Kurs der Bayer-Aktie um wenigstens 30 Prozent gestiegen ist und gleichzeitig den FTSE-Euro-100 Index geschlagen hat. Nicht ganz so hoch sind die Hürden für Aktiengewinne bei der Lufthansa, bei der BASF und bei Siemens, doch schneiden auch diese Konzerne in der BCG-Wertung noch einigermaßen gut ab, während die Optionsprogramme bei SAP, VW, RWE, DaimlerChrysler, Deutsche Bank und Hoechst auch in den jeweils jüngsten Fassungen schlecht bewertet wurden. Die Tester bemängelten insbesondere die zu niedrigen Hürden, die den Managern hohe Gewinne auch dann sichern, wenn sich ihre Unternehmen schlechter als der Branchendurchschnitt entwickeln.

Geheimniskrämerei mit Methode

In ihrer heutigen Form dienen die meisten Aktienoptionspläne nicht den Interessen der Aktionäre, sondern ausschließlich denen der Manager. Sie erhöhen die Einkommen von Vorständen und oberen Führungskräften ganz beträchtlich, ohne daß diese sich mehr als bisher anstrengen müssen.

»Die Aktionäre wissen oft nicht, was sie dort absegnen«, bestätigte selbst die *Frankfurter Allgemeine* und stellte damit einen zweiten Winkelzug der Selbstbediener in den

Chefetagen bloß. Tatsächlich sind manche der Aktienoptionspläne so raffiniert ausgetüftelt, daß die finanziellen Konsequenzen für die Unternehmen nicht mal mehr von den cleversten Wirtschaftsprüfern ermittelt werden können. Schon den Testern der Berliner Humboldt-Universität blieben eine Reihe von Unternehmen die Antwort schuldig, als sie nach den Kosten ihrer Aktienoptionspläne gefragt wurden. Daimler und Deutsche Bank konnten nicht einmal angeben, wieviel Aktien sie ihren Vorständen nach Ablauf der Sperrfrist andienen müssen.

Geheimniskrämerei in Gehaltssachen zählte schon immer zur Lieblingsdisziplin unserer Führungskräfte, deshalb wollen sie sich auch jetzt nicht zu tief in die Karten gucken lassen. Obwohl das HGB Aktiengesellschaften und große GmbHs zur Publizierung der Gehälter von Vorständen und Geschäftsführern zwingt, verstanden es die besser verdienenden Angestellten recht wirkungsvoll, ihre wahren Einkünfte zu verschleiern. Die bei Personalberatern und Wirtschaftsmagazinen so beliebten Gehaltsrankings basieren nämlich auf simplen Milchmädchenrechnungen, die der Wirklichkeit nur selten entsprechen. Denn erstens enthalten die in den Bilanzen ausgewiesenen Pauschalsummen für die Vergütung der Vorstände und Geschäftsleitungen keineswegs immer die ganze Wahrheit, und zweitens verdienen die einzelnen Topmanager keineswegs immer gleich viel. Drittens schließlich versuchen sich immer mehr Unternehmen der Publizitätspflicht zu entziehen, nachdem der Bundestag 1994 auf Druck der Manager-Lobby eine Ausnahmeregelung beschloß. Seither müssen die

Vorstandsbezüge immer dann nicht mehr veröffentlicht werden, wenn aus der genannten Gesamtsumme das Einkommen einzelner Mitglieder dieser Organe errechnet werden kann.
Aktionäre, Belegschaften und Kunden sollen also nicht wissen, wie groß der Schluck aus der Pulle ist, den sich die angestellten Firmenlenker genehmigen, und das nährt natürlich den Verdacht, daß die angeblich ums Wohl ihrer Anteilseigner besorgten Bosse ein wenig zu sehr und zu oft an ihr eigenes Wohl denken. Anders als in den USA, wo die Manager stolz alle Welt wissen lassen, wieviel sie gerade verdienen, werden ihre deutschen Kollegen offenbar ständig von einem schlechten Gewissen geplagt.

»Kein Mensch kann mehr ausgeben«

Das läßt zwei Schlüsse zu: Entweder sie glauben, mehr zu verdienen, als es ihrer Leistung entspricht, oder aber sie schämen sich, weil sie nicht so viel verdienen, wie sie zu leisten glauben. Tatsächlich ist oft nicht einzusehen, nach welchen Maßstäben die deutschen Unternehmen ihre leitenden Angestellten bezahlen. Schwäbisch sparsam geht es zum Beispiel beim größten Automobilzulieferer der Welt zu. Die Robert Bosch GmbH, die 1998 über 50 Milliarden Mark umsetzte, gönnt ihrem Vorsitzenden Hermann Scholl gerade mal so viel, wie beim Medienkonzern Bertelsmann ein Bereichsleiter verdient, nämlich rund 1,3 Millionen Mark im Jahr. Bosch-Patriarch Hans L. Merkle hatte einst verfügt: »Kein Mensch kann mehr als 600 000 Mark im Jahr ausgeben«, und weil ein Manager nicht mehr verdienen müsse, als er ausgeben könne, hängt bei Bosch die Meßlatte tief.

Die Einstellung, daß der Dienst am Unternehmen und die damit verbundene Macht durchaus ein Vergnügen sein kann, das nicht auch noch mit luxuriösen Gagen gesteigert werden muß, bestimmt auch die Entlohnungsprinzipien in der Assekuranz. So wird Deutschlands mächtigster Manager ebenfalls relativ bescheiden entlohnt. Allianz-Chef Henning Schulte-Noelle, der dienstlich über ein Vermögen von mehreren hundert Milliarden Mark gebietet, bezog 1998 ein Gehalt von gerade mal 2 Millionen und damit weniger als mancher ihm rangmäßig unterlegene Topmanager. Gerd Schulte-Hillen zum Beispiel hat diese Summe, für die sein Münchner Beinahe-Namensvetter ein ganzes Jahr arbeiten muß, schon nach vier Monaten verdient. Der Chef des Hamburger Verlagshauses Gruner + Jahr zählt nämlich mit Jahresbezügen von rund 7 Millionen Mark zu den bestbezahlten Führungskräften der Nation, obwohl er einem vergleichsweise kleinen Unternehmen vorsteht, das mit etwa 5 Milliarden im Jahr nur etwa ein Zwanzigstel soviel umsetzt wie der weltweit agierende Allianz-Konzern.

Während auf den unteren Rängen des Managements die Größe der Unternehmen durchaus einen bestimmenden Einfluß auf die Höhe der Bezüge hat, gelten in den Vorständen ganz andere Spielregeln. Branchentraditionen und persönliche Beziehungen spielen bei den Gehältern der Topmanager – man spricht hier lieber vornehm von »Kompensation« als vom ordinären Gehalt – eine wichtigere Rolle als berufliche Leistung oder gar der unternehmeri-

sche Erfolg. Sonst müßte Jürgen Weber, der die von seinem Vorgänger Heinz Ruhnau beinahe zum Absturz gebrachte Lufthansa sanierte, mehr verdienen als die gut 1,5 Millionen Mark, die ihm sein Aufsichtsrat 1998 zugestand.
Auch Ferdinand Piëch ist, wenngleich mit rund 4 Millionen Mark im Jahr nicht gerade ärmlich entlohnt, keineswegs überbezahlt, da er den schlingernden VW-Konzern wieder auf Gewinnkurs brachte und so einige hunderttausend Arbeitsplätze sicherte. Kein Grund zum Klagen hat auch Klaus Wiegandt, denn der Chef des Handelskonzerns Metro kassierte zu seinen Vorstandsbezügen von gut 3 Millionen Mark mindestens noch mal soviel aus dem Verkauf von Aktienoptionen, obwohl er zuletzt wenig Fortüne hatte und in Fachkreisen lediglich als Statthalter seines in der Schweiz residierenden Aufsichtsratsvorsitzenden Erwin Conradi gilt.

Der Wille zur Willkür

Das Durcheinander im Gehaltsgefüge der Topmanager spiegelt denn auch keineswegs den Willen zu einer leistungsgerechten Entlohnung wider, wie uns Aufsichtsräte und Personalberater immer wieder weismachen wollen, sondern allenfalls den Willen zur Willkür. So liegen die Vorstandsgehälter in der Autoindustrie generell höher als in der Chemie, und die Banken zahlen besser als die Versicherer, obwohl es dafür keinen rationalen Grund gibt.
Besonders üppig fallen die Chefgehälter für gewöhnlich in jenen Firmen aus, die von einzelnen Großaktionären beherrscht werden. Reinhard Mohn zum Beispiel, Inhaber

des Medienkonzerns Bertelsmann, bewilligt seinen Vorständen Summen, von denen andere Verlagsmanager nur träumen können, und auch die Familie Quandt gibt sich bei der Bezahlung der BMW-Vorstände generöser als etwa die Deutsche Bank bei Daimler Benz.

Erst die Fusion mit dem US-Konzern Chrysler gab den Daimler-Bossen die Chance, an den Münchner Rivalen auch gehaltsmäßig vorbeizuziehen, und sie nutzten das auf eine Weise, die den Vertretern der Belegschaften wie der Kleinaktionäre im Aufsichtsrat heftig mißfiel. Weil niemand wissen sollte, wie tief Jürgen E. Schrempp und seine Vorstandskollegen ihrem Arbeitgeber in die Taschen fassen, wurden deren Arbeitsverträge wie Staatsgeheimnisse behandelt. Aufsichtsratsvorsitzender Hilmar Kopper von der Deutschen Bank informierte nicht mal seine Ratskollegen über die Details. Immerhin sickerte durch, daß die Chefs des transatlantischen Konzerns keinerlei Risiken eingehen wollen und ihre Millionenbezüge aus den Aktienoptionen auch dann kassieren dürfen, wenn der Konzern schlechter abschneidet als die Konkurrenz. Kategorisch lehnten die Daimler-Vorstände jede Bindung des Werts ihrer Optionen an den Aktienindex mit dem scheinheiligen Argument ab, der DaimlerChrysler-Konzern lasse sich keiner einzelnen Branche zuordnen und könne deshalb nicht mit anderen Unternehmen verglichen werden.

Schon die veröffentlichten Zahlen, die in der Regel nur die halbe Wahrheit enthalten, dokumentieren die exorbitante Gehaltserhöhung der Stuttgarter Vorstandsherren. Genehmigte sich der zehnköpfige Vorstand der Daimler-Benz AG im Jahr 1997 offizielle Bezüge von 20 Millionen Mark, also 2 Millionen pro Kopf, so schwoll die Gehaltssumme für den nun 17 Köpfe zählenden Vorstand der DaimlerChrysler AG 1998 auf 80,2 Millionen Mark an. Damit bekommt jedes Mitglied des Gremiums durchschnittlich 4,717 Millionen Mark und somit mehr als doppelt soviel wie noch ein Jahr zuvor. Nicht darin enthalten sind die Gewinne aus den Aktienoptionen, da diese erst später ausbezahlt werden. »Das Ganze«, fand Fonds-Manager Christian Strenger von DWS, »hat mehr als nur ein Geschmäckle.«

Sorgte schon die Geheimniskrämerei um die risikolose Bereicherung der Vorstandsherren für Zoff in den Werkshallen des DaimlerChrysler-Konzerns, so wurden die Belegschaften erst richtig sauer, als sie erfuhren, daß ihre Topmanager sich auch noch als Steuertrickser entpuppten. Weil sie einen Teil ihrer Arbeitszeit auch dem amerikanischen Schwesterunternehmen Chrysler widmen, wollten Jürgen Schrempp und seine sechs deutschen Vorstandskollegen nämlich auch einen Teil ihrer Bezüge in den USA versteuern und so ihre Gehaltsabzüge vermindern.

Das Machtinstrument der Granden

»Sie wollen amerikanische Gehälter, aber deutsche Heimlichtuerei«, erregte sich ein Daimler-Aufsichtsrat über das unsolide Geschäftsgebaren der transatlantischen Konzernfürsten und legte damit den Finger in die Wunde des deutschen Besoldungssystems. Während in den meisten amerikanischen und britischen Unternehmen die Gehälter der Topmanager von neutralen Compensation-Committees festgelegt werden, wollen in Deutschland die Aufsichtsratsvorsitzenden und Vorstandschefs selbst bestimmen, wer wieviel bekommt. Die Festlegung der Chefgehälter ist für die Granden der deutschen Industrie das wichtigste Machtinstrument, und solange sie es nicht aus der Hand legen, wird es keine Transparenz und keine objektiven Maßstäbe geben.

An den Unzulänglichkeiten dieses Systems entzünden sich immer wieder Konflikte zwischen den Belegschaften und ihren Vorgesetzten. Je undurchsichtiger und ungerechter die Parameter sind, nach denen die teuersten Angestellten der deutschen Wirtschaft bezahlt werden, desto härter vertreten die Gewerkschaften ihre Lohnforderungen und desto mehr wächst bei den Belegschaften die Bereitschaft zum Widerstand. Verstehen die Manager es nicht, ihre Glaubwürdigkeitslücke zu schließen, werden sie in Zukunft noch mehr Probleme mit ihren Mannschaften bekommen als bisher.

Wie mutwillig und unzweckmäßig das Besoldungssystem konstruiert ist, zeigt sich schon an der großen Diskrepanz zwischen den Bezügen der Vorstände und Aufsichtsräte. Während die Exekutoren im Bundesdurchschnitt über 500 000 Mark im Jahr, bei den 30 DAX-Werten gar 1,8 Millionen verdienen, werden die Kontrolleure quasi mit einem Taschengeld abgespeist. Da nur wenige Gesellschaften ihren Räten mehr als 80 000 Mark im Jahr zahlen, ist sichergestellt, daß die Aufseher kaum mehr als einen flüchtigen Blick auf ihre Zahlenwerke richten.

Der Zweck ist klar: Das Management sichert sich alle Freiheiten und speist die Kontrolleure mit den dürftigsten Informationen ab. Räte, die den Sitz im Kontrollgremium als prestigeträchtiges Hobby und kleinen Nebenverdienst betrachten, stellen keine Gefahr für die allmächtigen Angestellten in den Chefetagen dar, die ihre eigenen Bezüge in schwindelnde Höhen treiben und die Gehälter ihrer Kadertruppen nach Belieben festsetzen. Beim Veba-Konzern beispielsweise bestimmt der Vorstandsvorsitzende Ulrich Hartmann zusammen mit Chefkontrolleur Hermann-Josef Strenger und einem externen Rechtsanwalt, wieviel die einzelnen Vorstände aufs Konto überwiesen bekommen, und die übrigen Aufsichtsratsmitglieder dürfen die Beschlüsse des Dreiergremiums nur noch abnicken.

Um Mißverständnissen vorzubeugen: Hier geht es nicht darum, den Sozialneid gegen die Großverdiener in den Chefetagen zu mobilisieren, sondern um eine zweckdienliche Reform des Entlohnungssystems für Manager. Zumindest die an der Börse notierten Aktiengesellschaften sollten sich dazu durchringen, das Salär ihrer Spitzenleute mehr als bisher an den unternehmerischen Erfolg zu koppeln. Aktienoptionspläne müßten so gestaltet werden, daß der langfristige Erfolg eines Unternehmens das wichtigste Ziel ist, dessen Erreichung mit höheren Bezügen belohnt wird als der ein- oder zweimalige Ausweis hoher Gewinne.

»Warum jeden Unsinn mitmachen?«

Die plumpe Nachahmung der amerikanischen Vorbilder schafft Unfrieden in den Belegschaften und sprengt die soziale Symmetrie, die der deutschen Wirtschaft bisher insgesamt recht gut bekommen ist. Das Beispiel der US-Firma Computer Associates etwa beweist, wie kontraproduktiv das amerikanische Vergütungssystem für Manager wirken kann. Das weltweit zweitgrößte unabhängige Software-Haus geriet im Sommer 1998 in akute Not, weil es seinen Topmanagern einen aus früheren Jahren stammenden Erfolgsbonus von gigantischen 675 Millionen Dollar überweisen mußte. Der bis dahin aufgelaufene Firmengewinn verwandelte sich in einen Jahresverlust von 481 Millionen Dollar, und die CA-Aktien verloren binnen weniger Minuten nach Bekanntgabe des Verlusts fast ein Drittel ihres Werts. »Warum müssen wir jeden Unsinn mitmachen, der aus den USA kommt?« fragte sich Vorstandskritiker Ekkehard Wenger zu Recht, als er die Aktienoptionspläne bei Daimler-Benz, der Deutschen Bank und VW mit seinen Klagen blockierte.

Wenn deutsche Manager schon so viel verdienen wollen wie ihre amerikanischen Leitbilder, dann sollten sie ihr Glück auch in einem US-Unternehmen versuchen – wie der Münchner Eckhard Pfeiffer, der es bis zum obersten Chef des Computer-Konzerns Compaq brachte und dort in den letzten fünf Jahren allein durch seine Aktienoptionen rund 120 Millionen Mark verdiente, ehe er im Frühjahr 1999 abrupt gefeuert wurde. Amerikanische Manager hingegen, die für deutsche Firmen arbeiten, sollten sich auch mit den deutschen Gepflogenheiten abfinden. Doch den heimischen Konzernchefs fehlt bisher der Mut, ihre ausländischen Angestellten an die kurze Leine zu nehmen. Statt dessen versuchen sie, vom Einkommensvorsprung ihrer amerikanischen Untergebenen zu profitieren und ihre eigenen Bezüge überproportional anzuheben.

Forschungschef Richard Markham bei Hoechst, US-Statthalter Barry Allardice bei der Deutschen Bank und Random-House-Vorsteher Peter Olson bei Bertelsmann verdienen jeweils mehr als ihre deutsche Kollegen und sind deshalb hochwillkommene Beispiele für deren eigene Gehaltsforderungen. Unterstützt werden die Abgreifer in den Chefetagen von Headhuntern und Personalberatern, da deren Honorare im gleichen Tempo steigen wie die Bezüge der von ihnen vermittelten Manager. Wenn etwa Hermann Sendele, Deutschland-Chef der Headhunter-Agentur Spencer Stuart, vollmundig tönt: »Topmanager sollten bezahlt werden wie Unternehmer« – nun, dann stellt sich die Frage, warum die Herren, die es nach 100-Millionen-Dollar-Salären gelüstet, nicht gleich ihre eigenen Unternehmen gründen. Da könnten sie mit ihrem Geld beweisen, wie gut sie wirklich sind.

Millionen-Abfindungen für Versager

Solange sie aber mit dem Kapital ihrer Aktionäre wirtschaften und Unternehmen leiten, deren Ruf und Marktmacht von anderen geschaffen wurde, dürfen sie die Spielregeln, die sie mit ihren Belegschaften und Kunden verbinden, nicht einseitig aufkündigen. Wenn Deutschlands Topmanager schon die Bezahlung nach Leistung reklamieren und die Urheberschaft für die Erfolge ihrer Unternehmen sich großzügig selber zuschreiben – dann müssen sie sich auch gefallen lassen, daß man ihren bisherigen »sozialen Besitzstand« durchforstet. Denn es kann nicht angehen, daß sie einerseits hohe Optionsprämien kassieren, andererseits sich aber wie Staatsbeamte gegen alle Wechselfälle des Lebens absichern lassen.

Noch immer nämlich sind die Arbeitsverträge der Vorstandsherren in deutschen Aktiengesellschaften juristische Gesamtkunstwerke, in denen nicht nur die Altersversorgung großzügig geregelt ist, sondern auch die Abfindung für den Fall einer vorzeitigen Kündigung und – gar nicht selten – die standesgemäße Ausstattung der gesamten Vorstandsfamilie. Da gibt es lebenslange Wohnrechte in aufwendig renovierten Dienstvillen, die Stellung von Sicherheits- und Dienstpersonal, die Übernahme von Versicherungs- und Krankenkassenprämien, von Golf- und Rotarier-Clubbeiträgen, und gelegentlich zahlt die Firma sogar das Schulgeld für die Internatsaufenthalte des Vorstands-Nachwuchses. Nur selten dringen die Details solcher Verträge nach außen, denn auch die Aufsichtsräte zeigen kein Interesse an solcher Transparenz, da sie sich selbst meist ähnlich gut versorgt haben.

Ein stetes Ärgernis sind die hohen Abfindungen, die ausscheidende Vorstände auch dann kassieren, wenn sie ihren Firmen schweren Schaden zugefügt haben. Als BMW-Chef Bernd Pischetsrieder den Hut nehmen mußte, weil sich die von ihm eingefädelte Übernahme der britischen Rover-Werke zur existenzbedrohenden Krise für sein Unternehmen ausgewachsen hatte, da durfte er sich den Abschied mit einem netten Handgeld von rund 15 Millionen Mark vergolden lassen. Sein Rivale Wolfgang Reitzle hingegen verzichtete auf die Abfindung, weil er die damit verbundene Konkurrenzausschlußklausel nicht akzeptieren wollte. Darüber brauchte er sich freilich nicht zu grämen, denn sein neuer Arbeitgeber entschädigte ihn reichlich. Der als Motor der BMW-Erfolge geltende Manager wechselte für ein Jahressalär von über 10 Millionen Mark zum US-Konzern Ford und ist dort zuständig für die Nobelmarken Lincoln, Jaguar, Aston Martin und Volvo. So viel wie Pischetsrieder nahm übrigens auch Jürgen Krumnow mit in den vorgezogenen Ruhestand, als ihn die Deutsche Bank verabschiedete.

Der Grund für den reichen Geldsegen, der auf abgehalfterte Vorstände herniederprasselt, sind die üblichen Fünf-Jahres-Verträge, die das Unternehmen auch dann zur Zahlung zwingen, wenn der Manager Mist gebaut hat. Anders als bei normalen Angestellten, die innerhalb einer vereinbarten Probezeit gekündigt werden können, gibt es für Vorstände in den meisten Unternehmen keine Bewährungsfrist. Verzichtet die Firma auf die Dienste eines Topmanagers vor Ablauf seines Vertrags, muß sie ihm mindestens das Salär für die Restlaufzeit bezahlen, und manchmal noch ein bißchen mehr. Kunstvoll gestaltete Abfindungsregelungen sind ein fester Bestandteil der meisten Vorstandsverträge.

Absahner und Dunkelmänner

Will ein Topmanager tüchtig abkassieren, muß er nur dafür sorgen, daß die bösen Folgen von Fehlentscheidungen so lange verborgen bleiben, bis sein Vertrag um weitere fünf

Jahre verlängert wurde. Dann kann er getrost die Karten aufdecken und sich feuern lassen. Im Zweifelsfall reicht die Abfindung immer für ein komfortables Leben nach dem Rausschmiß. So auch bei Bernd Pischetsrieder, dessen Vertrag erst wenige Monate vor seinem Rücktritt am 5. Februar 1998 erneuert worden war.

In einer Zeit, in der die Wirtschaft immer schneller pulsiert, wirken die starren Fünf-Jahres-Verträge der Vorstände und Geschäftsführer antiquiert. Sie führen in den Unternehmen zu ähnlichen Erscheinungen wie der vierjährige Wahlzyklus in der Politik: Das erste Jahr wird rangeklotzt, dann begibt man sich zur Ruhe und erwacht erst wieder, wenn die Neubestellung ansteht. Für die Unternehmen bekömmlicher wären zweifellos Vorstandsverträge mit kürzeren Kündigungsfristen, verbunden mit langfristig wirkenden Gehaltsbestandteilen. Abfindungen würden dann niedriger ausfallen, die Manager zu mehr Dynamik ermuntert und der Planungshorizont würde erweitert. Eine echte »Shareholder Revolt« müßte deshalb bei den Vorstandsverträgen ansetzen – und nicht bei den Massenentlassungen in den Belegschaften.

Die vielen Übernahmen und Fusionen der letzten Jahre, die Dutzenden hochkarätiger Manager den Job kosteten, hinterließen deutliche Spuren in den Bilanzen der Unternehmen. Würden sie sich nicht bloß bei der Bezahlung, sondern auch bei den Abfindungen amerikanischen Gepflogenheiten anpassen, könnten die Firmen viel Geld sparen, denn jenseits des Atlantiks hält man nicht viel von Prämien für Versager. Auch am Computer-Konzern Hewlett-Packard (HP) können sich deutsche Aufsichtsräte ein Beispiel nehmen, denn HP-Chef Lew Plat kürzte 2400 Managern die Gehälter um 5 Prozent, nachdem die Gewinne hinter den Erwartungen der Aktionäre zurückgeblieben waren. Gleichzeitig machte er die Bezahlung von 40 Topleuten davon abhängig, daß sie die vorgegebenen Unternehmensziele erreichten.

Die deutschen Manager jedoch möchten, wie zuletzt bei Siemens, von steigenden Aktienkursen profitieren, aber für Verluste keinerlei Haftung übernehmen. Daß solche Vergütungssysteme nicht dazu angetan sind, müden Konzernen Beine zu machen, liegt auf der Hand. Zweckmäßiger wären zweifellos Entlohnungssysteme mit geringeren Grundgehältern und höheren erfolgsabhängigen Komponenten.

Durchschnittliche Leistungen sollen nicht noch extra honoriert, außergewöhnliche Erfolge hingegen mit saftigen Prämien belohnt werden. Wenn dies über Aktienoptionen geschieht, dann muß das Recht auf Realisierung von Kursgewinnen an die Erreichung hochgesteckter Unternehmensziele gebunden werden. Denkbar wären zum Beispiel gestaffelte Prämiensätze, die kontinuierliche ansteigende Unternehmensgewinne sehr viel höher bewerten als gute Einmal-Ergebnisse.

Nur wenn sich die Manager dazu durchringen, ihre Bezüge nach klaren, für jedermann verständlichen Regeln an den Unternehmenserfolg zu binden, werden sie für ihre Mitarbeiter wieder glaubwürdig. Noch aber haben wir es vor allem mit den Absahnern und Dunkelmännern zu tun, die es

Selbstbediener

Wer angemessen verdient – und wer nicht

TOPS		*FLOPS*	
Henning Schulte-Noelle	Allianz	Klaus Wiegandt	Metro
Hans-Jürgen Schinzler	Münchener Rück	Thomas Middelhoff	Bertelsmann
Rudolf Rupprecht	MAN	Claas Kleyboldt	Axa Colonia
Jürgen Weber	Lufthansa	Gerd Schulte-Hillen	Gruner+Jahr
Hermann Scholl	Bosch	Jürgen E. Schrempp	DaimlerChrysler

nur darauf abgesehen haben, eine schnelle Mark abzuzocken. Und die werden zu einer immer größeren Belastung für die deutsche Wirtschaft.

6. Kapitel

Kriminelle Karrieristen

Seit Beginn der Restrukturierungswelle nimmt die Kriminalität in deutschen Betrieben erschreckend zu. Wirtschaftsdelikte zählten zwar auch schon früher zu den Verbrechenskategorien mit den höchsten Zuwachsraten, doch mittlerweile erleben sie eine beispiellose Hochkonjunktur. Bereits 1997 zählte das Bundeskriminalamt (BKA) 92000 Fälle und damit etwa ein Viertel mehr als noch zwei Jahre zuvor. Den Schaden, der durch die Weiße-Kragen-Täter verursacht wurde, schätzten die Wiesbadener Kriminalstatistiker auf 81,1 Milliarden Mark im Jahr.
Doch dabei handelt es sich nur um die bekanntgewordenen Fälle, in Wahrheit sind die Verluste noch viel höher. So taxiert die Hermes Kreditversicherungs AG in Hamburg den Verlust, den die deutschen Betriebe allein durch Betrug, Veruntreuung und Unterschlagungen erlitten, im gleichen Jahr schon auf 12,6 Milliarden Mark, und für den größten Teil davon sind nach Ansicht der Versicherer die Mitarbeiter der betroffenen Firmen verantwortlich. Und

das wiederum wirft kein gutes Licht auf deren Führungskräfte.
Wenn Mitarbeiter heute mehr als früher ihre Firmen beklauen, Vorgesetzte beschwindeln, Kunden betrügen, dann hat das weniger mit einem allgemeinen Verfall der Sitten zu tun als vielmehr mit dem rauheren Klima in den Betrieben. Und für dieses tragen nun mal die Manager die Verantwortung. Die Massenentlassungen Mitte der neunziger Jahre trugen ebenso zur Verunsicherung der Mitarbeiter bei wie die permanenten Umstrukturierungen innerhalb der Unternehmen und neuerdings das grassierende Fusionsfieber. Wer jederzeit damit rechnen muß, entlassen, versetzt oder verkauft zu werden, antwortet seinem Betrieb mit der Aufkündigung der Loyalität, vermutet zum Beispiel der Münchner Wirtschaftspsychologe Dieter Frey. Der Griff in die Ladenkasse oder ins Warenlager fällt dem frustrierten Mitarbeiter um so leichter, je mehr er zu der Überzeugung gelangt, daß seine Chefs sich ebenfalls nehmen, was sie kriegen können.

»Es gibt keine Vorbilder mehr!«

Tatsächlich gehen Deutschlands Manager mit schlechtem Beispiel voran. Nie zuvor in der Nachkriegsgeschichte waren so viele von ihnen in Strafverfahren verwickelt wie in den vergangenen Jahren. Der Egoismus der Führungskräfte, der den heimischen Firmen zweifellos neuen Schwung verlieh, äußert sich immer häufiger in Delikten wie Betrug, Korruption, Konkursverschleppung, Steuerhinterziehung und Wirtschaftsspionage. »Es gibt keine Vorbilder mehr«, beklagt zum Beispiel der Hamburger Generalstaatsanwalt Arno Weinert den galoppierenden Verfall der Sitten in den Führungsetagen. Und der Wirtschaftswissenschaftler Harald Scherf aus der Hansestadt ahnt: »Das Volk hat eine Witterung davon, daß Erfolg nicht Ausdruck hoher moralischer Anstrengung ist.«

Kaum eine Woche vergeht, in der nicht irgendwo in der Republik ein neuer Fall von Manager-Kriminalität auffliegt. Waren es früher einzelne spektakuläre Fälle wie die Milliardenpleite des Frankfurter Baulöwen Jürgen Schneider oder der ebenfalls in die Milliarden gehende Kreditschwindel des westfälischen Sportbodenherstellers Balsam, die für Schlagzeilen sorgten, so hat sich die Öffentlichkeit mittlerweile an die Polizeiberichte aus den Vorstandsbüros gewöhnt. Fast scheint es so, als ob in den Zeiten der globalisierten Wirtschaft eine gehörige Portion krimineller Energie zur Normalausstattung der Führungsfiguren in den Unternehmen zählte. Denn ins Visier der Ermittlungsbehörden geraten nicht mehr nur zwielichtige Unternehmen, etwa aus der Kapitalanlagebranche oder aus dem Baugewerbe, sondern immer häufiger die sogenannten Ersten Adressen der Industrie und Finanzwirtschaft.

Mal handeln die kriminellen Karrieristen im Interesse ihrer Firma, mal in ihrem eigenen; die Grenzen verschwimmen, und ganz genau will das ohnehin niemand wissen. Es sei denn, irgend jemand spielt falsch und denunziert den Kollegen bei den Medien oder beim Staatsanwalt. Fliegt das Ding auf, gibt man sich entrüstet und hat im Zweifelsfall von nichts gewußt. Dieses Verhaltensmuster kennen die Strafermittler zur Genüge, denn ihm begegneten sie bei Siemens wie bei der Veba, bei Opel wie bei VW, bei der Deutschen ebenso wie bei der Dresdner Bank.

Bananenrepublik Deutschland

Wichtigstes Werkzeug im Manageralltag ist offenbar nicht mehr die Motivation, sondern die Korruption. Dies jedenfalls lassen die sprunghaft zunehmenden Bestechungsfälle vermuten, die vor deutschen Gerichten verhandelt oder stillschweigend mit Bußgeldern erledigt werden. Pro Jahr wächst dieser einst kaum wahrgenommene Teil der Kriminalstatistik um 8 bis 9 Prozent an, auf zuletzt rund 10000 Fälle per annum. Doch das ist nur die halbe Wahrheit. Denn erfaßt wird für gewöhnlich nur die »Vorteilsannahme im Amt«, also die Beamtenbestechung. Die ist zwar schlimm genug, weil sie jährlich viele Milliarden Mark an Steuergeldern kostet, doch sie sagt nichts über den Schaden aus, der den Firmen durch die Durchstechereien ihrer Führungskräfte entsteht. Denn publik wird das Bakschisch-Prinzip in der Privatwirtschaft nur, wenn irgend jemand beim Schmieren »vergessen« wurde und sein Wissen dann, meist anonym, den Medien oder der Staatsanwaltschaft mitteilt. Kommt die Revision einem Schmiergeldring auf die Spur, wird der Fall für gewöhnlich so diskret erledigt, daß oft nicht einmal der Betriebsrat etwas ahnt. Die Mitarbeiter sollen möglichst nichts davon erfahren, wenn sich Vorgesetzte die Taschen gefüllt haben – das könnte dem Betriebsklima schaden.

Erklärungsbedarf gab es beispielsweise beim Elektromulti Siemens, als die Belegschaften von immer neuen Bestechungsskandalen erfuhren, in die Manager des Münchner Traditionskonzerns verwickelt waren. Mal reisten Staatsanwälte und Kripobeamte aus dem fernen Madrid in der Münchner Konzernzentrale an, um acht Siemens-Manager zu verhören, die im Verdacht standen, beim Akquirieren von Aufträgen für den Hochgeschwindigkeitszug Madrid–Sevilla mit Bakschisch in Höhe von 16 Millionen Mark nachgeholfen zu haben; ein anderes Mal wurde der Konzern wegen Bestechung fünf Jahre lang von allen öffentlichen Aufträgen des fernöstlichen Stadtstaates Singapur ausgeschlossen; und wenig später fahndete der Staatsanwalt der südkoreanischen Hauptstadt Seoul nach einem prominenten Siemens-Vizepräsidenten, der mehrere Einkäufer von Universitätskliniken mit Millionensummen geschmiert haben soll.

Noch frisch in Erinnerung ist der Skandal um die Klärwerke I und II der bayerischen Landeshauptstadt, wo sich eine ganze Riege aus dem Management des Elektrokonzerns auf der Anklagebank wiederfand. »Eine erkennbare Korruption machen wir nicht mit«, behaupteten tapfer zwei Siemens-Sprecher in der *Süddeutschen Zeitung*, doch mehr als ein paar unverbindliche »Verhaltensgrundsätze« für die Siemensianer hatten die Abgesandten des größten deutschen Arbeitgebers nicht zu bieten.

Tatsächlich, das bestätigen Kripobeamte und Staatsanwälte immer wieder, läuft in der deutschen Wirtschaft nichts mehr ohne »Vitamin B«, wie das Bestechungsgeld in Fachkreisen genannt wird. Die Gier der leitenden Angestellten – nur diese kommen als Geber wie Nehmer in Frage – machte aus dem einst so disziplinierten, vom protestantischen Arbeitsethos geprägten Land der Germanen eine Bananenrepublik südamerikanischen Zuschnitts. Robert S. McNamara, ehemaliger Weltbank-Präsident und Repräsentant der Organisation Transparency International, die sich der weltweiten Korruptionsbekämpfung widmet, kritisierte die deutschen Manager: »Viele Firmenchefs klagen bitterlich, wie verwerflich und schlimm Bestechung sei. Aber sie schmieren, vor allem in Ländern der Dritten Welt, was das Zeug hält.«

Selbstbereicherung der »Leitenden«

Und nicht nur da. Schon die wenigen ertappten Sünder lassen erkennen, mit welcher Intensität das Selbstbereicherungsspiel in deutschen Firmen mittlerweile betrieben wird. Hier, zur Anregung der Phantasie, eine kleine Auswahl aus den Jahren 1997 und 1998:

- **Oetker:** Dem früheren Leiter der Abteilung Forschung und Entwicklung im Bereich Backwaren wird zur Last gelegt, er habe bei den Lieferanten von Zutaten für die Fertigprodukte des Bielefelder Nahrungsmittelkonzerns Schmiergelder von gut einer Million Mark kassiert. Die Sache flog auf, weil ein Hersteller, der trotz günstiger Angebote keinen Auftrag erhalten hatte, die Geschäftsleitung informierte.
- **Opel:** Ein Planungsingenieur, der für die Bauüberwachung des Opel-Werks in Eisenach zuständig war, kassierte bei Handwerkern und Zulieferfirmen für die Vergabe von Aufträgen rund 1,2 Millionen Mark ab. Vor Gericht entschuldigte er sich: »Ich habe doch

nur gemacht, was alle anderen auch taten.« Richter Rainer Buss nahm's ihm ab und setzte die zweijährige Freiheitsstrafe zur Bewährung aus.

- **Raab Karcher:** Manager der Konzern-Tochter Raab Karcher Sicherheit GmbH (RKS) sollen nicht nur Schutzgelder von Schaustellern auf dem Münchner Oktoberfest in die eigene Tasche gesteckt, sondern auch Kunden an Konkurrenzfirmen weitergereicht haben, an denen sie selbst beteiligt waren. Nebenbei wurden angeblich auch noch Firmenfahrzeuge als »Unfallautos« billig an Bekannte verscherbelt.
- **Bertelsmann:** Ein enger Mitarbeiter des für den Buchbereich des Medienriesen zuständigen Vorstands-Chefs Frank Wössner soll Aufträge in beträchtlicher Größenordnung an eine PR-Firma vergeben haben, die seinem langjährigen Lebensgefährten gehörte. Durch die überhöhten Honorarrechnungen dieser Firma entstand dem Konzern ein Schaden in Millionenhöhe.
- **Ruhrkohle:** Der Bundeskonzern, an den seit seiner Gründung anno 1968 über 100 Milliarden Mark Steuergelder als Subventionen flossen, gilt den Ermittlern der Schwerpunkt-Staatsanwaltschaft für Wirtschaftskriminalität in Bochum mittlerweile als ein »Sumpf an Korruption«. Ein Manager ist bereits verhaftet worden, gegen weitere 100 Personen aus dem Umkreis des Konzerns wird ermittelt. Es geht um Schmiergeldzahlungen, um Scheingeschäfte und Aufträge an Firmen, an denen Angestellte des Bergbaukonzerns direkt oder indirekt beteiligt waren.
- **Flughafen Frankfurt:** Weil bei der Planung und beim Bau des Terminals 2 am Rhein/Main-Flughafen reichlich Schmiergeld geflossen ist, ermittelte die Frankfurter Staatsanwaltschaft gegen fast 200 Mitarbeiter, darunter ranghohe Manager der Flughafen AG. Ein Diplom-Ingenieur, der Aufträge im Bereich der Kommunikationstechnik zu vergeben und dafür Schmiergelder in Höhe von knapp einer halben Million Mark entgegengenommen hatte, wurde bereits zu einer Gefängnisstrafe von zwei Jahren und zehn Monaten verurteilt.
- **Messe Frankfurt:** Manager der Messegesellschaft stehen im Verdacht, von Lieferanten mit Bordellbesuchen, Urlaubsreisen und Luxusuhren bestochen worden zu sein.

- **LVA:** Die Landesversicherungsanstalt Württemberg wurde von einem leitenden Mitarbeiter um rund 5,6 Millionen Mark geschädigt, weil der einer Computerfirma Leasingverträge für Großrechner zu überhöhten Konditionen zuschanzte und sich dafür mit 1,3 Millionen Mark schmieren ließ.
- **GTZ:** Leitende Angestellte der Gesellschaft für Technische Zusammenarbeit in Eschborn ließen sich von einem Container-Lieferanten für die Vergabe von Aufträgen mit rund 50 000 Mark bestechen.

Das alles sind freilich nur Peanuts, verglichen mit den Summen, die bei den großen Korruptionsskandalen der letzten Jahre von ungetreuen Managern abgegriffen wurden. Der Veba zum Beispiel, einem der umsatz- und gewinnstärksten Konzerne der Republik, kam nach Schätzungen der Staatsanwaltschaft Bochum im Laufe der Jahre ein Aktionärsvermögen im Wert von 300 bis 400 Millionen Mark abhanden. Seit Jahren ermitteln kopfstarke Teams aus Kripobeamten und Staatsanwälten gegen den Konzern, der nebenbei auch noch Deutschlands größter Immobilienbesitzer ist, und sie stoßen auf immer neue Fälle von Untreue und Korruption.

Vorstände hinter Gittern

Begonnen hatte die Affäre bereits 1997, als durch anonyme Hinweise herauskam, daß der »Hamburger Hof«, eine konzerneigene Versicherungsgesellschaft, mit fingierten Verträgen und hohen Provisionszahlungen seit Jahren systematisch geschädigt worden war. Der Schaden belief sich auf rund 17 Millionen Mark, und die Hamburger-Hof-Geschäftsführerin Bärbel Ruske wurde gefeuert. Doch sie war wohl nur ein Bauernopfer, das der Justiz gemacht wur-

de, um von den ranghöheren Nutznießern des Schwindels abzulenken.
Das brachte die Fahnder freilich erst recht auf Touren, und so stießen sie nach und nach im Riesenreich der Veba auf immer neue Merkwürdigkeiten. Beispielsweise auf prächtige Privatvillen von Vorstandsmitgliedern, die mit Hilfe des Konzerns preiswert erworben oder aufwendig renoviert worden waren, auf schwarze Kassen, die der Bestechung von Auftraggebern dienten, auf erschlichene Fördermittel für den Wohnungsbau und auf falsche Nebenkostenabrechnungen bei vielen der rund 130000 Veba-Wohnungen. Ermittelt wurde gegen mehr als 50 Veba-Angestellte, und ohnmächtig mußte Konzernchef Ulrich Hartmann mit ansehen, wie sich die Ermittler durch die Hierarchie seines Unternehmens arbeiteten und nicht einmal davor zurückschreckten, Vorstandsmitglieder verhaften zu lassen.
Hinter Gittern landeten zeitweilig zwei ehemalige Vorstandschefs der Veba Immobilien-AG: Ludwig Staender (wegen Untreue verurteilt zu zwei Jahren Gefängnis auf Bewährung) und sein Nachfolger Ulrich Lilienthal, sowie der im Konzernvorstand fürs Personalwesen zuständige Heinz Gentz. »Wo personelle Konsequenzen zu ziehen sind, werde ich unverzüglich handeln«, versprach darauf Veba-Boß Hartmann seinen unruhig gewordenen Aktionären, doch die Staatsanwälte sind noch nicht davon überzeugt, daß sie schon das ganze Ausmaß der Korruption in Hartmanns Selbstbedienungsladen kennen.
Denn an den Diensten der so hilfsbereiten Bau- und Gar-

tenexperten aus dem Bereich der Veba-Immobilien AG durften sich nicht nur die Führungskader an der Spitze des Konzerns erfreuen, sondern gelegentlich auch Außenstehende, wie die Affäre um das luxuriöse »Reihenendhaus« des Kanzler-Vertrauten Bodo Hombach aufs schönste bewies. Der Verdacht, daß ein erheblicher Teil der Baukosten für das stattliche Eigenheim in der Mühlheimer Lieckfeldstraße vom Veba-Konzern bezahlt wurde, ist bis heute nicht gänzlich ausgeräumt.

Razzien bei Veba und Hypo-Bank

In dem Zusammenhang geriet ein anderer Pate des nordrhein-westfälischen Politklüngels ins Visier der Fahnder: Fritz Ziegler, Vorstandsvorsitzender des Dortmunder Stromlieferanten VEW, mußte im September 1998 sein luxuriöses Chefbüro fünf Tage lang gegen eine Gefängniszelle eintauschen. Der frühere Arbeitsdirektor der Ruhrkohle AG stand im Verdacht, er habe rund eine Million Mark Steuern hinterzogen und seine prächtige Villa in Wickede an der Ruhr auf Kosten seines früheren Arbeitgebers und der später in Konkurs gegangenen Baufirma Kesting aus Lünen hochziehen lassen. Was andere Topmanager den Job gekostet hätte, blieb für Ziegler, den langjährigen SPD-Schatzmeister in Nordrhein-Westfalen und engen Vertrauten von Landesvater Johannes Rau, fast folgenlos. Nach seiner Haftentlassung durfte er wieder an seinem Schreibtisch Platz nehmen, und die verdienten Genossen im VEW-Aufsichtsrat sprachen ihm das »volle Vertrauen« aus.

Nicht nur im roten Westen, auch im schwarzen Süden waren die Staatsanwälte aktiv. Der in aller Öffentlichkeit ausgetragene Machtkampf der beiden Münchner Bank-Manager Albrecht Schmidt und Eberhard Martini brachte die Staatsanwälte in der Bayern-Metropole auf die Idee, daß der hohe Wertberichtigungsbedarf von 3,5 Milliarden Mark, den Vereinsbank-Chef Albrecht Schmidt reichlich spät in den Büchern seines Fusionspartners von der Hypo-Bank entdeckt hatte, möglicherweise auf nicht ganz legale Weise entstanden sein mochte.

Nicht weniger als 13 Staatsanwälte und 35 Kripobeamte schwärmten im März 1999 aus, um die Büros und Privatwohnungen ranghoher Hypo-Banker zu durchsuchen. In den beschlagnahmten Aktenbergen suchten sie anschließend nach Beweisen für den Verdacht, daß sich hochbezahlte Manager, bis hinauf zu den Bankvorständen, von Bauträgern und anderen Großkunden für die Vergabe von Millionenkrediten und Hypotheken hatten schmieren lassen.

Der ehemalige Generalbevollmächtigte Peter Stumpf wurde verhaftet, und vier Ex-Vorstände – Eberhard Martini, Werner Münstermann, Hans Fey und Klaus Heiss – mußten sich gegen den Vorwurf der Untreue und Bilanzfälschung wehren. Schließlich übernahm Klaus Götte, Vorsitzender des Aufsichtsrats der ehemaligen Hypo-Bank und oberster Kontrolleur auch des fusionierten Instituts, die Verantwortung und trat zurück.

Noch ist der Fall nicht geklärt, doch er belegt aufs neue, daß selbst die honorigsten Firmen vor der kriminellen

Energie ihrer Führungskräfte nicht sicher sind. Es sind ja meist nur dumme Zufälle, die die Justiz auf die Spur der Täter in den Chefbüros führt. Anonyme Anzeigen brachten die meisten jener spektakulären Untersuchungsaktionen in Gang, die dem Image und der Glaubwürdigkeit der Firmenlenker so viel Schaden zugefügt haben. Ohne mißgünstige Kollegen, rachsüchtige Rivalen und betrogene Ehefrauen wären viele der kriminellen Machenschaften unentdeckt geblieben, die hinter den schallgedämpften Polstertüren der Kommandozentralen ausgeheckt wurden. Denn an die mächtigen Wirtschaftslenker trauten sich die Fahnder erst dann heran, als die Verdachtsmomente wirklich »hinreichend« waren. Doch seit sie in deren Aktenverstecken, Schreibtischen und Tresoren fündig wurden, legen sie ihre Scheu vor den großen Tieren der Wirtschaft zunehmend ab. »Die Herren Manager müssen sich daran gewöhnen, daß sie keine Immunität genießen«, bestätigte der für Wirtschaftsdelikte zuständige Frankfurter Staatsanwalt Job Tillmann.

Um 7 Uhr aus der Dusche geholt

Obwohl es der Justiz allerorten an Fachleuten mangelt, die Bilanzen lesen und betriebswirtschaftliche Computersoftware verstehen können, verbreiteten die wenigen auf Wirtschaftsstraftaten spezialisierten Staatsanwälte und Kripobeamten Angst und Schrecken unter Deutschlands Führungskräften. Denn nun hatten sie es, eine ganz neue Erfahrung, plötzlich mit einer Macht zu tun, die weder käuflich war noch mit sich handeln ließ. Den ertappten

Sündern aus dem Management halfen weder gute Beziehungen noch gewiefte Anwälte aus der Patsche, und das ist auch gut so.
Die Härte der Justiz gegenüber den großen Namen aus der Industrie und Hochfinanz gab der Öffentlichkeit ein wenig den Glauben an die Gerechtigkeit zurück, den ihr die Politiker schon lange genommen hatten. Und sie bereicherte Deutschlands Manager um die Erfahrung, daß wohl doch nicht alles machbar ist, was ihnen zum Vorteil gereicht. Auch wenn die Staatsanwälte sich gelegentlich mit faulen Kompromissen zufriedengeben mußten – etwa in den Fällen Coop, López oder Dieter –, sorgten vor allem ihre Durchsuchungsaktionen bei den Banken für einen heilsamen Schock, der Deutschlands Führungskräften so sehr in die Glieder gefahren ist, daß sie künftig der Beachtung gesetzlicher Vorschriften wohl ein wenig mehr Sorgfalt widmen werden.
Wer morgens um 7 Uhr vom Staatsanwalt aus der Dusche geholt wird, wie es dem Vorsteher der noblen Düsseldorfer Privatbank Trinkaus & Burkhardt widerfuhr, wird dies ebensowenig vergessen wie die Besetzung von Chefbüros, Sekretariaten, Archivräumen und EDV-Anlagen durch kopfstarke Ermittlertrupps. Auch Ursula Röller wird jener Dienstag unvergeßlich bleiben, als sie mitten auf dem Golfplatz ihres Clubs in Niederrad Besuch von zwei Steuerfahndern bekam, denen sie anschließend ihre Villa in Neu-Isenburg aufschließen mußte, weil ihr Mann im Verdacht stand, Steuern hinterzogen zu haben. Der Angriff auf Wolfgang Röller, den Aufsichtsratsvorsitzenden der

Dresdner Bank, signalisierte der Geschäftswelt, daß die unbeschwerten Tage endgültig vorüber waren.

Die Zugriffe der Fahnder waren schon deshalb notwendig und heilsam, weil sie in fast allen Fällen zur Aufdeckung gesetzeswidriger Manipulationen führten und die Managerkaste ihres sorgsam gepflegten Images der Wohlanständigkeit entkleidete. Seither wissen wir, daß hinter den prächtigen Fassaden der Bankpaläste allerlei schäbige Geschäfte ablaufen und daß zum Katalog der Eigenschaften, über die ein Manager verfügen muß, moralische Integrität nicht unbedingt gehört. Ja, wir ahnen sogar, daß die Vorstände und Aufsichtsräte mancher hochmögender Unternehmen Rudeln von Raubtieren gleichen, deren Gier auch mit Millionengehältern nicht zufriedengestellt werden kann.

Bei der »Dresdner« rollen Köpfe

Der Vorstand der Dresdner Bank etwa galt bis 1997 als ein fähiges, über jeden Zweifel erhabenes Gremium. Die Herren waren weit über die engeren Machtzirkel der deutschen Wirtschaft hinaus bekannt, sie hatten Sitz und Stimme in einigen der wichtigsten Unternehmen des Landes und geboten über eine Bilanzsumme von nahezu 600 Milliarden Mark. Doch dann war auf einmal alles ganz anders.

Erst durchsuchten Dutzende Steuerfahnder mehrere Filialen, weil sie argwöhnten, bei der Dresdner werde das in den meisten deutschen Geldhäusern so beliebte Spiel mit der Verlagerung von Kundengeldern ins steuermilde Luxemburg besonders intensiv gespielt, dann mußte sich die Bank gegen den Vorwurf verteidigen, sie habe, anders als die Deutsche, kein Interesse an einer Aufarbeitung ihrer Missetaten im Dritten Reich und verschweige die Verstrickung in dunkle Arisierungs- und Judengold-Geschäfte. Zeigte sich der Vorstand bis dahin noch einigermaßen geschlossen und kampfbereit – sein Sprecher Jürgen Sarrazin mimte die verfolgte Unschuld und verklagte die Steuerfahnder wegen angeblicher Übergriffe –, so brachte eine anonyme Anzeige das »grüne Band der Sympathie« (Dresdner-Werbeslogan) gehörig ins Flattern. In seiner detailgenauen Schilderung behauptete der Denunziant, Wolfgang Röller, einer der mächtigsten und angesehensten Banker der Nation, habe ein Millionenvermögen auf Konten bei der Schweizerischen Bankgesellschaft in Luzern gebunkert und über eine Stiftung liechtensteinischen Rechts namens Gallumena vor dem Fiskus versteckt.

Die präzisen Angaben – sogar die Kontonummer war genannt – alarmierten nicht nur die Fahnder, sondern auch Röllers Kollegen im Bankvorstand. Jeder im Dunstkreis des Chefkontrolleurs, dessen Büros ebenso durchsucht wurden wie seine diversen Privatwohnsitze, geriet auf die Liste der Verdächtigen. Und jeder, der mit dem Dresdner-Boß krumme Geschäfte gemacht hatte, mußte damit rechnen, ebenfalls Besuch vom Staatsanwalt zu bekommen. Die Nerven der Bankmanager lagen blank.

Manchem Vorstand fielen plötzlich alte Sünden ein, andere beglichen offene Rechnungen, und der Rest handelte nach dem Motto: rette sich, wer kann. Nachdem die Vorstandskollegen Hansgeorg Hofmann und Hans-Günther Adenauer Selbstanzeige erstattet hatten, wurde es auch dem amtierenden Vorstandssprecher Jürgen Sarrazin mulmig. Von dem noch vorhandenen Restvorstand verlangte er deshalb – einmalig in der Bankgeschichte – offizielle Unschuldserklärungen.

Ein verdächtiger Ehrenvorsitzender

Das verzieh ihm sein Ziehvater Wolfgang Röller nie. Als der Aufsichtsratsvorsitzende nach dem Frontalangriff der Staatsanwälte seinen Stuhl räumen mußte, sorgte der versierte Strippenzieher dafür, daß nicht Sarrazin sein Nachfolger wurde, sondern der Oldtimer Alfons Titzrath, und prompt brauchte die Bank dann auch gleich noch einen neuen Vorstandssprecher, da der enttäuschte Sarrazin von seinem Posten vorzeitig zurücktrat. Neuer Bankchef wurde Bernhard Walter. Den mutmaßlichen Steuersünder Röller beförderte der Aufsichtsrat gar zu seinem Ehrenvorsitzenden.

Doch die Bank kam nicht zur Ruhe. Kaum im Amt, mußte sich auch der neue Vorstandschef mit unerquicklichen Personalproblemen plagen. Mal ging es um den Geschäftsführer einer Tochtergesellschaft der Bank, der nicht nur seine Ehefrau zu horrenden Stundensätzen beschäftigte, sondern nebenbei auch noch eine eigene Beratungsgesellschaft betrieb, die mit der Bank lukrative Geschäfte abwickelte; ein anderes Mal entdeckte die Konzernrevision, daß der oberste China-Repräsentant der Bank in Shanghai in allerlei seltsame Geschäfte verwickelt war; und schließlich wurde auch noch ein Abteilungsleiter der Düsseldorfer Niederlassung angeklagt, weil er mehreren Kunden bei

der Steuerflucht nach Luxemburg geholfen und so den Fiskus um mehr als drei Millionen Mark geschädigt hatte.
Insgesamt gerieten rund 350 Angestellte der Dresdner Bank ins Visier der Staatsanwälte, die den Verdacht nicht los wurden, das Geldhaus habe ganz systematisch Beihilfe zur Steuerhinterziehung geleistet, indem es seinen Kunden Mittel und Wege offerierte, unversteuertes Geld ins Ausland zu schaffen. Das Mammutverfahren endete schließlich im Frühjahr 1999 mit einem Vergleich: Der ehemalige Vorstandschef Jürgen Sarrazin nahm eine Bewährungsstrafe auf sich und zahlte 1,5 Millionen Mark Buße; vier weitere hochrangige Bankmanager, darunter der Luxemburger Statthalter Friedrich Otto Wendt, akzeptierten Bußgelder von jeweils einer halben Million Mark.
Nach Meinung von Branchenkennern mußte die Bank ihren ehemaligen Managern hohe Abfindungen bezahlen, damit sie sich schuldig bekannten und so den weiterbeschäftigten Bankangestellten, die ebenfalls Schuld auf sich geladen hatten, Vorstrafen ersparten. Das teure Verfahren war notwendig geworden, weil das Bundesaufsichtsamt für das Kreditwesen unmißverständlich klargemacht hatte, daß vorbestrafte Bankiers ihre Lizenz verlieren würden. Damit nicht genug: Die Bank mußte weitere 37 Millionen Mark an die Staatskasse überweisen. Zu Ende war die Affäre damit freilich noch lange nicht. Der Deal mit den Düsseldorfer Strafverfolgern schützte allenfalls die Angestellten in der nordrhein-westfälischen Metropole; in Frankfurt, Berlin und anderen Bank-Plätzen wurde weiterermittelt, und zwar gegen Mitarbeiter wie Kunden der

Dresdner Bank. Auch Wolfgang Röller ist noch nicht aus der Schußlinie.

Allgemeiner Verfall der Sitten

Ein Irrtum wäre es, anzunehmen, bei der Dresdner Bank hingen die ethischen Normen tiefer als bei anderen Geldhäusern. Fast gleichzeitig mit den Dresdnern wurden in Bielefeld vier Vorstandsmitglieder der Deutschen Genossenschaftsbank (DG-Bank) wegen des gleichen Delikts mit hohen Geldbußen belegt, und in Berlin mußten sich mehrere Manager der Volksbank, darunter der ehemalige Vorstandssprecher Ulrich Misgeld, gegen den Vorwurf des gemeinschaftlichen Betrugs verteidigen. Der Staatsanwalt wirft ihnen vor, sie hätten zwei konkursreife Immobilienfonds mit Krediten versorgt und so die Anleger um rund 130 Millionen Mark geschädigt. Die Razzien bei den deutschen Banken führten immerhin zur Aufdeckung von mehr als einer Viertelmillion anonymer Auslands-Überweisungen, und kaum ein Finanzinstitut kam ungeschoren davon. Empörte sich *Der Spiegel:* »Da hat sich eine ehrenwerte Gesellschaft etabliert, die das ehrbare Gewerbe in Verruf bringt.« In der nadelgestreiften Welt der Geldverweser haben sich viele die Finger schmutzig gemacht: Die Commerzbank mußte über eine halbe Milliarde Steuern samt Hinterziehungszinsen nachzahlen und eine Geldbuße von 6 Millionen Mark akzeptieren, der Aufsichtsratsvorsitzende Walter Seipp und zwei ehemalige Direktoren zahlten zusätzlich 1,2 Millionen Mark an gemeinnützige Einrichtungen. Bei der Deutschen Bank erstatteten, wahrscheinlich nicht ganz zufällig, etwa 50 Filialleiter, Anlageberater und andere Mitarbeiter Selbstanzeige wegen Steuerhinterziehung und bewahrten so ihren Arbeitgeber vor weiteren Nachforschungen. Erinnert sei auch an die Skandale um den bei der Deutschen Bank beschäftigten Optionsscheinhändler »Schampus-Manni« Mertens oder an die Rentenhändler der DG-Bank, die nicht nur ihre französischen Geschäftspartner über den Tisch zogen, sondern sich auf Kosten der Bank auch selbst bereicherten. Auf die verluderten Sitten im Finanzgewerbe habe ich bereits in meinem Buch *Das Kartell der Kassierer* hingewiesen, und wie die Beispiele zeigen, hat sich offenbar seither nicht viel zum Besseren geändert.

Steuerfahnder in der Kirchen-Bank

Da vergeigt die scheinbar so solide Bayerische Landesbank (eines der wenigen deutschen Geldhäuser mit der höchsten Bonitätsstufe AAA) im fernen Malaysia rund 800 Millionen Mark, da setzt sich in Wien der Chef der überschuldeten Riegerbank mit über 100 Millionen Schilling ins Ausland ab, da erhält sogar die »Bank für Kirche und Caritas« in Paderborn Besuch von der Steuerfahndung, weil die frommen Geldverweser Millionen nach Liechtenstein und in die Schweiz verschoben haben sollen.

Um kein Haar besser geht es in der mit dem Bankgewerbe versippten Assekuranz zu, wie zuletzt die Affäre mit dem sogenannten Optima-Finanzierungsmodell bewies. Da wurden von mehreren Lebensversicherern – darunter die Bayerische Beamtenversicherung (BBV), der Volkswohl-

Bund, die Albingia und die Colonia – für riesige Beträge Lebensversicherungen auf Personen abgeschlossen, die entweder noch gar nicht geboren oder schon tot waren. Zweck der vom Finanzministerium als kriminell eingestuften Scheinverträge war es, Riesensummen als Provision abzugreifen und damit weitere Kredite aufzunehmen. Als der Schwindel aufflog, beging ein Vorstandsmitglied der BBV Selbstmord, und bei einigen der beteiligten Makler ereigneten sich seltsame Unfälle.

Nicht weniger dubios waren die Insider-Geschäfte, denen die Strafverfolger bei der Zürich Versicherung auf die Spur kamen. Markus Rohrbasser, Finanzchef des auch in Deutschland aktiven Assekuranz-Konzerns, mußte zurücktreten, als er in den Verdacht geriet, daß er sein Insider-Wissen zu Privatgeschäften mißbraucht habe. Denn kurz bevor die Zürich Versicherung die Fusion mit dem Finanzdienstleistungsbereich von British-American Tobacco bekanntgegeben hatte, zogen die Aktien- und Optionskurse der Versicherungsgesellschaft so scharf an, daß schließlich sogar der Bezirksanwalt mißtrauisch wurde.

Gewiß war die Versuchung für Manager schon immer groß, ihr Wissen um die Transaktionen ihrer Firmen für sich selbst zu nutzen, doch die sich häufenden Fälle von Betrug und Untreue, Steuerhinterziehung und Verstößen gegen das Insidergesetz lassen vermuten, daß die Macher heutzutage überhaupt keine Hemmungen mehr haben, sich auf Kosten ihrer Firmen zu bereichern. Wer derlei Delikte als Beweis für die Vitalität der neuen Manager-Generation werten möchte, die schließlich wieder einmal den Karren aus dem Dreck ziehen und die Firmen auf Gewinnkurs trimmen mußte, der verkennt den Spaltungseffekt, den der unverblümte Egoismus der Führungskaste bei den Belegschaften wie in der Öffentlichkeit ausgelöst hat.

Die bescheidenen Abzocker

Geradezu grotesk aber ist die Diskrepanz zwischen dem hohen ethischen Anspruch, den die Konzernlenker für sich und ihresgleichen reklamieren – und den zahllosen Affären, in die sie verwickelt sind. Wenn 114 von 272 Topmanagern in einer Umfrage des *Manager-Magazins* »Integrität, Loyalität und Bescheidenheit« als ihre wichtigsten Eigenschaften angeben, während gleichzeitig die Staatsanwälte in den Konzernverwaltungen ein und aus gehen, dann wirkt das auf die Belegschaften wie die Öffentlichkeit nur noch erheiternd. Und weil die Kluft zwischen den Reden und Taten unserer Führungskräfte so groß geworden ist, haben sie solche Schwierigkeiten mit dem Führen. Man glaubt ihnen schlicht nicht mehr, egal, was sie uns erzählen, und das bekommt den Unternehmen wie der gesamten Wirtschaft immer schlechter. Die Glaubwürdigkeitslücke verhinderte maßvolle Lohnabschlüsse ebenso wie den Erfolg dcs Bündnisscs für Arbcit.
Schließlich sind Manager, anders als Gründer und Eigentümer, austauschbare Figuren, die die Verfügungsgewalt über Mitarbeiter, Maschinen und Moneten nur leihweise für eine begrenzte Zeit übertragen bekommen und über keinerlei Besitzrechte an den Ressourcen »ihrer« Firmen verfügen. Wenn die Justiz der einzig funktionierende Macht-

Zielpersonen

Wer mit der Justiz Bekanntschaft machte

FLOPS		*FLOPS*	
Ludwig Staender	Veba Immobilien	Werner Münstermann	Vereins- und Westbank
Heinz Gentz	Veba	Klaus Heiss	HypoVereinsbank
Fritz Ziegler	VEW	Peter Stumpf	Hypo-Bank
Wolfgang Röller	Dresdner Bank	Markus Rohrbasser	Zürich Versicherung
Ulrich Misgeld	Berliner Volksbank	Dieter und Johannes Löbbert	Sero Entsorgung

faktor ist, der den Selbstbedienern an den Schalthebeln der Unternehmen Einhalt zu gebieten vermag, dann ist es nicht weit her mit der inneren Verfassung unserer Betriebe. Offensichtlich sind die Kontrollmechanismen unterentwikkelt und die Machtverhältnisse nicht mehr im Lot.

Die vom Gesellschaftsrecht wie der Betriebsverfassung gewollte Gewaltenteilung nach demokratischem Muster findet längst nicht mehr statt, denn sowohl die Vertreter der Belegschaften als auch jene der Aktionäre vermögen die Manager kaum noch im Zaum zu halten. Die ausufernde Selbstbereicherung der leitenden Angestellten ist ebenso ein Indiz dafür wie ihre schwer zu kontrollierende Neigung zu kriminellen Geschäften. Auch wenn jetzt die Investoren, allen voran die Manager der Investmentfonds, den Druck aufs Management erhöhen, so erreichen sie damit keine Veränderung der Machtverhältnisse, sondern allenfalls eine Beschleunigung des Ausleseprozesses in der Herde der Macher.

7. Kapitel

Mäzene auf Kosten der Firma

Daß die Manager nach wie vor am längeren Hebel sitzen und die Verhältnisse in den Unternehmen ganz in ihrem Sinne gestalten, beweisen nicht zuletzt die Summen, die die Unternehmen zu Nutz und Frommen ihrer teuersten Angestellten ausgeben. Schwer nachvollziehbar sind zum Beispiel die Kriterien, nach denen in Deutschland das sogenannte Sponsoring funktioniert. Zwischen drei und vier Milliarden Mark geben die Unternehmen pro Jahr für Zwecke aus, die nur selten etwas zum Shareholder-Value beitragen, dafür aber sehr viel zum persönlichen Vergnügen der Führungskräfte. Erscheint es noch plausibel, wenn ein Sportartikelhersteller wie Adidas Basketballclubs und Fußballvereine unterstützt und für viel Geld die Nutzungsrechte an den Emblemen der Olympischen Spiele erwirbt, so ist schon schwerer zu erraten, was die Aktionäre der Deutschen Telekom davon haben, wenn ihr Unternehmen das Bonner Symphonieorchester mit finanziert. Vollends obsolet wird das moderne Mäzenatentum der Firmen, wenn es ausschließlich der Profilierung angestellter Führungskräfte dient. Weil etwa der einstige Übervater der Deutschen Bank, Hermann Joseph Abs, ein ausgeprägtes Bedürfnis verspürte, als großer Kunstkenner zu gelten, finden auch seine Nachfahren nichts dabei, die schon über 40000 Gemälde umfassende Sammlung des Hauses auf Kosten der Aktionäre laufend zu erweitern.

Kanzler-Witwe darf Geld verteilen

Natürlich ist nichts dagegen einzuwenden, wenn Manager zeitgenössische Künstler unterstützen, doch sollte dies anständigerweise jeder mit seinem eigenen Geld machen und nicht mit dem anderer Leute. Beifall verdienen darum Unternehmer wie der Künzelsauer Schraubenfabrikant Reinhold Würth, der mit viel Kunstverstand eine Sammlung aus über 4000 Bildern und Skulpturen zusammentrug und für die Pflege seines öffentlich zugänglichen Firmenmuseums jährlich eine siebenstellige Summe ausgibt. Managern aber, die in die Firmenkasse greifen, um ihren persönlichen Neigungen und Vorlieben zu frönen, sollten die Aktionäre den Stuhl vor die Tür setzen.

Ihre Geldausgaben pflegen die angestellten Mäzene stets mit dem Nutzen für die Firma zu rechtfertigen, doch den Nachweis bleiben sie meist schuldig. Wer, außer den ranghohen Managern des Bayer-Konzerns, profitiert beispielsweise von dem sagenumwobenen Weinkeller des Chemiemultis, der jedem Drei-Sterne-Lokal zur Ehre gereichen würde? Und was hatten die Aktionäre der Hoechst AG davon, als Vorstandschef Jürgen Dormann von den außerordentlichen Erträgen des Jahres 1996 rund 100 Millionen Mark abzweigte und damit die Hoechst Foundation gründete, die außer ein paar Kongressen und Konzerten mit moderner Musik bisher nicht viel zustande brachte? Und auch die Deutsche Bank wäre gut beraten, würde sie ihre Abteilung »Kultur und Gesellschaft« mit der umstrittenen Altkanzler-Witwe Brigitte Seebacher-Brandt an der Spitze auflösen und den Jahresetat von über 100 Millionen Mark dazu verwenden, den Bankkunden bessere Konditionen einzuräumen. Klar, daß die Deutsch-Banker derlei Ansinnen als Banausentum abtun werden, denn die Nähe zur Kultur putzt ja doch ganz ungemein.

Daß das Ansehen der Unternehmen bei ihren Kunden wie in der breiten Öffentlichkeit von ganz anderen Faktoren abhängt als vom Aufwand, den die Direktoren zum eigenen Nutz und Frommen treiben, beweisen die Umfragen führender Wirtschaftsblätter und Unternehmensberater. Als die britische *Financial Times* zum Beispiel Ende 1998 eine Liste der angesehensten Unternehmen der Welt erstellte, fanden sich an der Spitze ausschließlich Unternehmen, die besonders ertragsorientiert geführt werden, nämlich General Electric, Microsoft und Cola-Cola. In Deutschland hingegen belegten beim Image-Ranking des *Manager Magazins* drei Autofirmen die vorderen Plätze, die für ihre exzellenten Produkte bekannt sind, nämlich BMW, Daimler-Benz und Audi. Die großen Sponsoren indes landeten irgendwo im Mittelfeld: Deutsche Bank auf Platz 21, Hoechst auf Platz 25 und Deutsche Telekom auf Platz 39.

Um nicht mißverstanden zu werden: Die Kritik richtet sich nicht gegen das Marketinginstrument Sponsoring, das, richtig betrieben, effizienter sein kann als die klassische Werbung. Hier soll ausschließlich der Mißbrauch des Sponsoring zum Zwecke persönlicher Profilierung einzelner Führungskräfte angeprangert werden. Wer das Geld seiner Aktionäre oder Gesellschafter dafür ausgibt, sich auf Golfplätzen oder in Konzertsälen feiern zu lassen, hat über den Nutzen solcher Ausgaben Rechenschaft abzulegen. Denn wenn Deutschlands Führungskräfte bei jeder Gelegenheit betonen, wie notwendig die Steigerung des Shareholder-Values für die Erhaltung der Arbeitsplätze sei, wenn sie von ihren Belegschaften Opfer und von ihren Kunden höhere Preise verlangen, dann müssen sie es sich auch gefallen lassen, daß man ihre Ausgaben ein wenig genauer unter die Lupe nimmt.

Selbstdarstellung auf Kosten der Firma

Zwar sind die Exzesse, zu denen sich manche der einstigen »Nieten in Nadelstreifen« hinreißen ließen, in den vergangenen Jahren verschwunden, doch nach wie vor leisten sich manche Manager einen Luxus, der im krassen Gegensatz zu den Sparappellen steht, mit denen sie ihre Belegschaften traktieren. August »Gus« Fischer zum Beispiel, Vorstandsvorsitzender des Axel-Springer-Verlages, findet nichts dabei, das ganze Jahr über eine luxuriöse Suite im feinen Hamburger Hotel Vier Jahreszeiten auf Geschäftskosten zu belegen, da er keine Lust verspürt, sein Privathaus im Londoner Stadtteil Knightsbridge aufzugeben. Für seinen Drei-Tages-Job in Hamburg kassiert der polyglotte Medienmanager, der bei Springer außer beeindruckenden Sprüchen (»Ich bitte Sie, haben Sie keine Angst vor Größe.«) nicht viel zustande brachte, rund 5 Millionen Mark im Jahr, Spesen nicht gerechnet.

Sparsamkeit läßt sich auch Peter Littmann ungern nachsagen, ein anderer begnadeter Selbstdarsteller aus der Riege der deutschen Topmanager. Als er noch der Boß von Boss war, da konnte er zunächst von den Meriten seines Vorgängers Jochen Holy zehren. Doch als er einen stattlichen Millionenbetrag investierte, um als Sponsor des Metropolitan Museum of Modern Art in New York auftreten zu können, da war für seinen Arbeitgeber, den italienischen Großindustriellen Graf Pietro Marzotto, das Maß voll.

Den Abgang bei Boss verkaufte der glücklose Textilmanager nach außen hin so gut, daß ihm die Hamburger Gebrüder Wünsche prompt die Leitung ihres wenig ertragreichen Gemischtwarenladens (Hamburger Bauverein, Jean Pascale) anvertrauten, in der Hoffnung, der eloquente Medienliebling werde daraus einen gewinnstarken Lifestyle-Konzern formen. Zwar gelang es Littmann, den Designer Wolfgang Joop und die Modemarken Cinque, Miles und Jansen ins Boot zu ziehen, doch damit waren Wünsches Wünsche noch lange nicht erfüllt. Statt mit guten Ergebnissen beeindruckte Littmann auch die Buchhalter seines neuen Arbeitgebers mit opulenten Spesenrechnungen.

Finanzchef Manfred Schröder bezeichnete die Situation bei der Vorlage der Bilanz für 1998 selbst als »in der Tat

Big Spender

Kluge und weniger kluge Sponsoren

TOPS		*FLOPS*	
Robert Louis-Dreyfus	adidas	Brigitte Seebacher-Brandt	Deutsche Bank
Reinhold Würth	Würth	Ron Sommer	Deutsche Telekom
Hans Wilhelm Gäb	General Motors	Jürgen Dormann	Hoechst
Franz Josef Paefgen	Audi	Manfred Schneider	Bayer
Joachim Milberg	BMW	Peter Littmann	Wünsche

dramatisch«: Das Eigenkapital war auf lächerliche 4 Prozent der Bilanzsumme zusammengeschrumpft.

Der »Visionär des Zeitgeistes« *(Welt am Sonntag)* aber läßt keine Gelegenheit aus, der Welt vorzuführen, was ein richtiger Manager ist: Er fährt Porsche, trinkt Premier Crus aus dem Bordelais, raucht dicke Monte-Cristo-Zigarren, läuft Ski in St. Moritz, hat die Wände seiner mit Chrom und schwarzem Leder ausstaffierten Wohnung (Alsterblick!) mit Bildern von Meistern der Moderne dekoriert und kennt natürlich Gott und die Welt. Lästerte Wünsche-Partner Wolfgang Joop: »Ich habe gelernt, daß die heutige Managergeneration lieber mit dem Helikopter auf dem Dach landet, statt die Treppe hochzusteigen. Im Keller tanzen derweil fröhlich die Ratten.« Das bringt uns zu der Frage, was das eigentlich für Leute sind, die unsere Wirtschaft steuern, wie sie ihren Aufstieg schafften und wie sie ihre Firmen lenken.

8. Kapitel

Brutalos im Brioni

Wie der Kanzler, so sein Fußvolk. Kaum hatte Gerhard Schröder, als Juso-Vorsitzender im Rollkragenpulli zu Hause, nach der gewonnenen Bundestagswahl im November 1998 das Bonner Kanzleramt erobert, zeigte er sich im perfekten Outfit der italienischen Maßschneiderei Brioni. Auch wenn ihn fortan die Parteilinken als »Kaschmir-Kanzler« schmähten, so hatte Sozialdemokrat Schröder die Zeichen der Zeit ganz richtig erkannt: Wer Karriere machen will, braucht ordentliche Klamotten.

Schon äußerlich bieten Deutschlands Führungskräfte heute ein anderes Bild als noch vor zehn Jahren. Kamen ihre Vorgänger oft recht buntscheckig daher – in karierten Sakkos, gestreiften Hemden und braunen Schuhen –, so legen heutzutage schon die jüngsten Trainees, kaum der Uni entwachsen, großen Wert auf ihre Garderobe. Zwar stecken sie alle in grauen oder blauen Anzügen, doch der zweite Blick offenbart die Nuancen. Wer »in« sein will, wählt ein gedecktes Tuch aus italienischen Manufakturen, achtet auf den Schnitt

der Bundfalten wie auf die richtige Ärmellänge, läßt die Hemden nach Maß fertigen und drückt mit der Wahl der Seidenkrawatte sein exquisites Stilempfinden aus.
Galt die Sorgfalt, mit der Italiener und Franzosen schon immer ihre »bella figura« pflegten, bei den »deutschen Bullen« einst als Ausweis fachlicher Inkompetenz, so kann es sich heutzutage kein ernsthafter Anwärter auf einen Chefposten mehr leisten, wie ein heruntergekommener Provinzler aufzutreten. Seit Rationalisierungs- und Fusionswellen die Zahl der Spitzenjobs drastisch verringerten, bekam der Ausleseprozeß eine neue Dynamik. Im Gerangel der Kandidaten zählt nicht mehr nur die fachliche Qualifikation – die wird einfach vorausgesetzt –, sondern immer mehr das, was man als »Persönlichkeit« bezeichnet.

Persönlichkeit ist angesagt

Manager dürfen sich keine Schwachpunkte leisten, sie müssen, zumindest nach außen hin, fast perfekt erscheinen. Weil aber kein Mensch perfekt ist, achten sie mehr denn je darauf, daß zumindest die Fassade glänzt. Das Bedürfnis der Führungskräfte nach einem tadellosen Auftritt ernährt mittlerweile eine kopfstarke Branche von Mode-, Farb-, Stil-, Einrichtungs- und Benimmberatern, die den aufstiegshungrigen Betriebs- und Volkswirten zu gesellschaftlichem Schliff verhelfen sollen. Sabine Meister aus München zum Beispiel, die einst PR für Markenartikler machte, hat sich auf die Runderneuerung einer gehobenen Klientel spezialisiert: »Die Beratung deckt, falls erwünscht, das gesamte Lebensspektrum ab: Gastgeberschaft, Eßkultur, Hobbys, Allgemeinwissen.« Einen ähnlichen Rundumservice bietet die Schweizerin Lucia Bleuler an, die zusammen mit dem Butler Peter M. Isler den Führungskadern der Großbanken in Basel und Zürich zu gesellschaftlichem Schliff verholfen hat.

Persönlichkeit ist angesagt, und als eine solche muß der Manager lernen, nicht nur der Konkurrenz, sondern bei Tische auch dem Hummer den Garaus zu machen. Äußerlichkeiten sind, so scheint es, für den angestellten Erfolgsmenschen wichtiger denn je, so daß man den häßlichen Verdacht nicht los wird, in den Firmen werde deshalb soviel Leerlauf produziert, weil die leitenden Angestellten vor allem damit beschäftigt sind, einen guten Eindruck zu machen. Dazu gehört heutzutage natürlich ein bißchen mehr als eine dezent gemusterte Krawatte.

Wer im Management reüssieren will, muß vor allem eines wissen: wie man die Aufmerksamkeit seines Vorgesetzten erregt. Gelingt dies nicht mit beruflicher Leistung, dann vielleicht mit gepflegten Manieren, lockeren Sprüchen und dem passenden Hobby. Das ganze Beiwerk einer sogenannten Persönlichkeit gewann in den letzten Jahren, das bestätigen Personalchefs wie Personalberater, erheblich an Bedeutung. Und so stapfen sie denn über den Golfplatz, hecheln über den Tenniscourt, joggen durch den Stadtpark, immer in der Hoffnung, den wohlgefälligen Blick eines ranghöheren Standesgenossen zu erhaschen.

Die Chancen dafür stehen nicht schlecht, denn auch die Alphatiere aus den Konzernleitungen geben sich recht sportlich. Als die *Wirtschaftswoche* bei 150 Topmanagern nachfragte, wie sie es denn mit der körperlichen Betätigung hielten, da bekannten sich ganze sieben Prozent als Sportmuffel. Die große Mehrheit unserer Firmenlenker aber kann es offenbar kaum erwarten, dem tristen Alltag in ihren Chefbüros zu entfleuchen. So segeln sie denn über die Weltmeere wie Profiskipper Hasso Plattner von der Softwarefirma SAP, schwingen den Golfschläger wie Ford-Vize Wolfgang Reitzle (Handicap 8), jagen hoch zu Roß über den Parcours wie Claus Hipp (Babynahrung) oder liefern sich verbissene Tennisduelle wie Siemens-Chef Heinrich von Pierer und Keramikhersteller Wendelin von Boch (Villeroy & Boch).

»Mein Leben ist eine giving-story«

Wer die richtigen Pfade kennt, kann Hobby-Joggern wie Jürgen Weber (Lufthansa) oder Rolf E. Breuer (Deutsche Bank) begegnen, und in den Felswänden des Ortlermassivs hängen gelegentlich Figuren wie »Steilwand-Jürgen« Schrempp (DaimlerChrysler), Herbert Henzler (McKinsey), Klaus Zumwinkel (Deutsche Post), Ulrich Cartellieri (Deutsche Bank) oder Hubert Burda (vom gleichnamigen Verlag) herum, wenn sie unter Führung des Bergfexen Reinhold Messner den Gipfelsturm proben. So ein Hobby putzt, denn es zeugt von körperlicher Fitneß, Leistungsbereitschaft und Wagemut, kurz, es dient der Image- und Kontaktpflege mehr als dem puren Vergnügen.
Doch was nützt das schönste Hobby, wenn es nicht als echte »Challenge« verkauft wird? Denn unter seinesgleichen redet der Manager nicht so, wie ihm der Schnabel gewach-

sen ist, sondern in einem merkwürdigen Idiom, das der Kundige sofort als »McKinseysch« zu identifizieren vermag. Amerikanisch infizierte Unternehmensberater, von McKinsey bis Price Waterhouse, gelten zusammen mit irregeleiteten Betriebswirtschaftsprofessoren als Verursacher der linguistischen Umweltverschmutzung in den Führungskadern der Wirtschaft, die den Bewahrern der deutschen Sprache die Zornesadern schwellen läßt.

Gerd Antos, Präsident der Gesellschaft für Angewandte Linguistik, hält das Kaderwelsch für ein »Soziosignal« verunsicherter Führungskräfte, die sich mit einer Aura von Exklusivität umgeben wollen. Um wenigstens die schlimmsten Auswüchse zu brandmarken, gründete der Dortmunder Statistikprofessor Walter Krämer einen Verein zur Wahrung der deutschen Sprache, der regelmäßig den »Sprachschuster des Jahres« an besonders kreative Wortschöpfer vergibt. Zuletzt bekam ihn die Hamburger Modeunternehmerin Jil Sander für folgendes Bekenntnis: »Mein Leben ist eine giving-story. Ich habe verstanden, daß man contemporary sein muß, das Future-Denken haben muß ... der problembewußte Mensch von heute kann diese Sache, die Refind-Qualitäten mit Spirit eben auch appreciaten. Allerdings geht unser Voice auf bestimmte Zielgruppen. Wer Ladysches will, searcht nicht bei Jil Sander.«

Manchen Konzernchefs geht das Englische so glatt über die Lippen, daß sie gar nicht merken, welchen Unsinn sie verzapfen. Wenn beispielsweise Telekom-Chef Ron Sommer »wireless local ran« gehen will oder Siemens-Lenker

Heinrich von Pierer seine Zuhörer wissen läßt, daß »der Konzern den cultural change« brauche, dann möchten doch beide im Grunde nur ausdrücken, daß sie des Englischen leidlich mächtig sind. Als ob Deutsch eine Sprache wäre, in der sich allenfalls türkische Gastarbeiter verständigen mögen, unterfüttern Deutschlands Führungskräfte ihre Muttersprache immer häufiger mit eingestreuten Anglizismen, von denen der Zuhörer nie so recht weiß, ob sie dem Ausweis von Internationalität oder fachlicher Kompetenz dienen sollen.

Großspurige, schönfärberische Sprache

Am Flipchart malen sie den »Forecast« aufs Papier, am PC holen sie das »Corporate Design« auf den »Screen«, wenn sie nicht gerade im »Back Office« zu tun haben oder mit dem »Benchmarking« beschäftigt sind, derweil ihr Chef das »Downsizing« angeht und anschließend ein »Follow up« des letzten »Assignment« anmahnt, damit der »Shareholder-Value« wieder zulegt. Wenn es noch was in Deutsch zu bereden gibt, dann meist recht kurz und zackig: Man »greift an«, man »meldet Vollzug« oder »führt Krieg« wie VW-Chef Ferdinand Piëch. »Von der Konkurrenz gejagt, von Analysten durchleuchtet, dem Tagesgeschäft fern – in einer solchen Situation erliegen insbesondere Topmanager schnell der Versuchung, ihrem Alltag auch mit kriegerischer, großspuriger oder schönfärberischer Sprache Ausdruck zu verleihen«, warb *Wirtschaftswoche*-Reporter Reinhold Böhmer bei seinen Lesern um Verständnis für die geplagten Sprechblasenerzeuger aus dem Management.

Auch wenn Sprachschützer Krämer sich über das »pseudokosmopolitische Imponiergehabe« unserer anglophilen Wirtschaftslenker lustig macht – für die aufstiegswillige Nachwuchskraft wären mangelnde Kenntnisse des einschlägigen Vokabulars existenzbedrohend. Sie würde schon beim Studium der Inserate auf dem gehobenen Stellenmarkt ins Straucheln geraten und käme beim Vorstellungsgespräch kaum über den Morgengruß hinaus. Denn welcher Art das »human capital« ist, das Deutschlands Firmen derzeit so dringend benötigen, erschließt sich dem arglosen Zeitungsleser nur noch mit Hilfe eines Wörterbuchs.

Da sucht ein internationaler Konzern keine schlichten Ingenieure, sondern »Quality Resident Engineers«, die Internet-Buchhandlung amazon.de braucht keine Leute, die sich um die Kunden kümmern, sondern »Vendor Relations Manager«, und ein Personalberater erheischt Bewerbungen für den Posten eines »Direct Search Analyst«, wo er doch schlicht einen Abwerber braucht. Und so blättert man dahin, rätselt, ob man sich als »Call Dispatcher« oder besser als »Circuit Order Administrator« bewerben soll, bleibt an einer dreispaltigen Anzeige hängen, in der ein »Facility Manager« gesucht wird, und überlegt, ob die wohl bloß einen Hausmeister benötigen.

Wer sich nun im stillen fragt, ob er wohl die falsche Zeitung in Händen hält, also etwa das *Wallstreet Journal* statt der *Frankfurter Allgemeinen*, der findet schnell sein seelisches Gleichgewicht wieder, wenn er zur wohlfeilen Fachlektüre für Manager greift, denn auch da hat das Deutsche ausgedient. Man führt sein Unternehmen nicht mehr nach den Regeln klassischer Betriebswirtschaftslehre, sondern ermittelt den MVA (Market Value Added) und den EVA (Economic Value Added), und auch auf den einschlägigen Meetings, zu denen sich unsere Führungskräfte gehorsam wie Schafe mit schöner Regelmäßigkeit zusammenfinden, versteht der auf die deutsche Muttersprache angewiesene Gast nur Bahnhof. Der Zug zum Business-Englisch ist unwiderruflich abgefahren, und offenbar finden weder unsere Wirtschaftswissenschaftler noch die Herren Manager eine wirksame Bremse. Im Gegenteil: Indem sie darauf verzichten, eigene Ideen zur Führung ihrer Unternehmen zu entwickeln, beschleunigen die Urenkel von Schmalenbach und Schumpeter die angloamerikanische Kolonisierung der deutschen Unternehmenslandschaft.

Gestörte Selbstwahrnehmung

Sie stecken also in schicken Anzügen, palavern in einem grauenvollen Slang und nehmen sich ziemlich wichtig. Aber wie sind sie wirklich, die Herrschaften, von denen nicht nur der Job, sondern der Wohlstand der Nation im wesentlichen abhängt? Nun, wenn das *Manager Magazin* mit einer aktuellen Studie über seine Klientel recht hat, sitzen an der Spitze der umsatzstärksten deutschen Konzerne ziemlich verlogene Typen oder, was noch schlimmer wäre, Menschen mit gestörter Selbstwahrnehmung.
Sogar die Redakteure des Magazins waren entsetzt, als sie die Antworten von 272 Topmanagern, darunter 133 Vorstandsvositzenden, auswerteten: »Sie fordern Mut, Flexibi-

lität und Entscheidungsfreude – und bieten genau das Gegenteil.« In ihren Antworten entlarven sich die Herren, die es bis an die Spitze großer Unternehmen geschafft haben, als zwar fleißige, aber ängstliche und angepaßte Naturen, die außer ihrer Karriere nicht viel im Sinn haben. »Der deutsche Durchschnittsvorstand«, faßte das Blatt seine Erkenntnisse zusammen, »ist ein Einzelgänger, 54 Jahre alt, Doktor der Betriebswirtschaft, fleißig, ehrgeizig und loyal. Im Ausland war er nicht, in fremden Branchen nur selten. In den rund 20 Jahren, die er brauchte, um an die Spitze zu gelangen, hat er drei Firmen kennengelernt, wenige Freunde gefunden, aber jede Menge Feinde. Mangelnden Gestaltungswillen macht er wett durch Leistungsbereitschaft. Fehler macht er kaum.«

Die ganze Tristesse der deutschen Wirtschaftslandschaft findet hier eine plausible Erklärung. Trotz aller Restrukturierungs- und Fusionswellen werden die deutschen Großunternehmen offenbar nach wie vor von glatten Karrierebeamten mit begrenztem Horizont regiert. Die Musterknaben, die nur selten Wagnisse eingingen und die Absicherung ihrer Karrieren zum Lebensziel erkoren, entsprechen in keiner Weise dem Bild, das sie von sich selber zeichnen – und auch nicht dem Maßstab, an dem sie den Nachwuchs messen. Befragt, welche Faktoren für ihre Karriere entscheidend waren, schrieben rund 90 Prozent ihren beruflichen Erfolg »großem, persönlichem Einsatz« zu, aber kaum einer erwähnte das Glück und die List, die sie für den Aufstieg brauchten, und von Fehlern wollten sie schon gar nichts wissen.

Kurios auch die hohe Zahl derer, die als wichtigste Eigenschaften eines Topmanagers »Integrität, Loyalität und Bescheidenheit« nannten, während sie im nächsten Atemzug klarmachten, daß gerade diese Attribute nicht zu ihren eigenen Stärken zählen.
»Die enorme Diskrepanz zwischen Anspruch und Wirklichkeit läßt sich überall in der Wirtschaft beobachten«, kommentierte der frühere Thyssen-Chef und heutige Investmentberater Dieter H. Vogel den Befund und setzte gleich noch eins obendrauf, indem er die deutsche Unternehmenswirklichkeit schilderte: »Da geht es zu wie beim Militär, Gehorsam wird honoriert, unternehmerisches Risiko kritisiert, Fehler werden abgestraft.«

Meister im Karrierespiel

Perplex zeigt sich auch der Münchner Organisationspsychologe Lutz von Rosenstiel, der mit seinem Team die Fragebogen auswertete: »Die Befragten sind tüchtige Beamte eines konventionellen Erfolgs, sehr uniform und glatt, um nicht zu sagen konturlos.« Auf die Nerven ging dem Fachmann vor allem die Selbstgerechtigkeit der Unternehmenslenker: »Da hätte ich gedacht, daß mal einer sagt: Ich habe aus meinen Leuten nicht das herausgeholt, was in ihnen steckt. Ich habe falsch geführt. Oder: Ich erwarte von meinem Nachfolger, daß er die Dinge einmal ganz anders macht als ich.«
Statt dessen erwarten die Heuchler in den Chefetagen von ihren Nachfolgern vor allem Selbstbestätigung. Lutz von Rosenstiel: »Obwohl sich die Welt dramatisch verändert

hat, soll der Manager von morgen der gleiche wie gestern sein.«

Irgend etwas scheint also bei der Auswahl des Führungspersonals in den Unternehmen schiefzulaufen, wenn schon die Topmanager selber dem Bild, das sie von ihren Positionen zeichnen, so gar nicht gerecht werden, ganz zu schweigen von dem Eindruck, den sie bei ihren Mitarbeitern hinterlassen. Die Manager, die die Schlüsselpositionen in der deutschen Wirtschaft besetzt halten – Frauen kommen nach wie vor im Topmanagement so gut wie nicht vor –, sind Meister im Karrierespiel, aber richtige Unternehmer sind sie nicht.

Sie haben gelernt, einen guten Eindruck zu machen und ihre Schwächen zu verbergen, haben Ausdauer und Härte bewiesen, verfügen über eine robuste Physis und sind zu außergewöhnlichen Arbeitsleistungen fähig, aber ihre Sensibilität für Mitmenschen ist ebenso unterentwickelt wie ihr Gespür für die Prozesse, die in den Firmen ablaufen, und die Märkte, auf denen sie tätig sind. Sie blieben Sieger im Wettbewerb der Kandidaten um die Topjobs, weil sie stets die Meinung ihrer direkten Vorgesetzten vertraten und niemals unangenehm auffielen, aber nicht, weil sie eigene Ideen entwickelten oder irgendwo Neuland betraten.

Wenn es nach den amtierenden Platzhirschen geht, dann werden auch ihre Nachfolger keine Unternehmer im Sinn des großen Ökonomen Joseph Schumpeter, sondern ebenfalls angepaßte Karrieristen, die vor allem eines auszeichnet: unbedingte Loyalität gegenüber ihrem Chef. Bedauert

Führungsexperte von Rosenstiel: »Die Konzerne erzeugen Leistungsträger, aber nicht die Entrepreneure, die sie benötigen, um sich zu erneuern.«
Und wie, fragt sich der Laie, passen dann die Rambos vom Schlag der Schrempps, Dormanns oder Piëchs ins Bild vom angepaßten, wohlerzogenen Konzernkarrieristen? Antwort: perfekt. Die Egomanen auf den Chefsesseln wirken nur auf den ersten Blick exotisch, beim zweiten entpuppen sie sich nämlich rasch als typische Kaminkarrieristen. Sie schafften ihren Aufstieg in einer einzigen Firma, hielten ihren jeweiligen Chefs so lange die Treue, bis sie sie vom Thron stoßen konnten. Sobald sie die Macht in Händen hielten, umgaben sie sich, genauso wie ihre Vorgänger, mit loyalen Befehlsempfängern. Wer eine eigene Meinung vertrat oder, schlimmer noch, damit erfolgreich war, wurde rasch entfernt, wie Helmut Werner bei Daimler oder Herbert Demel bei Audi.

»Zügelt euren Ehrgeiz«

Ratschläge von Konzernchefs sind deshalb so ernst zu nehmen wie ein Aktientip vom Friseur. Denn das, was sie vom Nachwuchs fordern, dient einzig und allein der Erhaltung ihrer Macht, und die Weisheiten, die sie über ihren Führungsstil verbreiten, sind nicht mehr als wohlfeile PR-Sprüche in eigener Sache. Wenn die Sieger im Karriererennen den Führungskräften ihrer Unternehmen zum Beispiel unisono raten, sie sollten »nicht ständig nach der nächsthöchsten Sprosse auf der Karriereleiter schielen« (Bayer-Boß Manfred Schneider), so kann das im Klartext doch nur heißen: »Zügelt euren Ehrgeiz, ihr jungen Spunde – wenigstens so lange, wie ich regiere.«

Und nicht viel anders sind die neuerdings so häufig gehörten Appelle an den Gemeinsinn, die Solidarität und Konsensbereitschaft der Führungskräfte zu werten, vor allem wenn sie von ruppigen Konzernchefs stammen. »Good bye, Mr. Brutalo« betitelte der *Spiegel* eine Story über die angeblich neue Unternehmenskultur in Konzernen wie DaimlerChrysler, VW, Thyssen Krupp oder HypoVereinsbank: »Das Leitbild des Bürokriegers hat offiziell ausgedient, in den Firmen ist der Teamspieler gefragt.« Klar, die Herren Schrempp, Dormann, Schmidt oder Cromme brauchen jetzt fügsame Mitstreiter, die den Schaden, den sie mit ihren wilden Fusionen bei den Belegschaften angerichtet haben, in Grenzen halten. Plötzlich ist jetzt nicht mehr der eigensinnige »Unternehmer im Unternehmen« gefragt, sondern wieder der selbstlose Teamarbeiter, der sich widerspruchslos seinem amerikanischen oder französischen Vorgesetzten unterordnet, damit der zum Ruhme des großen Vorsitzenden durchgezogene »Merger of Equals« doch noch ein Erfolg wird.

Von der Öffentlichkeit wollen sie bewundert, von ihren Mitarbeitern als Halbgötter verehrt und gefürchtet werden, doch in Wahrheit leiden die angestellten Topmanager an hemmungsloser Selbstüberschätzung, dies jedenfalls vermuten Fachleute wie Wilhelm Friedrich Boyens. Der Deutschlandchef der international tätigen Personalberatungsfirma Egon Zehnder: »Manager neigen häufiger als normale Menschen dazu, sich selbst zu überschätzen, weil ihre Fähigkeit, Probleme zu verdrängen, bemerkenswert entwickelt ist.« Sie halten sich für charismatische Anführer, denen ihre Mitarbeiter begeistert folgen, machen so gut wie keine Fehler, sind bescheiden und fördern Talente nach Kräften. Schade nur, daß die deutschen Manager von ihren Mitarbeitern ganz anders wahrgenommen werden.

Bei den Mitarbeitern unbeliebt

Als das Institut für Rationale Psychologie in München 1998 genau 4678 Arbeitnehmer (darunter 2296 Frauen und 2382 Männer) nach ihren Erfahrungen mit Vorgesetzten befragte, ergab sich schon ein etwas differenzierteres Bild. Zwar hielten die meisten Angestellten ihre Chefs für durchsetzungsfähig, fachlich kompetent und belastbar, gleichzeitig aber auch für ziemliche Rüpel. Häufigste Klagen: Die Manager haben kein offenes Ohr für ihre Mitarbeiter, sie können nicht motivieren und gestehen keine Fehler ein. Institutsleiter Henner Ertel: »Unternehmen optimieren Produktion, Absatz, Prozesse – nur nicht das Miteinander ihrer Mitarbeiter.«

Der verschärfte Wettbewerb in der globalisierten Wirtschaft trübte zwar auch in anderen Ländern das Klima zwischen den Belegschaften und ihren Chefs, wie der weltweite Erfolg des amerikanischen Karikaturisten Scott Adams belegt, durch dessen Comic-Figur Dilbert sich die gequälte Angestelltenseele Luft verschaffte, doch spricht einiges dafür, daß es in deutschen Betrieben besonders muffig zugeht. Ausländische Führungskräfte sind nämlich, das bestätigen die Personalchefs multinationaler Unternehmen ebenso wie Personalberater, nur sehr schwer zu einem Wechsel ins gefühlskalte Deutschland zu bewegen. Als zum Beispiel die international agierende Personalberatung Spencer Stuart die eigenen Leute befragte, in welchem Land sie gerne arbeiten wollten, votierten von 150 Headhuntern ganze 15 Prozent für Deutschland. Abschreckend wirken, neben den hohen Steuern, vor allem die hierarchischen Strukturen und der autoritäre Führungsstil der Manager.

Und den lassen sich frustrierte Mitarbeiter immer weniger gefallen. Wenn sie nicht krankfeiern oder die Firma schädigen, dann versuchen sie wenigstens, dem Chef das Leben zur Hölle zu machen, beobachtete Ulf Imiela, Mobbing-Experte beim Deutschen Gewerkschaftsbund. Der Psychoterror gegen Kollegen und Vorgesetzte (Mobbing) war dem DGB sogar eine umfangreiche Studie wert. Demnach gibt es in deutschen Betrieben pro Jahr etwa 1,5 Millionen Mobbing-Opfer und etwa 300000 davon sind Vorgesetzte. Sie leiden unter Mitarbeitern, die ihnen permanent widersprechen, Verleumdungen verbreiten, falsche Informationen liefern oder Witze über sie reißen. Dem Chefredakteur der *Berliner Zeitung (B. Z.)* widmeten seine Redakteure sogar eine eigene Haß-Seite im Internet, auf der sie Franz Josef Wagner in anonymen E-mails bloßstellten und lächerlich machten. Solcherart gemobbten Chefs bleibt, wenn sie ihre Leute nicht in den Griff bekommen, nur die Kündigung. Ein Großteil der hohen Fluktuation unter den Führungskräften der Nation ist denn auch auf Konflikte mit den Mitarbeitern zurückzuführen, vermutet Ulf Imiela.

Obwohl die meisten Manager mittlerweile begriffen haben, daß der Erfolg ihrer Firmen in erster Linie von der Leistungsfähigkeit der Mitarbeiter abhängt, leisten sie sich die größten Schwächen gerade im Umgang mit dem »human capital«. Für ihre Studie »Competition in a Global Economy« wollte die Unternehmensberatung Watson Wyatt in Düsseldorf von rund 2000 Firmen in 23 Ländern wissen, wie der Wettbewerb am besten zu gewinnen sei. Ergebnis: Über 90 Prozent der befragten Führungskräfte hielten die Mitarbeiter für den entscheidenden Faktor, von dem Erfolg wie auch Mißerfolg eines Unternehmens abhängen. Noch immer aber wählen viele Firmen ihre Führungskräfte nach den falschen Kriterien aus und gehen mit ihren Mitarbeitern nachlässig um.

Die Macken der Chefs

Fachkompetenz zählt stets mehr als die Fähigkeit zur Führung, und so werden die Musterknaben mit dem Einser-Examen eher befördert als jene Typen, die gelegentlich eine dicke Lippe riskieren. Klar: Wer in der Lage ist, anderen die Richtung vorzugeben und ihre Meinung zu beeinflussen, stellt für jeden Vorgesetzten eine Herausforderung dar. Und so bleiben die »schwierigen« Mitarbeiter häufig auf den unteren Rängen der Hierarchie hängen, während die problemlosen Musterknaben so lange Karriere machen, bis sie das Stadium ihrer Inkompetenz erreicht haben. Und das geschieht für gewöhnlich schneller, als es sich die vom Erfolg verwöhnten Sachkenner träumen lassen. Denn wenn sie es plötzlich nicht mehr mit abstrakten Zah-

len, sondern mit Menschen voller Ängste und Aggressionen zu tun haben, brauchen sie ganz andere Eigenschaften als jene, die ihnen auf der Uni oder zu Beginn der beruflichen Karriere so hilfreich waren.
Schnelle Intelligenz und ein gutes Gedächtnis allein reichen nicht aus, wenn es darum geht, Mitarbeiter mit den unterschiedlichsten Stärken, Schwächen und Eigenschaften auf ein gemeinsames Ziel zu verpflichten. Und wenn sie nun mit Problemen konfrontiert werden, von denen sie früher nicht einmal ahnten, daß es sie gab, entwickeln die bisher so mühelos aufgestiegenen Nachwuchsmanager jene Verhaltensweisen, die sie bei ihren Mitarbeitern so verhaßt machen.
Weil sie nicht wissen, wie sie ihre Führungsrolle spielen sollen, verschanzen sie sich hinter ihrem Fachwissen und vermeiden jedes offene Wort, gehen Konflikten aus dem Weg und legen sich nicht fest. In zahllosen Interviews mit Mitarbeitern der verschiedensten Firmen fanden die Unternehmensberater der Münchner Firma Coverdale Team Management heraus, daß es nicht die individuellen Macken und Marotten der Vorgesetzten sind, die die Mitarbeiter zur Verzweiflung bringen, sondern im wesentlichen zehn weit verbreitete Verhaltensweisen:

1. **Kontrollwut**

Chefs, die alles und jedes im Griff haben wollen, töten jede Eigeninitiative der Mitarbeiter. Bei ihnen halten es deshalb nur solche Leute aus, denen der Erfolg der Firma vollkommen gleichgültig ist.

2. **Geheimniskrämerei**
   Engagierte Mitarbeiter erwarten von ihrem Vorgesetzten unbedingte Offenheit. Wer sie enttäuscht, weil er sein Herrschaftswissen für sich behält oder es nur sparsam dosiert nach Lust und Laune weitergibt, stößt zwangsläufig auf Ablehnung. Für einen solchen Chef legt sich niemand krumm, im Gegenteil, man bestraft ihn mit Leistungsverweigerung und läßt ihn bei nächstbester Gelegenheit ins Messer laufen.
3. **Entscheidungsschwäche**
   Oberschlaue Manager, die sich nicht festlegen wollen und keinerlei Risiko eingehen, die Mitarbeiter gegeneinander ausspielen, verdienen keine Unterstützung. Man läßt sie hängen und kehrt ihnen bei der nächstbesten Gelegenheit den Rücken.
4. **Unberechenbarkeit**
   Wer heute so und morgen anders redet, hat bei den Mitarbeitern schnell verspielt. Sie wollen wissen, wie sie dran sind, und nicht zum Spielball von Launen des Chefs werden. Frei nach Luther: »Eure Rede sei ja, ja oder ein, nein, denn alles dazwischen ist von Übel.«
5. **Zielwechsel**
   Intelligente Mitarbeiter wollen verstehen, wofür sie sich krummlegen sollen. Chefs, die ungeduldig von Ziel zu Ziel springen, ohne plausible Gründe dafür zu haben, sind ihnen ein Greuel, deshalb kündigen sie ihnen bald die Gefolgschaft.
6. **Abkapselung**
   Engagierte Mitarbeiter suchen das Gespräch mit dem Chef, sie wollen mitreden und Gehör finden. Vorgesetzte, die nur Monologe halten und ihre Leute nicht zu Wort kommen lassen, werden von ihren Mitarbeitern schnell alleine gelassen.

7. **Konfliktscheu**
Menschen, die überdurchschnittliche Leistungen bringen, neigen häufig zu Widerspruch und Eigensinn. Wer solchen Konflikten aus dem Weg geht oder sie autoritär abwürgt, erstickt auch die Kreativität und das Engagement seiner Leute. Chefs mit echter Autorität können auch mal zugeben, daß sie sich geirrt haben.

8. **Mißtrauen**
Wer in jedem Fehler, den ein Mitarbeiter macht, einen neuen Beweis für die Unfähigkeit seiner Leute sieht, taugt nicht zum Mannschaftsführer. Das Vertrauen in den guten Willen und das Können der Mitarbeiter ist darum die wichtigste Führungseigenschaft.

9. **Besserwisserei**
Chefs, die alles besser wissen, wirken wie ein Schlafmittel auf ihre Leute. Je mehr sie Unterstützung von oben brauchen, desto weniger ziehen sie den Chef zu Rate, wenn sie die Erfahrung gemacht haben, daß er an ihren Vorschlägen überhaupt nicht interessiert ist. Und sie machen dann alles eben so, wie sie es schon immer gemacht haben, und das ist für jede Firma der Tod auf Raten.

0. **Selbstbeweihräucherung**
So wie jeder einzelne Mensch nach Anerkennung verlangt, braucht auch ein Team Erfolgserlebnisse. Darum sind Chefs, die sich die Leistungen ihrer Mitarbeiter auf die eigene Kappe schreiben, die größten Versager in jedem Betrieb. Wer sich nämlich ständig selbst auf die Schulter klopft, ist für seine Leute oft nur noch eine Witzfigur. Solche Vorgesetzten läßt man auflaufen, oder man straft sie mit Mißachtung. Beides hat für den Chef natürlich Konsequenzen: Er wird auf Dauer keinen Erfolg haben.

War das Führungsproblem in den hierarchisch gegliederten Unternehmen der Vergangenheit eher nebensächlich, so entwickelte es sich seit dem Paradigmenwechsel zu Beginn der neunziger Jahre zu einem zentralen Wettbewerbsfaktor. Als das Prinzip von Befehl und Gehorsam noch funktionierte, beschränkte sich die Fähigkeit des Managements darauf, Anweisungen zu erteilen und deren Ausführung zu überwachen. Erst als die Betriebe anfingen, sich mit Hilfe japanischer Führungsprinzipien neu zu strukturieren (Kaizen, Total Quality Management, Kontinuierlicher Verbesserungsprozeß etc.), wurde das Managen schwieriger. Alle diese Methoden zur Steigerung der Effizienz haben nämlich eines gemeinsam: Sie funktionieren nur, wenn die Mitarbeiter mitspielen.

Führungskräfte wollen führen

Plötzlich brauchte man nicht mehr den gehorsamen Befehlsempfänger, sondern den selbständig denkenden Kollegen, und der wiederum verlangte nach anderen Chefs als jenen kontaktscheuen Konzernbürokraten, die sich hinter ihren schallgedämmten Polstertüren verschanzten und glaubten, das Regelwerk des Betriebs mit Hilfe von schriftlichen Anweisungen, Sitzungsprotokollen und Kontrollzetteln steuern zu können. Gefragt waren nun eher Spielführer als Offiziere, Chefs zum Anfassen, die ihre Mitarbeiter zu begeistern vermochten. Und bei diesem Rollenwechsel blieben viele Manager auf der Strecke.
Sie scheiterten, weil sie sich über ihre Positionen und nicht über ihre Persönlichkeiten definierten, weil sie mit dem

neu erwachten Selbstbewußtsein ihrer Mitarbeiter nicht klarkamen und weil sie schließlich nicht mehr wußten, welche Rolle sie überhaupt noch spielen sollten. »Nur wenige Führungskräfte sehen ein«, warnte zum Beispiel der amerikanische Managementexperte Peter F. Drucker seine Klientel, »daß sie letztlich nur eine Person führen müssen. Diese Person sind sie selber.«
Und wenn sie dann zuhauf in die Motivationsseminare pilgerten, um endlich herauszufinden, wie sie mit störrischen Mitarbeitern umgehen sollten, kamen sie häufig enttäuscht wieder heraus, denn gerade die besten aus der Trainerzunft machten ihnen rasch klar, daß man Menschen grundsätzlich nicht wie Pawlowsche Hunde zu Höchstleistungen abrichten kann. Der Essener Unternehmensberater und Bestseller-Autor Reinhard Sprenger entlarvte gar den »Mythos Motivation«, und auch Fredmund Malik, Präsident des Management-Zentrums im schweizerischen St. Gallen, schrieb ihnen ins Stammbuch: »Normalerweise braucht man Menschen nicht zu motivieren. Es genügt schon, sie einfach nicht zu demotivieren. Was sie brauchen, ist Vertrauen in die Führung, sie müssen ein Minimum an Sinn in ihrer Tätigkeit erkennen können. Wenn diese beiden Bedingungen nicht erfüllt sind, ist jeder Motivationsversuch nicht nur unwirksam, sondern er schlägt sogar ins Gegenteil um. Er wird als eine besonders raffinierte Form von Zynismus verstanden.«
Das Dilemma ist klar: Führungskräfte wollen führen, Mitarbeiter selbständig entscheiden. Verstand sich der Manager bisher als eine Art Befehlshaber der, legitimiert durch

seine Ausbildung und Sachkenntnis, den ihm unterstellten Menschen die Aufgaben zuteilte und deren Ausführung überwachte, so ist jetzt ein ganz anderer Typ gefragt. Die Strukturen in der Wirtschaft sind so komplex geworden, daß sie im Detail nur noch an Ort und Stelle verstanden werden, und die Prozesse laufen mit solcher Geschwindigkeit ab, daß sie ebenfalls nur noch dezentral gesteuert werden können. Damit aber ist der Manager voll auf seine Mitarbeiter angewiesen, und die haben ihre neue Machtposition natürlich längst begriffen.

Einzelkämpfer statt Teamführer

Für sie ist der Vorgesetzte dann ein kompetenter Partner, wenn er für ein gutes Arbeitsklima sorgt und sich um die Probleme seiner Leute kümmert. Er ist also mehr Seelsorger, Trainer und Coach als »Anführer«, und das gefällt vielen Managern gar nicht. Sie wurden Chefs, weil sie

- Macht über Menschen haben wollen, und je weniger sie diese Macht zeigen können, desto weniger Spaß macht ihnen ihr Job.
- Systeme gestalten wollen, und je mehr diese Arbeit von Teams erledigt wird, desto mehr leiden die Egomanen an fehlender Selbstbestätigung.
- als wichtig wahrgenommen werden wollen, und je weniger sie durch ihr Gehalt, die Größe und Pracht ihres Büros oder ihres Dienstwagens aus der Masse herausragen, desto mehr leiden sie unter den Anforderungen ihres Jobs.

Ein Hauptproblem der deutschen Manager scheint darin zu bestehen, daß sie von Natur aus keine guten Mannschaftsspieler sind. Sie suchen den individuellen Erfolg und nicht den ihres Teams. Darum werden stets auch Einzelpersonen gefördert, aber nur selten ganze Gruppen, und nie gelangte ein kompletter Vorstand, auch wenn er noch so erfolgreich gearbeitet hat, zu solcher Popularität unter den Leistungsträgern wie einzelne Topmanager. Indem sie individuelle Leistungen heroisieren, definieren sie sich bereits selber als Einzelkämpfer, denen es nur um die Befriedigung ihres Egos und nicht um den Erfolg ihrer Firma geht. Damit aber stehen sie den gruppendynamischen Prozessen in den Büros und Werkhallen, die letztlich die unternehmerische Leistung zustande bringen, häufig im Weg. Sie möchten etwas darstellen und bewegen – und behindern doch nur ihre Mitarbeiter.

Nach Untersuchungen führender wirtschaftswissenschaftlicher Fakultäten von Wharton (USA), der London Business School (Großbritannien) und IMD in Lausanne (Schweiz) beruhen die Veränderungen in der Ertragslage großer Unternehmen zu etwa 90 Prozent auf Faktoren, auf die das Management keinen direkten Einfluß hat, also etwa der allgemeinen Wirtschaftslage, der Branchenkonjunktur oder der Positionierung des Unternehmens auf dem Markt. Die Topmanager aber, die in den letzten Jahren eine beispiellose Machtfülle gewonnen haben, reklamieren den Erfolg ihrer Firmen für sich, und auch den Investoren und Aufsichtsräten gelten sie allein als Garanten für ein erfolgreiches »Change-Management«. Da eine Steigerung der Effizienz wie des Unternehmenswertes als wichtiges Unternehmensziel allgemein akzeptiert wurde, konnten die Topmanager, insbesondere die Vorstandsvorsitzenden und Geschäftsführer, zumindest für die Dauer des Veränderungsprozesses praktisch nach Belieben schalten und walten.

Lauter kleine Schrempps und Piëchs

Das beste Beispiel dafür lieferte Ferdinand Piëch, dem sein Aufsichtsrat auch dann die Treue halten mußte, als der von einem unbändigen Erfolgswillen besessene VW-Chef nach innen wie nach außen praktisch isoliert war. Intern hatte er das Management des Wolfsburger Konzerns fast geschlossen gegen sich aufgebracht – den Aufsichtsrat erreichten anonyme Briefe, in denen dem Porsche-Enkel psychopathische Züge unterstellt wurden –, und extern lieferte er sich wegen seines der Industriespionage bezichtigten Einkaufschefs López mit General Motors, dem mächtigsten Autokonzern der Welt, einen beispiellosen »Wirtschaftskrieg«.

Die Räte hatten freilich keine andere Wahl, denn niemand außer Piëch schien in der Lage, den total verkrusteten Konzern wieder auf Erfolgskurs zu trimmen. In diesem Fall zahlte sich der Freiraum, den sich ein einzelner Topmanager erkämpft hatte, für die Aktionäre wie für die Mitarbeiter und Kunden des Unternehmens aus, auch wenn den Piëchschen Brachialmethoden nicht nur der gesamte frühere VW-Vorstand, sondern auch Dutzende weiterer Manager aus dem mittleren und oberen Führungsbereich zum Opfer fielen.

Verhängnisvoll jedoch ist die Wirkung solcher Beispiele auf die Masse der Führungskräfte. Denn viele der nach-

rückenden Gruppen-, Abteilungs- oder Bereichsleiter möchten zu Piëchs, Dormanns, Schrempps oder Neukirchens werden. Die Führungsgewalt der Galionsfiguren, die durch die Notwendigkeit der Unternehmensreformen zumindest für eine begrenzte Zeit nahezu diktatorische Befugnisse erlangten, imponiert den Schmalspurkarrieristen in den Betrieben ein bißchen zu sehr. Der Generationenkonflikt zwischen den aufs Abstellgleis geratenen Senioren, die unter der brutalen Rationalisierungs- und Fusionswelle litten wie keine andere Managergeneration vor ihnen, und den nachrückenden Youngstern, die nicht mehr den Idealen einer sanften Führung anhängen, sondern in die Fußstapfen der harten Macher treten möchten, vergiftete schon in vielen Unternehmen das Klima.
Das Dilemma zeigt sich bereits auf dem gehobenen Stellenmarkt. Während einerseits so viele Nachwuchskräfte wie nie zuvor gesucht werden, sitzen andererseits Zehntausende ausgemusterte Führungskräfte auf der Straße. Gesucht wurden im Frühjahr 1999 von allem Ingenieure und Informatiker. Allein die boomende Branche der Informationstechnologien meldete über 75 000 offene Stellen, darunter über 10 Prozent Führungspositionen. Und auf den jährlich stattfindenden Absolventenkongressen buhlen nahezu 400 Firmen um die Gunst der Hochschulabgänger, während viele von ihnen gleichzeitig Stellen abbauen.
Auch die Headhunter, die den Markt der Spitzenjobs im Griff haben, sind gut beschäftigt. Die in der Association of Executive Search Consultans (ASEC) zusammengeschlossenen 46 Agenturen haben im Frühjahr 1999 über 10 000

Topjobs zu vergeben, darunter rund 1500 in Deutschland. Zur gleichen Zeit aber verdingten sich rund 7000 ausgemusterte Oldies als sogenannte Interims-Manager auf dem Markt für Leiharbeitskräfte. Spezielle Agenturen wie die Wiesbadener Firma Alpha Management oder die in München ansässige Executive Interim Management GmbH vermitteln die Ex-Manager für Tageshonorare zwischen 2000 und 5000 Mark hauptsächlich an neu gegründete Betriebe, Gemeindeverwaltungen, Ortskrankenkassen und andere Körperschaften des öffentlichen Rechts, die vom Know-how der ehemaligen Industriemanager profitieren wollen.

Oldies auf dem Abstellgleis

In der Privatwirtschaft hingegen merken Führungskräfte spätestens nach ihrem 50. Geburtstag, daß sie ihre Zukunft hinter sich haben. Für sie gibt es keine »Personalentwicklung« mehr, sondern nur noch die Abwicklung. Bei manchen Unternehmen ist der Aufstieg sogar schon früher beendet: Bei der Deutschen Telekom beispielsweise gelangen nur solche Leute in den Förderkreis für das Topmanagement, die noch keine 40 sind. Auch bei Siemens, DaimlerChrysler und der Deutschen Bank heißt es immer früher Abschied nehmen von der Macht.

Spätestens mit 50 werden die altgedienten Fahrensleute, sofern sie den Vorstand nicht erreicht haben, mit dem bevorstehenden Ende ihrer Karriere konfrontiert. Um das Protestgeheul der Alten zu dämpfen, ließen sich die Personalchefs einiges einfallen. Siemens zum Beispiel reicht die rüstigen Senioren als Berater an eine der vielen Tochtergesellschaften des Konzerns weiter oder bringt sie in Verbänden oder internationalen Organisationen unter. Die Konkurrenz von ABB gründete sogar eine eigene Beratungsgesellschaft, die als Parkplatz und Rangierbahnhof für ausgeschiedene Ex-Manager dient. Abgeschoben werden die einstigen Leistungsträger nach übereinstimmender Ansicht der meisten Personalberater viel zu früh, denn mit 50 erreichen sie gerade den Gipfel ihrer Schaffenskraft. Die Konzerne freilich wollen sie nicht nur loswerden, um Platz zu schaffen für den drängelnden Nachwuchs, sondern auch, weil die Oldies der »Nietengeneration« als unflexibel, autoritär und statusorientiert gelten.

Und weil sie alles besser wissen als die karrieregierigen Yuppies, die sich jedem Wink aus der Chefetage willfährig beugen, hält man sie in den dem Jugendlichkeitswahn verfallenen Konzernen nur noch für Bremser und Störenfriede. Mindestens ein Drittel der deutschen Manager über 50 leidet deshalb an Zukunftsängsten und dem gefürchteten Burn-Out-Syndrom, dem Gefühl des Ausgebranntseins also, wie eine Umfrage des Wirtschaftsmagazins *Capital* vom Sommer 1998 ergab.

Den Vorständen, von denen kaum einer jünger als 50 ist, gelten ihre gleichaltrigen Berufskollegen als teures Schwermetall: Silber im Haar, Blei in den Knochen und Gold in den Zähnen. So werden die Oldies in irgendwelchen Outplacement-Agenturen zwischengelagert, ehe man sie endgültig verschrottet. Fast scheint es, als ob sich die Firmen mit Gewalt dem Sog zur Vergreisung entziehen

Stilführer

Wer einen modernen Führungsstil pflegt – und wer nicht

TOPS		*FLOPS*	
Jürgen Strube	BASF	Ferdinand Piëch	VW
Thomas Middelhoff	Bertelsmann	Karl Josef Neukirchen	Metallgesellschaft
Joachim Milberg	BMW	Albrecht Schmidt	Hypovereinsbank
Herbert Henzler	McKinsey	Erwin Conradi	Metro
Henning Kagermann	SAP	Jürgen Dormann	Hoechst

wollten, dem die Gesellschaften in fast allen hochentwickelten Industrieländern anheimzufallen drohen. »Die Wirtschaft huldigt der Jugend«, erkannte die *Wirtschaftswoche* und bedauerte: »Fähigkeiten, die erst mit dem Alter kommen, zählen immer weniger. Mit 40 gehören viele Manager schon zum alten Eisen.« Daß der Jugendkult handfeste ökonomische Gründe hat, weil junge Mitarbeiter nun mal billiger sind als altgediente, wird dabei freilich ebenso übersehen wie die Tatsache, daß er ebenso den Machtinteressen der Topmanager dient, die mit den Nachwuchskräften ganz anders umspringen können als mit altgedienten Führungskadern.

9. Kapitel

Abgebrühte Aufsteiger

Personalchefs, die glauben, die mit hohen Anfangsgehältern eingefangenen Hochschulabsolventen dauerhaft an ihre Firmen binden zu können, haben häufig mit Zitronen gehandelt. Die so dringend gesuchten »High Potentials« haben nämlich längst begriffen, wie der Hase läuft. Da sie mit ansehen mußten, wie skrupellos ihre Vorgänger abserviert wurden, können sie sich leicht ausrechnen, daß auch ihnen eines Tages niemand eine Träne nachweinen wird. Das Verhältnis zu ihrem jeweiligen Arbeitgeber gestalten denn auch viele von ihnen so cool und pragmatisch wie möglich: Als die Frankfurter Personalberatung Ray & Berndtson etwa 2000 Führungskräfte der ersten bis dritten Ebene in europäischen Unternehmen nach ihrer Zufriedenheit am Arbeitsplatz befragte, stellte sich heraus, daß rund 70 Prozent der Mittelmanager innerhalb der nächsten zwei Jahre den Job zu wechseln gedachten, und nahezu 40 Prozent hatten ihre Lebensläufe bereits an mehrere po-

tentielle Arbeitgeber verschickt oder gar schon die ersten Bewerbungsgespräche geführt.
Lebenslange Firmentreue, das bestätigt Wolfgang Hartmann, Partner der TASA Consulting Partners in Frankfurt, »wird zum Auslaufmodell«. Nach den Beobachtungen des erfahrenen Headhunters sinkt der Marktwert von Managern, die zu lange einem einzigen Unternehmen gedient haben, während die Jobhopper mit ihren vielfältigen Erfahrungen bei jedem Stellenwechsel ihr Gehalt aufbessern können. Den Firmen indes kann der schnelle Durchsatz der Führungskräfte kaum zum Vorteil gereichen, denn jeder Neueinsteiger braucht erst mal eine gewisse Zeit zur Eingewöhnung, in der er weniger leistet, als er kostet. Und wenn er dann endlich alles richtig macht, setzt er bereits zum Absprung an und nimmt dabei jede Menge Know-how mit zur Konkurrenz.
Die Art, wie die deutschen Unternehmen ihre Führungskräfte rekrutieren und fördern, dient denn auch mehr den Interessen der Topmanager als jenen der Unternehmen. Die Macher an der Spitze der Konzerne wollen sich zwar, koste es, was es wolle, die besten Kandidaten aus jedem Jahrgang der Uni-Absolventen herauspicken, doch wenn es die »High Potentials« dann in der Firma zu Rang und Würden gebracht haben, sollen sie möglichst schnell wieder verschwinden, ehe sie zu einer Bedrohung für die etablierten Bosse an der Spitze werden können.
Generös geben sich die Firmen nur bei der Anwerbung der künftigen Managementstars, und zwar aus drei Gründen: Erstens wollen sie verhindern, daß gute Leute bei der Kon-

kurrenz anheuern, zweitens möchten sie vom jeweils neuesten Hochschulwissen der Absolventen profitieren, drittens schließlich, und das ist eher ein Nebeneffekt, erhält man ein paar Schlaumeier, die als junge Hechte im Karpfenteich des Mittelmanagements für Unruhe sorgen sollen. So lud die DaimlerChrysler-Tochter Debis im Frühjahr 1999 250 handverlesene Uniabgänger in die neu erbaute Konzernzentrale am Potsdamer Platz in Berlin zu einem »Kreativ-Abenteuer« ein, um sich einerseits beim Akademiker-Jungvolk interessant zu machen und andererseits die vielversprechendsten Kandidaten an Land zu ziehen.

Unternehmerische Fehlanzeige

Noch mehr Aufwand betrieb die Konzernmutter Daimler, die sich mit der Deutschen Bank, dem Medienkonzern Bertelsmann, der Unternehmensberatung Bain & Company sowie der Fluggesellschaft Cathay Pacific zusammentat, um 70 sorgsam ausgefilterte Studenten nach Hongkong zu befördern, wo sie Gelegenheit bekamen, in den Außenstellen der beteiligten Unternehmen mit ranghohen Managern zu diskutieren.

Keine Kosten scheuten auch die Unternehmensberater von Arthur Andersen Consulting, die ihre Wunschkandidaten zu einem Kennenlern-Programm an die Côte d'Azur verfrachteten. Bis zu 30 000 Mark lassen sich die Firmen die Anwerbung einer künftigen Spitzenkraft kosten, schätzt Claus-Peter Sommer, Geschäftsführer der auf Vermittlung von Nachwuchsmanagern spezialisierten Kölner

Agentur Access, aber was sie für das viele Geld bekommen, ist zwar häufig akademische Spitzenklasse, doch unternehmerische Fehlanzeige.

Denn nach wie vor suchen die Renommierunternehmen Renommierabsolventen, die ihre Uniausbildung im Rekordtempo absolviert und mit einem Prädikatsexamen abgeschlosssen haben. Dabei müßten die Konzernchefs doch wissen, daß es darauf überhaupt nicht ankommt, denn mit ihren eigenen Biographien würden manche von ihnen heute glatt durch sämtliche Raster fallen. Karl Josef Neukirchen etwa, der als knallharter Sanierer bewunderte Chef der Metallgesellschaft, holte das Abitur auf dem zweiten Bildungsweg nach, und Daimlers Chefpilot Jürgen Schrempp ging sogar mit der Mittleren Reife von der Schule ab. Selbst Bill Gates, reichster Mann der Welt und Idol der Internet-Generation, fände als Studienabbrecher heutzutage kaum Gnade vor den Augen gestrenger Personalchefs. So dienen die reihenweise vom Campus gepflückten Einser-Kandidaten eher dem Prestigebedürfnis und der inneren Beruhigung eitler Konzernlenker als der Zukunftssicherung der Unternehmen.

Von den gehätschelten Einsteigern scheidet nämlich rund ein Drittel bereits nach zwei bis drei Jahren wieder aus, und weitere 20 Prozent bleiben dem Unternehmen allenfalls fünf Jahre treu. Den wechselwilligen Jobhoppern dient der erste Arbeitgeber sowieso nur als Sprungbrett, deshalb zählt dessen Name und Renommee mehr als die Aufgaben, die sie dort zu lösen haben. Das höchste Ansehen genießen bei den deutschen Hochschulabsolventen die

Autokonzerne BMW, Daimler-Benz und Audi, ferner die Unternehmensberatungen von McKinsey & Co. sowie Boston Consulting Group, die in der Beliebtheitsskala noch vor dem Elektromulti Siemens und der Software-Schmiede SAP liegen. Dies ergab eine Umfrage des schwedischen Instituts Versum AB bei 2127 Studenten der Wirtschafts- und Ingenieurswissenschaften aus dem Jahr 1998.

Nachfolger zurechtgebogen

Will es ein Berufseinsteiger wirklich bis zum Vorstand schaffen, sollte er allerdings, allen gegenteiligen Beteuerungen zum Trotz, nicht allzu oft seinen Arbeitgeber wechseln, denn noch immer rekrutieren die meisten deutschen Konzerne ihre Spitzenleute vornehmlich aus dem eigenen Haus. Wenn es um ihre Nachfolger geht, gehen die Herren Vorstände nämlich gern auf Nummer Sicher. Frühzeitig nehmen sie Kandidaten unter ihre Fittiche, die sie nach ihren Vorstellungen zurechtbiegen können und von denen sie keine hinterhältigen Attacken zu befürchten haben. Und die Schlaumeier unter den jungen Karrieristen suchen sich beizeiten einen Mentor, den sie bei seinem Aufstieg durch die Hierarchie begleiten und eines fernen Tages auf dem Vorstandssessel ablösen können. Solche Kaminkarrieren sind typisch für die Deutsche Bank wie für die Commerzbank, für den Chemieriesen Bayer wie den Mischkonzern Veba. Ganz oben freilich, an der Konzernspitze, gelten wieder andere Regeln. Die Viag zum Beispiel holte sich, nachdem Georg Obermeier, die bisherige Nummer Eins, beim Aufsichtsratsvorsitzenden Hartmut Holzer in

Ungnade gefallen war, den neuen Chef von außen. Und auch die Deutsche Bank ersetzte ausscheidende Vorstandsmitglieder neuerdings nicht durch eigene Leute.
Überhaupt sind die Prinzipien, nach denen die heimischen Konzerne bei der Besetzung ihrer Spitzenjobs vorgehen, kaum zu durchschauen. »Das Golfspiel mit dem Vorstandsvorsitzenden im gleichen Club, die gelungene Show auf Konferenzen, dieselbe Wellenlänge beim Diskurs über deutsche Malerei oder einfach nur konstante Anwesenheit in der Konzernzentrale – Hauptsache, ein Entscheidungsträger erinnert sich zum richtigen Zeitpunkt an den sympathischen, agilen und – vielleicht – auch fähigen Manager«, spottete die *Wirtschaftswoche* über die Beförderungskriterien in der deutschen Wirtschaft.
Ordnung herrscht nur auf den unteren Rängen: Da werden die hoffnungsvollen Jungkarrieristen erst mal in sogenannten Assessment Centers zusammengezogen und auf Herz und Nieren durchgecheckt, dann schleust man sie als Trainees durch sämtliche Abteilungen des Hauses, bevor sie sich entscheiden müssen, in welchem Revier sie die Karriereleiter hochklettern wollen – in der Produktion, im Vertrieb, im Marketing oder im Finanzwesen. Bereits jetzt aber sollte der künftige Boß genau wissen, wie er die Aufmerksamkeit seiner Vorgesetzten auf sich lenken kann, denn ohne das Wohlwollen des ersten Chefs geht gar nichts.
Schon bald entscheidet sich nämlich, ob der Einsteiger für irgendeine Idiotenlaufbahn aussortiert wird oder ob er mit den anderen »High Potentials« im Goldfischteich des Hauses landet. Bei der Veba heißen die für die höheren Weihen

des Standes vorgesehenen Frischlinge »Top 500«, bei Opel merken sie, wenn sie ins »Drei I« -Förderprogramm (die Abkürzung steht für Intrapreneurship, Initiative, Integration) für Führungsnachwuchskräfte aufgenommen werden, daß sich der Karrierefahrstuhl nach oben bewegt, und bei Deutschlands führender Fluggesellschaft steckt man sie in die »Lufthansa School of Business«.

Verstellungskünstler bleiben Sieger

In den Kaderschmieden der Konzerne werden die Hoffnungsträger so lange durch die Mangel gedreht, bis sie genauso denken wie alle anderen – oder kündigen. Individualisten mit eigenen Ansichten haben wenig Chancen, die genormten Trainingsprogamme der Konzerne unbeschadet zu überstehen. Wer wirklich das Zeug zum Unternehmer hat, würde möglicherweise die hochmögenden Bosse, die ihm da etwa im Veba-Executive-Room gegenübersitzen, schnell als das entlarven, was sie wirklich sind: durchschnittliche Konzernbürokraten mit häufig unterdurchschnittlichen Ergebnissen. Und das wäre dann auch das Ende einer hoffnungsvollen Laufbahn.

Demutsvoll sollen die Neuen sein und mit dankbarem Blick der Segnungen teilhaftig werden, die ihnen die Halbgötter aus dem Olymp des Konzerns zu gewähren belieben. Solange man den Zöglingen noch »Potential« zutraut, werden sie, wie eine wachstumsträchtige Internet-Aktie an der Börse, gehätschelt und gepflegt, doch wehe, wenn sie als »ausgereizt« gelten. Aus dem Karrierefahrstuhl purzeln die Hoffnungsträger dann ziemlich unsanft auf irgendein

Abstellgleis, das vielleicht bei einer koreanischen Tochtergesellschaft oder im Archiv endet.

Grausam wird das Spiel, das die Konzerne mit dem Führungsnachwuchs veranstalten, bei den »Management Audits«. Diese sogenannten Grillfeste sind eine Erfindung deutscher Unternehmensberater und sollen dazu dienen, die wenigen wirklichen Begabungen aus der Kandidatenherde herauszufischen. Zu Tageshonoraren zwischen 3000 und 6000 Mark nehmen externe Auditoren dabei die Zöglinge des Konzerns ins Kreuzverhör, und wen sie für gut befunden haben, der muß anschließend Vorständen oder anderen hochrangigen Managern nochmals Rede und Antwort stehen.

Die Prüfverfahren, die sich über Monate hinziehen, spielen zwar Beratern wie Egon Zehnder, Roland Berger oder Kienbaum und Partner satte Millionenhonorare in die Kassen, bringen den Unternehmen in den meisten Fällen aber nur die Gewißheit, über eine Garde erstklassiger Schauspieler zu verfügen. Als Sieger verlassen nämlich für gewöhnlich jene Schlaumeier die »Grillfeste«, die ihre wahren Persönlichkeitsstrukturen am beharrlichsten verleugnen konnten. Sie strahlen unverbesserlichen Optimismus aus, auch wenn sie mit beiden Beinen tief im Dreck stecken, mimen Begeisterung für Aufgaben, die sie zum Sterben langweilig finden, und finden vor allem den Berater ungeheuer sympathisch, auch wenn sie bereits eine Gänsehaut verspüren, sobald er zur Tür hereinkommt.

Die durchtriebensten Verstellungskünstler dürfen dann auf Firmenkosten in renommierten Business Schools wie

Harvard, Insead, IMD oder LBS den letzten Schliff einholen, ehe man sie im Konzern als Wadenbeißer auf jene Kollegen ansetzt, die der Vorstand gerne loswerden möchte. Wer im breiten Mittelfeld der Auditierten landet, darf froh sein, wenn man ihn für eine Langweilerlaufbahn vorsieht und nicht, wie den Rest der Problemfälle, zurückstuft oder rausschmeißt. Die Verfahren ähneln sich bei Daimler-Chrysler wie bei Siemens, bei der Veba wie beim RWE, bei der HypoVereinsbank wie bei der DG-Bank.

Eine Spezialität der Audits von Roland Berger ist das sogenannte 360-Grad-Feedback: Hier muß der Kandidat nicht nur einem Berater Rede und Antwort stehen, sondern er wird von sämtlichen Personen, mit denen er geschäftlichen Kontakt hatte, beurteilt, also auch von Kollegen, Kunden, Untergebenen, Geschäftspartnern. Doch die Methode ist umstritten: »Das Prozedere dient allein dem höheren Management. Die Führungsspitze will Informationen, denn sie will Kontrolle«, so der renommierte Organisationspsychologe Oswald Neuberger aus Augsburg. Das Audit ersetzt im Konzern die Beichte in der Kirche.

Fragwürdige Ausleseverfahren

Tatsächlich wissen die Konzernoberen nach den Audits so viel über ihre potentiellen Nachfolger, daß sie mit denen praktisch machen können, was sie wollen. So sind denn die Prüfungs- und Ausleseverfahren in den meisten deutschen Großunternehmen in erster Linie Instrumente zur Herrschaftsabsicherung. Vorstände und Geschäftsführer wollen die künftigen Rivalen frühzeitig in den Griff bekommen,

ihre Schwachstellen kennenlernen und die Fortsetzung ihrer Politik sicherstellen.
Besser wären zweifellos dezentral gesteuerte Auswahlverfahren mit weniger Trockenübungen und mehr praktischem Bezug. Dazu aber müßten die Herren Vorstände und Geschäftsführer bereit sein, dem Urteil ihrer nachrangigen Kollegen zu vertrauen, und das fällt ihnen offenbar äußerst schwer. In einem Konzern gibt es jeden Tag viele Situationen, in denen unternehmerisch befähigte Nachwuchsleute zeigen können, was sie draufhaben. Und niemand vermag die Leistung und das Verhalten eines Novizen besser einzuschätzen als sein direkter Vorgesetzter, dem er jeden Tag Rede und Antwort stehen muß. Doch die obersten Bosse wollen die totale Kontrolle, und die teuren Berater helfen ihnen mit Freuden dabei.
Als überdurchschnittlich effizient gelten unter Experten die Ausleseverfahren bei den Chemiekonzernen Bayer und BASF sowie beim Autobauer BMW. Alle drei pflegen das Prinzip der Jobrotation und versetzen ihre künftigen Topmanager alle zwei bis drei Jahre auf einen anderen Posten. Die BASF beispielsweise verzichtet auf neumodische Instrumente wie Assessment Center und Management Audits und verspricht den Einsteigern auch keine Turbokarrieren. Dafür dürfen die Kadetten schon kurz nach dem Start erfahren, was »Learning by Doing« heißt, etwa, wenn sie – mir nichts, dir nichts – die Verantwortung für ein millionenschweres Projekt übertragen bekommen oder plötzlich eine fünfköpfige Arbeitsgruppe leiten sollen. Schritt für Schritt wachsen sie so in größere Aufgaben hinein, bis

sie zu dem etwa 1300 Köpfe zählenden Pool der förderungswürdigen Nachwuchskräfte gehören, um die sich der Vorstand kümmert. Die Chancen, eines Tages einen wirklichen Topjob zu ergattern, stehen für die jungen »Aniliner« nicht schlecht, da der Konzern praktisch sein gesamtes Führungspersonal aus den eigenen Reihen rekrutiert. Nur etwa ein halbes Dutzend von den insgesamt 800 Topmanagern des Konzerns sind Seiteneinsteiger.
Mit seinem bodenständigen und selbstbewußten Personalentwicklungsprogramm ist der Ludwigshafener Chemieriese, der rund 110000 Mitarbeiter in 40 Ländern beschäftigt, bisher nicht schlecht gefahren, ebenso wie der Bayer-Konzern, der auch auf seine Hausgewächse vertraut, die er an sämtlichen Standpunkten des Konzerns weltweit agieren läßt, bis sie den richtigen Reifegrad für Topjobs in der Konzernspitze oder bei einer der vielen Töchter erreicht haben. Bei BMW indes sieht man die hohen Aufwendungen, die der Feinschliff des hauseigenen Managementnachwuchses kostet, in letzter Zeit etwas kritischer, da sich aus dem einstmals gut gefüllten Talentpool des bayerischen Autobauers immer häufiger die Konkurrenz bedient.

Skrupellose Nachwuchsmanager

Da es aus dem Wald bekanntlich so zurückschallt, wie man hineinruft, finden die Jungen heutzutage nichts dabei, sofort den Job zu wechseln, wenn ihnen woanders eine bessere Aufstiegschance und ein bißchen mehr Geld geboten wird. Sie wollen wenig Streß, viel Fun und glauben im übri-

gen, ein verbrieftes Anrecht auf die Spitzenpositionen im Lande zu besitzen, sobald sie ein vorzeigbares Diplom in der Tasche haben. Schon als Studenten haben sie gelernt, wie brutal die heutigen Konzernchefs ihre Unternehmen durcheinanderwürfeln und mitleidlos Zehntausende Mitarbeiter auf die Straße setzen, wie sie interne Konkurrenten abservieren und sich für Leistungen feiern lassen, die andere vollbracht haben. All das kann, so glauben sie, ja wohl nicht allzu schwer sein. Und so steigen sie siegessicher in den Karrierepaternoster ein, mit der festen Absicht, es ebenso schlau anzufangen wie ihre Vorbilder. Jeder von ihnen hat begriffen, daß man nicht durch Taten, sondern durch Beziehungen vorankommt, daß stets die Verpackung wichtiger als der Inhalt ist und daß jede Freundschaft ein Verfallsdatum hat. So widmen sie denn viel Sorgfalt dem eigenen Auftritt, notfalls mit Hilfe externer Berater wie der Berliner Schauspielerin Adele Landauer oder der Anstandsdame und Buchautorin *(Manieren & Karriere)* Rosemarie Wrede-Grischkat, stricken beharrlich am Beziehungsnetzwerk und sind ihrem direkten Vorgesetzten devot zu Diensten, zumindest so lange, wie er Einfluß auf ihren Aufstieg hat.
Zu den wichtigsten Karrierebeschleunigern, das hat sich herumgesprochen, gehören ein großer Bekanntenkreis und ein Schuß Weltläufigkeit. Denn eigenartigerweise fanden nahezu alle der angeblich so vielbeschäftigten Topmanager während ihrer Aufstiegsjahre reichlich Zeit für die Pflege vielfältiger und nützlicher Beziehungen. »Ohne Netzwerke ist es heute fast unmöglich, beruflich

weiterzukommen«, bestätigt der Sozialwissenschaftler Michael Schenk von der Universität Hohenheim, und auch der Kölner Soziologe Erwin Scheuch, der sich viel mit den deutschen Eliten beschäftigt hat, mißt der Beziehungspflege große Bedeutung für die Karrieren der Topmanager bei.

Beziehungspflege ist Pflicht

Das fängt schon auf der Uni mit dem Eintritt in die richtige Studentenverbindung an und setzt sich bis ins Vorstandsalter fort, wo es darauf ankommt, möglichst einflußreiche Aufsichtsratsmandate zu sammeln. Vorbilder der angehenden Betriebs- und Volkswirte sind die Absolventen der elitären amerikanischen Business-Schools wie Stanford, Harvard oder Chicago, die während ihres gesamten Berufslebens den Kontakt untereinander nie abreißen lassen und sich gegenseitig auf die Karrieresprünge helfen. Da die Zöglinge solcher Bildungsstätten naturgemäß irgendwann die besten Jobs im Lande besetzen, sind die Alumni-Clubs (*lateinisch*: »alumnus« = Zögling eines Schülerheims) mächtige und hilfreiche Netzwerke für jeden, der dazugehört.
Auch in Deutschland gibt es mittlerweile rund ein Dutzend solcher Alumni-Clubs aus ehemaligen Wirtschaftsstudenten. Besonders eng halten die Ehemaligen nobler Privatuniversitäten wie der European Business School (EBS) in Oestrich-Winkel oder der WHU Otto-Beisheim-Hochschule in Vallendar bei Koblenz zusammen, die sich nicht nur gegenseitig über Aufstiegschancen und Gehälter infor-

mieren, sondern gelegentlich auch dafür sorgen, daß einer der Ihren den passenden Job bekommt.
Nicht zu verachten sind nach wie vor Studentenverbindungen, die über einflußreiche »Alte Herren« verfügen. Später lohnt es sich dann, einem der gesellschaftlichen Eliteclubs wie Rotary, Lions und Kiwanis beizutreten oder, wenn das nicht klappt, wenigstens bei einer Freimaurerloge unterzuschlüpfen, auch wenn deren Regelwerk reichlich verzopft wirkt. »Mindestens ein Drittel der 200 einflußreichsten Personen der deutschen Wirtschaft sind Rotarier«, schätzt Soziologe Erwin Scheuch. Zu den Top-Managern, die die Anstecknadeln mit dem Zahnrad – das Rotariersymbol – unauffällig am Revers tragen, zählen Bosse wie Ferdinand Piëch (VW), Jürgen Strube (BASF), Hermann Scholl (Bosch), Henning Schulte-Noelle (Allianz), Gerhard Cromme (Thyssen Krupp), Joachim Funk (Mannesmann), Albrecht Schmidt (HypoVereinsbank), Horst Teltschik (BMW), Hans-Peter Keitel (Hochtief) ebenso wie die Unternehmensberater Herbert Henzler, Roland Berger und Jochen Kienbaum.
Wer bei Rotary nicht landen kann, weil er die Karriere noch vor sich hat – Bewerbungen sind zwecklos –, sollte schleunigst versuchen, wenigstens die Mitgliedskarte eines wirklich renommierten Sportclubs zu ergattern, denn ganz ohne gesellschaftlichen Hintergrund gestaltet sich das Überleben im Haifischbecken der Karrieristen etwas beschwerlich. Gereichte Aufsteigern wie dem Mercedes-Manager Werner Niefer oder dem Sanierer der Metallgesellschaft, Karl Josef (Kajo) Neukirchen, der Hinweis auf die

Herkunft aus einfachen sozialen Verhältnissen früher noch zum Vorteil, so müssen die heutigen Aspiranten fürs Topmanagement, wenn sie schon keine vorzeigbare Verwandtschaft aufweisen, den Makel wenigstens mit Weltläufigkeit und forschem Auftreten kompensieren.
Weil es typische Tellerwäscherkarrieren in »Corporate Germany« kaum mehr gibt – die Mittelmanager entstammen zu über 60 Prozent, Topmanager sogar zu mehr als 80 Prozent der bürgerlichen Mittelschicht – und die Lebensläufe der Kandidaten sich gleichen wie Hühnereier, bringen Farbtupfer wie die Mitgliedschaft im richtigen Club oder ein standesgemäßes Hobby den entscheidenden Punktgewinn bei der nächsten Beförderungsrunde. So drängeln sich die ehrgeizigen Macher von morgen mehr denn je in Parteien und Vereine, zu Kongressen und Diskussionsforen, Premieren und Pressebällen. Über 70 Prozent der Top-Positionen in Deutschland, schätzt der Frankfurter Personalberater Heiner Thorborg, »werden rein über das persönliche Beziehungsgeflecht besetzt«.

In Davos den Topdogs auflauern

Beziehungen lassen sich naturgemäß da am besten knüpfen, wo sich jene Leute treffen, die das bereits besitzen, was die Aufsteiger gerne erlangen möchten, nämlich Macht und Einfluß. Zum Wiener Opernball oder zum Kanzlerfest nach Bonn (Berlin) fahren freilich nur noch Anfänger, denn im Gedränge der Promis bleibt kaum Platz, die Visitenkarten zu tauschen.
In München setzen findige Beziehungspfleger auf die

Jahreshauptversammlung des FC Bayern, um Topdogs wie McKinsey-Chef Herbert Henzler oder Robert Louis-Dreyfus von Adidas abzupassen. In Hamburg trifft man sich im Norddeutschen Regatta-Verein, zum Deutschen Derby oder im Golfclub Falkenstein, in Düsseldorf im Rochusclub, in Frankfurt zum Golfturnier in Kronberg. Als Kontaktbörsen bewährt haben sich auch Oldtimer-Rallyes, Kunstauktionen oder Benefiz-Veranstaltungen wie der Ball des Sports.

Alle diese mehr oder weniger bedeutsamen »Events« haben freilich nur den Stellenwert von Kaffeekränzchen, verglichen mit dem Gipfeltreffen der Macher im schweizerischen Davos. Nirgendwo sonst auf der Welt trifft man so zwanglos mit so vielen Bossen aus der ganzen Welt zusammen wie Ende Januar in dem eingeschneiten, an den Bausünden vergangener Jahrzehnte leidenden Betonbunkerdorf am Fuße der Parsenn. Wer es darauf anlegt, kann hier von VW-Chef Ferdinand Piëch im allradgetriebenen Audi zum Kongreßzentrum chauffiert werden, mit Microsoft-Chef und Multimilliardär Bill Gates übers Internet fachsimpeln und sich von Siemens-Vorsteher Heinrich von Pierer die Kartoffeln zum Raclette herüberreichen lassen.

Die Promis kommen, auf Einladung des in Genf residierenden Unternehmensberaters Klaus Schwab, zum jährlich stattfindenden World Economic Forum (WEF) wahrscheinlich aus dem gleichen Grund wie viele Nobodys: um Beziehungen zu knüpfen. Zwanglos lassen sich hier, unter dem vorgeblichen Interesse an Diskussionen und Vortragsveranstaltungen (»Globale Politik für eine globale Wirtschaft« oder ähnlichen Themen), Fusionen anbahnen oder Übernahmen vorbereiten, Allianzen schmieden und Joint Ventures gründen. Und nebenbei findet sich vielleicht auch noch Gelegenheit, den einen oder anderen Aspiranten für einen Topjob im Konzern unter die Lupe zu nehmen.

Kontakte knüpfen in St. Gallen

Daß die Rudelführer der Wirtschaft zu Unrecht als Einzelgänger verschrien sind, beweist ihre eifrige Teilnahme an derlei geselligen Veranstaltungen. Sie treffen sich nämlich nicht nur in Davos, sondern rund ums Jahr bei den verschiedensten Anlässen. Wer einer Einladung für würdig befunden wurde, reist im Juni zur Bilderberg-Konferenz – 1999 fand sie in Portugal statt –, wo etwa 120 führende Politiker, Militärs und Manager über die Zeitläufe diskutieren, und kurz darauf, Anfang Juli, treffen sich die Großen aus der Computerbranche und der Medienwelt im amerikanischen Wintersportort Sun Valley (Idaho) auf Einladung von »Herb« Allen, Chef der New Yorker Investmentbank Allen & Company, zum jährlichen Gedankenaustausch. Wer den Termin versäumte, kann seinen Freunden aus dem Big Business im September im nicht weniger bekannten Ski-Dorado Aspen (Colorado) begegnen – wenn der Milliardär Teddy Forstmann, dem unter anderem die Firma Gulfstream, Hersteller hochwertiger Manager-Jets, gehört, zu einem erholsamen Wochenende mit Profi-Golfer Jack Nicklaus oder Mount-Everest-Bezwinger Jon Krakauer einlädt.
Europas Manager freilich haben, wenn sie nicht gerade ei-

nem transatlantischen Konzern vorstehen, wenig Chancen, in die inneren Machtzirkel der US-Bosse einzudringen. Doch längst haben sie deren Sitten übernommen, und so finden auch sie sich regelmäßig unter irgendwelchen Vorwänden zum Beschnuppern ein. Ende Mai zum Beispiel ist St. Gallen angesagt, wo sich zum »Internationalen Symposium« 700 Führungskräfte aus der Schweiz, Österreich und Deutschland treffen, um für eine Teilnahmegebühr von 3500 Schweizer Franken Tuchfühlung mit prominenten Bossen und Politikern aufzunehmen. Veranstalter des traditionsreichen Betriebswirte-Treffens sind die Studenten der Wirtschaftshochschule St. Gallen, die als Kaderschmiede für den Management-Nachwuchs einen guten Ruf genießt, und wer ins 25köpfige Organisationskomitee aufgenommen wird, hat schon mal gute Karten für die spätere Karriere.

Österreichisches Gegenstück zum schweizerischen Promitreff ist das Europäische Forum Alpbach, das freilich mehr Kulturschaffende als Manager anlockt. Dennoch gelten die zwei Vortragswochen Ende August, Anfang September in dem malerisch gelegenen Tiroler Bergdorf als ebenso preiswerte (etwa 2000 Mark Kursgebühren) wie effiziente Kontaktbörse für angehende Meinungsmacher. Wo immer bedeutungsschwanger über die Zukunft der Weltwirtschaft schwadroniert, die Förderung der Eliten sorgenvoll diskutiert oder die großen Konflikte der Menschheit rhetorisch gekonnt aufgearbeitet werden, wieseln Dutzende hoffnungsvoller Nachwuchsmanager übers Parkett, stets bereit, einem der Leitwölfe ihrer Zunft das in Stahl gestochene Visitenkärtchen zu überreichen. Und nicht selten stoßen jene Schlaumeier, die den Anschluß an eine karrierefördernde Seilschaft suchen, auf allerlei obskure Berater und Gurus, die es nur darauf abgesehen haben, den Ehrgeiz des Führungsnachwuchses in klingende Münze zu verwandeln.

Die Tücken eines Auslands-Jobs

So wie früher religiöse Sekten die Lebensangst der Menschen für ihre Zwecke nutzten, hat sich heute eine ganze Industrie darauf spezialisiert, aus dem Erfolgshunger namenloser Möchtegern-Manager ein Geschäft mit Milliardenumsätzen zu machen. Zur Branche der Erfolgsversprecher zählen Buchverlage und Seminarveranstalter ebenso wie freischaffende Dampfplauderer vom Schlag eines Jürgen Höller (»Sprenge deine Grenzen!«) oder Erich J. Lejeune (»Du schaffst, was du willst!«), die nicht viel mehr zu bieten haben als wohlfeile Sprüche und gesalzene Preise. Auch Organisationen wie die berüchtigte Scientology Church mischen mit, obwohl deren Image inzwischen so angeschlagen ist, daß der Hinweis auf eine vermutete Mitgliedschaft bei dieser Sekte zu den wirksamsten Waffen im Intrigenspiel der Manager zählt.
Nichts aber befördert eine Managerkarriere heutzutage schneller als die Eintragungen unter dem Stichwort »Auslandserfahrung« im Personalbogen. Die vielen Fusionen und Übernahmen der letzten Jahre ließen, ebenso wie die zunehmende Amerikanisierung des Geschäftslebens, den Ruf nach dem international erfahrenen, in mehreren Län-

dern beheimateten »Global Player« lauter denn je erschallen. Rund 40000 Deutsche waren Ende 1998 für heimische Firmen und Organisationen befristet im Ausland tätig, und es werden täglich mehr. Ohne Auslandserfahrung, so behaupten die führenden Personalberater, schaffe kaum ein Aspirant mehr den Sprung in den Vorstand eines großen Unternehmens. Doch die Zeit, die solch eine hoffnungsvolle Nachwuchskraft jenseits der Landesgrenzen verbringt, hat ihre Tücken.

Mindestens zwei Klippen muß jeder »expatriate« fürchten: Erstens, daß er in der fremden Umgebung scheitert und mit dem Stempel des Versagers nach Hause geschickt wird, und zweitens, daß ihm während seiner Abwesenheit die zu Hause gebliebenen Rivalen die besten Jobs wegschnappen. Zum Verhängnis wurde bereits vielen der ins Ausland entsandten Manager ihre typisch deutsche Arroganz. Michael Wiese, bei der Carl-Duisberg-Gesellschaft für die Managerausbildung in der Fremde zuständig, warnt: »Der Typ, der in der Fremde ankommt und sagt, wir zeigen euch jetzt mal, wo es langgeht, ist insbesondere in asiatischen Ländern nicht gefragt.«

Daß deutsche Manager noch weniger als ihre Kollegen etwa aus der Schweiz, Großbritannien oder den USA bereit sind, sich auf fremde Kulturen einzustellen, bestätigte eine 1998 veröffentlichte Studie der Ruhr-Universität Bochum. Das Problem ist mittlerweile zwar erkannt, aber noch immer sind die ins Ausland entsandten Führungskräfte zu wenig auf ihre Aufgaben vorbereitet. Martin Posth, für den VW-Konzern jahrelang in Shanghai tätig, schrieb seinen Standesgenossen ins Stammbuch: »Wer im Geschäftsleben weltweit mitspielen will, muß zuerst die fremden Spielregeln lernen.« Ins gleiche Horn stößt der Münchner Unternehmensberater Roland Berger, wenn er feststellt, daß die Manager der zweitgrößten Exportnation der Erde im Ausland weniger gefragt sind als die Waren »Made in Germany«.

Nur wenige unserer heimischen Bosse schaffen es denn auch, in der Fremde so erfolgreich zu wirken wie etwa der Münchner Alfred Langhammer, der von New York aus den weltweit tätigen Kosmetikkonzern Estée Lauder regiert, oder der aus Lindau stammende Jugend-forscht-Preisträger Andreas von Bechtholsheim, Mitbegründer des im kalifornischen Silicon Valley beheimateten Computerkonzerns Sun Micro Systems. Spektakulär gescheitert ist zuletzt der Schwabe Eckhard Pfeiffer an der Spitze des PC-Herstellers Compaq, der lange Zeit als erfolgreichster Deutscher im amerikanischen Big Business galt.

Kulturschock in den USA

Jeder dritte ins Ausland entsandte Manager kehrt erfolglos zurück, schätzt das Institut für interkulturelles Management in Königswinter bei Bonn. Sie scheitern, weil sie schlecht auf ihre Aufgabe vorbereitet waren, mit den Mitarbeitern wie den fremden Sitten und Gebräuchen nicht klarkamen, weil ihre Familien zerbrachen und sie ihren Frust mit Alkohol und Tabletten betäubten.

Das Debakel beginnt für gewöhnlich bereits in den Konzernzentralen. Denn obwohl nahezu alle deutschen Großunternehmen von ihrem Management-Nachwuchs Internationalität verlangen, fördern sie deren Auslandseinsätze, wenn überhaupt, ziemlich lustlos. Als das *Manager Magazin* 1998 fünfzig Konzerne nach ihren Auslandsprogrammen für Führungskräfte befragte, konnte nur ein Bruchteil davon überhaupt entsprechende Angebote vorweisen. Befremdet konstatierte die Redaktion: »Langjährige Auslandseinsätze, die den Namen verdienen, bleiben jedoch selbst bei den Multis für Jungmanager die Ausnahme.« Firmen wie Audi, BASF, BMW und Siemens bieten ihren Nachwuchskräften immerhin noch ein- bis zweijährige Trainee-Programme im Ausland an, bei denen die Kandidaten wenigstens ein längerfristiges Projekt zu betreuen haben, während sich die meisten anderen Großunternehmen auf Trockenkurse beschränken, die allenfalls von ein paar Kurztrips zum Besuch einer ausländischen Tochtergesellschaft unterbrochen werden.

Steht dann wirklich mal ein realer Einsatz zur Debatte, kommt es für die verwöhnten Zöglinge ganz entscheidend darauf an, wohin die Reise gehen soll. »Alle wollen in die USA und nach Südamerika«, wunderte sich beispielsweise der Personaldirektor des Stuttgarter Bosch-Konzerns, der, wie seine Kollegen in anderen Konzernen auch, größte Mühe hat, Kandidaten für Einsätze in Afrika, Asien oder den ehemaligen Ostblock-Staaten aufzutreiben.

Wenn sie dann doch ins gelobte Land des Managements kommen, befällt die verwöhnten Nachwuchsmanager aus Old Germany häufig ein kleiner Kulturschock. Plötzlich sind sie nicht mehr der allseits bewunderte »Herr Dr.«, sondern ein unbedeutender »Bill«, »Ted« oder »Jack« aus irgendeiner unbekannten Gegend im alten Europa. Statt in einem edel ausstaffierten Büro mit Designermöbeln und sorgfältig ausgesuchten Graphiken an der Wand finden sie sich in einem kahlen Verschlag mit schmucklosen Stellwänden und offener Tür wieder, durch die jederzeit irgendein schlacksiger Mitarbeiter hereinspazieren kann, um ein Problem zu besprechen, von dem sie keine Ahnung haben. Gearbeitet wird wesentlich härter und länger als zu Hause, und die Mahlzeiten serviert nicht ein Kellner, wie im Vorstandskasino der Konzernmutter, sondern man würgt sich zwischen Tür und Angel ein paar Hot Dogs oder einen Hamburger rein.

Job weg, Name vergessen

Wie verschieden die Auffassungen vom Managerleben diesseits und jenseits des Atlantiks sind, erfuhren die frustrierten Daimler-Manager bei einem Führungskräftetreffen mit den amerikanischen Chrysler-Kollegen im spanischen Sevilla. Als da ein Schwabe seiner amerikanischen Kollegin beiläufig anvertraute, daß er Freitag nachmittags seine Mitarbeiter gerne zu einem Gläschen Prosecco einlade, erntete er wenig Verständnis. Kühl beschied im Kathy Oswald, die Arbeitsdirektorin des Chrysler-Konzerns, daß derartige Gelage in Auburn Hills mit einer fristlosen Kündigung geahndet würden.
Fällt es den ins Ausland entsandten Führungskräften deutscher Unternehmen schwer genug, sich an die fremden Gebräuche zu gewöhnen, so beginnt ihr eigentliches Aben-

teuer erst nach der Rückkehr: der alte Job ist weg, der Karriere-Paternoster voll besetzt und der Name des hoffnungsvollen Heimkehrers längst vergessen. Die cleveren unter den Konzernkarrieristen pflegen Auslandsaufenthalte ihrer Jahrgangsrivalen nämlich konsequent zur Beförderung ihrer eigenen Ambitionen zu nutzen, und für gewöhnlich haben sie auch Erfolg damit. Wer sich freiwillig vom Kriegsschauplatz entfernt, wenn um die lukrativsten Posten gestritten wird, bleibt für gewöhnlich zweiter Sieger. Die Personalchefs empfehlen deshalb zwar jedem talentierten Nachwuchsmanager den Aufbruch in die Fremde, doch sie hüten sich, ihm eine Rückfahrkarte mit garantierter Beförderung auf die Reise mitzugeben.

Vielleicht ist dies der Grund, warum die deutschen Führungskader einen so bodenständigen, mitunter gar provinziellen Eindruck machen. Das fängt bei den mangelnden Sprachkenntnissen an und hört bei der Ignoranz gegenüber fremden Kulturen längst nicht auf. »Es ist für einen deutschen Manager heute ein Tabu, nicht fließend Englisch zu können«, glaubt beispielsweise Bernhard Reisch, geschäftsführender Gesellschafter des Instituts für interkulturelles Management, »also können alle Englisch.« Tatsächlich aber haben in internationalen Konzernen wie ABB oder DaimlerChrysler gerade die deutschen Manager nach wie vor die größten Sprachprobleme. »Wenn man erlebt, wie manche Manager bei Verhandlungen um Millionenprojekte nur die Hälfte verstehen«, beobachtete Reisch, »dann graust es einen.«

Noch weniger als die Business-Weltsprache Englisch sind

Französisch-, Italienisch- oder Spanischkenntnisse in den deutschen Konzernzentralen verbreitet, denn selbst in den internationalsten Unternehmen bleiben Deutschlands Vorstände und Aufsichtsräte am liebsten unter sich. In nur 7 Prozent der Aufsichtsräte deutscher Aktiengesellschaften sitzen Ausländer, ermittelte die Personalberatung Korn/Ferry International in einer Ende 1998 veröffentlichten Studie über europäische Unternehmen. Schweizer, Österreicher, Holländer und sogar Franzosen sind demnach wesentlich aufgeschlossener, denn dort beträgt der Ausländeranteil in den Aufsichtsgremien bis zu 45 Prozent.

Titel, Orden, Ehrenzeichen

Selbst bei einem so multikulturellen Unternehmen wie dem Medienkonzern Bertelsmann, der zwei Drittel seines 24-Milliarden-Mark-Umsatzes jenseits der Landesgrenzen erwirtschaftet, stört kein Ausländer die Eintracht der zwölf deutschen Aufsichtsräte. Auch in den Vorständen unserer Konzerne haben Ausländer, trotz Fusionswelle und europäischer Integration, noch immer Seltenheitswert. Im Vereinigten Europa arbeiten, einer Studie der London Business School zufolge, vier Fünftel aller Manager in dem Land, in dem sie geboren wurden, ausgenommen die Benelux-Staaten Belgien und Niederlande, in denen aus steuerlichen Gründen besonders viele ausländische Holding-Firmen ihren Sitz haben. Während etwa die Schweizer nichts dabei finden, wenn erst ein Deutscher, dann ein Österreicher den Nahrungsmittel-Multi Nestlé und ein Schwede den Elektrokonzern ABB regieren, lassen die Deutschen nur höchst selten Fremde ans Ruder großer Konzerne. So gelten Giuseppe Vita, der italienische Chef des Berliner Pharmaproduzenten Schering, und der Franzose Robert Louis-Dreyfus, Sanierer des Sportartikelherstellers Adidas, zusammen mit dem Schweizer Josef Ackermann im Vorstand der Deutschen Bank als Raritäten im ansonsten reinrassig deutschen Topmanagement. Erst unterhalb der Vorstandsebene geht es in Konzernen wie VW, Hoechst oder BASF etwas internationaler zu; beim Wolfsburger Autobauer zum Beispiel stammt etwa die Hälfte der rund 300 Topleute aus fremden Ländern.

Also bestätigt sich auch hier, daß die Manager anders reden, als sie handeln. Während sie nach außen hin keine Gelegenheit auslassen, ihre Weltläufigkeit unter Beweis zu stellen, bleiben sie am liebsten unter sich. Während sie von ihren Untergebenen Bescheidenheit und Integrität verlangen, befriedigen sie, meist auf Kosten der Firma, ihre Eitelkeit und ihr Geltungsbedürfnis. »In dem Bemühen um Geltung und Anerkennung erliegt der Manager nur allzu leicht der Versuchung, sich und seine Erfolge überhöht darzustellen und in der Folge sich auch selbst zu überschätzen«, erkannte Reinhard Mohn, langjähriger Chef des Medienkonzerns Bertelsmann, und bedauerte: »Es ist erstaunlich, wie viele auf Erfolg ausgerichtete Karrieren an dieser menschlichen Klippe scheitern.« Wohl wahr. Der wahrscheinlich erfolgreichste deutsche Unternehmer der Nachkriegszeit selbst mied, solange es ging, den Jahrmarkt der Eitelkeiten, er lehnte lange Zeit persönliche Ehrungen ab und ließ sich erst 1994 das große Verdienstkreuz der Bundesrepublik umhängen. Die vielen Schmalspur-Manager hingegen, die die Chefetagen der Konzerne bevölkern, drängeln sich überall da vor, wo Orden, Ehrenzeichen oder schöne Titel vergeben werden. Im Freistaat des Edmund Stoiber zum Beispiel findet sich kaum noch ein Manager, Schauspieler oder Chefredakteur, der nicht wenigstens den Bayerischen Verdienstorden vorweisen kann, während es Stars der Führungskräftebranche schon mal zum Bundesverdienstkreuz am Bande bringen wie McKinsey-Chef Herbert Henzler oder gar das Große Verdienstkreuz tragen dürfen wie Bertelsmanns – angestellter – Oberaufseher Mark Wössner.

Managen ist »Spitzentanz in Scheiße«

Das Bedürfnis der Macher, aus der Masse herauszuragen und von ihren Mitmenschen verehrt zu werden, verhindert ebenso wie ihre internen Ränkespiele in vielen Betrieben den effizienten Einsatz von Kapital und Arbeit. Ihre Persönlichkeitsstruktur, die sie befähigt hat, im Hahnenkampf der Karrieristen zu siegen, stört das tägliche Miteinander von Management und Mannschaft. Denn einen erheblichen Teil ihrer Arbeitszeit vergeuden die Firmenlenker mit »kindlichen Machtspielen und unwürdigen Revierkämpfen«, beobachtete das *Manager Magazin*. Selbstverständlich wird dies kein Topmanager zugeben, jedenfalls nicht, solange er in Amt und Würden ist, doch viele der ausgeschiedenen Mitglieder von Vorständen und Aufsichtsräten bestätigen den traurigen Befund. Etwa 80 Prozent seiner

Zeit, so schätzt der ehemalige Vertriebs- und Marketingvorstand der Lufthansa, Adrian von Dörnberg, widme ein Topmanager Aufgaben, die nichts mit dem operativen Geschäft seiner Firma zu tun haben. Befragt, was darunter zu verstehen sei, antwortete der Ex-Manager: »Angriff und Verteidigung, Taktieren, Tricksen, Hausmacht sichern, falsche Fährten legen und Verbündete suchen für all die Projekte, die einem wirklich wichtig sind.«

Johannes Baumhardt, ehemaliger Chef-Controller der Marke VW im Wolfsburger Konzern, hält die Arbeit seiner Zunftkollegen gar für »Spitzentanz in Scheiße« und bekennt: »Dieses Gerede von den Teams an der Spitze, die gemeinsam um die beste Lösung ringen, ist eine einzige Farce. Offen geredet wird schon mal gar nicht: Das sind alles freundliche Menschen, die sich unter dem Tisch vors Schienbein treten.« Und der Münchner Headhunter Dieter Rickert, der schon Hunderte von Vorstandsposten besetzte, hält einen Großteil der Manager für »Window Dresser«, weil sie viel Geld und Energie darauf verwenden, großartig zu erscheinen.

In den Chefbüros der großen Unternehmen, die Außenstehenden als geheimnisumwitterte Machtzentralen vorkommen, geht es also in Wahrheit um recht banale Dinge. Die Manager, die sich nach außen mit Titeln und Orden schmücken, in feudalen Dienstwagen oder firmeneigenen Jets umherreisen, sind vor allem damit beschäftigt, Verdienste anderer sich selbst zuzuschreiben, und Konkurrenten herabzusetzen, Fehlschläge als Erfolge zu verkaufen und für wirkliche Erfolge die alleinige Urheberschaft zu

reklamieren. Einen eindrucksvollen Beweis für die Art, wie im deutschen Topmanagement gedacht wird, lieferte Edzard Reuter, der ehemalige Vorstandsvorsitzende des Daimler-Benz-Konzerns, mit seiner 1998 erschienenen Rechtfertigungsschrift *Schein und Wirklichkeit*. Das 478 Seiten starke Werk kennt nur einen Helden, nämlich den Autor, aber viele Schurken und Versager, darunter Reuters Vorgänger und Kollegen.
Sicher wäre es falsch zu behaupten, an der Spitze großer Unternehmen gäbe es nur Schaumschläger und Selbstdarsteller. Doch die Mechanismen, die über Aufstieg oder Untergang im Management entscheiden, begünstigen offenbar den Typus des opportunistischen Selbstvermarkters, dem es mehr um die Stilisierung seiner Person als um die Lösung unternehmerischer Probleme geht.

Wer führt, muß nicht managen

Der erfolgreiche Topmanager läßt die guten Ideen von anderen entwickeln und greift erst in dem Moment ins Geschehen ein, da sich eine Mehrheit für ein bestimmtes Projekt abzeichnet. Entschlossen und mit großem Aufwand gibt er nun die Richtung vor, auf die sich zuvor schon seine Kollegen geeinigt hatten. Wird die Sache ein Erfolg, nun, dann ist es der Erfolg des Vorsitzenden; wird sie ein Flop, dann haben sich eben alle geirrt und man vergißt sie am besten so schnell wie möglich. Diese Taktik beschert den Meistern an der Spitze für gewöhnlich eine astreine Biographie, denn eigentlich sind sie nie gescheitert und haben keinen Fehler begangen. Und das ist für sie denn auch das

wesentliche Merkmal, nachdem sie ihre Nachfolger aussuchen.
Richtige Unternehmer denken da ein bißchen anders. Jürgen Heraeus etwa, Inhaber und Leiter eines milliardenschweren Familienunternehmens, hält es mehr mit der amerikanischen Sitte, jedem eine zweite Chance zu geben: »Ich stelle nur Leute ein, die einmal ganz tief gefallen sind. Das gehört für mich zum Erfolg – um keine Angst mehr zu haben.« Der erfolgreiche Chef der Heraeus-Holding GmbH duldet in seinem Unternehmen auch keine in ihre Statussymbole verliebten Selbstdarsteller: »Neulich erst hat mir ein Bewerber stolz erzählt, daß er die Lufthansa-Vielfliegerkarte besitze und auch behalten möchte. Den habe ich gleich nach Hause geschickt. Der zweite kam, das sah ich zufällig, mit Chauffeur, der brauchte gar nicht erst reinzukommen. Diese Insignien der Macht gibt es bei uns nicht. Und wer dafür kämpft, den wollen wir nicht haben«, gab er zu Protokoll.
Ähnliche Töne kommen neuerdings aus dem gelobten Land des Managements über den Atlantik herüber. Jack Welch, Idol der Firmenlenker in aller Welt, hat dem klassischen Management den Kampf angesagt: »Manager stiften nur Verwirrung«, behauptet der Obermanager von General Electric und fordert statt der »Bürokraten, Kontrolleure und Aufpasser« für seinen Konzern »Führungspersönlichkeiten, die inspirieren«. Von ihm stammt denn auch der Spruch: »Wer führt, muß nicht managen.«
So richtig und notwendig die Demontage der Konzernbürokraten gewesen sein mag, so gefährlich ist indes die Glo-

rifizierung der neuen »Führer«-Typen. Auch wenn Jack Welch sicher keinen Diktator der Marke Hitler oder Stalin im Sinn hat, wenn er für eine seiner Konzerngesellschaften einen »Leader« sucht, so ertönt aus vielen Unternehmen in der letzten Zeit verdächtig oft der Ruf nach einem »starken Mann«.

Böse Bosse haben Konjunktur

Die jungen Führungskräfte, die den Namen Rudi Dutschke allenfalls aus dem Geschichtsunterricht kennen, haben wenig übrig für das »Konsensgesülze« ihrer Väter aus der 68er-Generation. Sie wollen, zumindest am Anfang ihrer Karrieren, schnell viel bewegen, und die langen Meetings, in denen sich ältere Kollegen mit Hingabe zu profilieren pflegen, sind ihnen ein Greuel. Sie wollen keine mühsam erkämpften Kompromisse, sondern schnelle Aktionen. Und ihre Vorbilder sind nicht behutsame Erneuerer, sondern brutale Reformer.

Wer sich zum Beispiel auf der Hannover-Messe des Jahres 1999 umhörte, vernahm nicht selten ziemlich martialische Töne aus dem Kreis der versammelten Führungskräfte. Er sei es leid, auf alle und alles Rücksicht zu nehmen, tönte ein Vorstand aus einem großen Baukonzern und schwor: »Künftig weht ein anderer Wind.« Ins gleiche Horn blies der in Bonn erscheinende Informationsdienst *Trend-Letter*, der den Unmut vieler Führungskräfte so formulierte: »Wer allzu lieb zu allzu vielen sein will, entwickelt sich schnell zum Bedenkenträger.« Noch eins drauf setzte der Essener Kommunikationsprofessor Norbert

Bolz, der den Managern allen Ernstes riet: »Seien Sie böse, oder Sie sind bald kein Boß mehr.«

Böse also soll er sein und bloß nicht zimperlich, der Firmenführer von morgen. Irgend etwas müssen die Nachplapperer amerikanischer Managementtrends da wohl falsch verstanden haben. Denn sowohl der Harvard-Professor John P. Kotter, der als erster die Ablösung des klassischen Managers durch den »Leader« forderte, als auch Jack Welch hatten anderes im Sinn als die Wiedereinführung von Chefs mit diktatorischen Befugnissen. Im Gegenteil: Die »Leader« bei General Electric müssen überzeugen und können nicht einfach befehlen. Ihre Aufgabe ist es, dafür zu sorgen, daß die ihnen unterstellten Mitarbeiter alle Kräfte einsetzen, um die von der Konzernleitung vorgegebenen Unternehmensziele zu erreichen.

Mehr denn je kommt es darauf an, daß jeder einzelne Mitarbeiter die Fähigkeit und Kompetenz hat, schnell auf eigene Verantwortung zu handeln, und dies setzt eine Firmenkultur des Vertrauens voraus, in der sich die Leute wohl und angespornt fühlen, ihr Bestes zu geben. Die Chefs haben vor allem dafür zu sorgen, daß die Ziele stimmen, daß der freien Entfaltung ihrer Mitarbeiter nichts im Wege steht.

Vorbilder und Partner ihrer Mitarbeiter sind sie nur, wenn sie sich als Menschen mit ihren Stärken und Schwächen zu erkennen geben. Diese Erkenntnis mag banal erscheinen, doch noch immer sitzen in den Betrieben zu viele »Männer ohne Eigenschaften«, die in ihren Mitarbeitern lediglich ein disponibles Umlaufvermögen sehen und deren einziger

Wertmaßstab die Frage ist, ob eine Maßnahme ihrer Karriere schadet oder nützt.

Guter Mensch – schlechter Chef?

Viel ist schon geschrieben worden über die Moral beziehungsweise Unmoral der Manager, und weder die Ethikseminare des Jesuitenpaters Rupert Lay noch die vielen moralinhaltigen Zeitschriftenartikel vermochten die kriminellen Karrieristen zu bremsen. Mit wohlfeilen Verhaltensregeln ist den Raffkes in den Chefetagen kaum beizukommen, wie das geringe Interesse, das das Thema »Wirtschaftsethik« in Deutschlands Betrieben findet, aufs schönste beweist. Seit 1993 gibt es beispielsweise das »Deutsche Netzwerk Wirtschaftsethik« mit immerhin rund 300 Mitgliedern. Doch statt der Manager bekundeten vor allem Hochschulprofessoren, Würdenträger der Kirche und Verbandsfunktionäre Interesse – im Mitgliederverzeichnis finden sich ganze 20 Firmen.

Einer verqueren Logik zufolge ist ein guter Mensch beinahe zwangsläufig ein schlechter Manager, und, umgekehrt, ein tüchtiger Chef selten ein guter Mensch. Gemeint ist damit freilich nur die Tatsache, daß Leute, die Verantwortung für einen Betrieb zu tragen haben, mitunter Entscheidungen treffen müssen, die zu Lasten einzelner Mitarbeiter, Kunden oder Geschäftspartner gehen. Doch bisher haben Manager, die solche Entscheidungen gegenüber den Betroffenen offen vertreten und fair umgesetzt haben, noch immer den Respekt ihrer Restbelegschaft erhalten. Abgelehnt werden sie hingegen, wenn sie zu feige sind, ihren

Kandidaten-Grill

Welche Konzernchefs beim Führungsnachwuchs einen guten Ruf haben – und welche nicht

TOPS		*FLOPS*	
Jürgen E. Schrempp	DaimlerChrysler	Karl Josef Neukirchen	Metallgesellschaft
Jürgen Strube	BASF	Johannes Ludewig	Deutsche Bahn
Joachim Milberg	BMW	Klaus G. Lederer	Deutsche Babcock
Jürgen Weber	Lufthansa	Klaus Zumwinkel	Deutsche Post
Thomas Middelhoff	Bertelsmann	Ignaz Walter	Walter Holding

Standpunkt zu vertreten, oder wenn sie ihre Macht dazu mißbrauchen, Mitarbeiter zu schikanieren.

Da die Wirtschaft nicht einem Dogma gehorcht, sondern dem freien Spiel der Kräfte, werden die Manager ihr Verhalten nicht freiwillig, sondern nur unter Druck verändern. Das alles hat nichts mit Moral, sondern mit Zweckmäßigkeit zu tun, und eine solche pragmatische Einstellung würde den Managern helfen, auch das Klima in ihren Betrieben zu verbessern.

»In einer verrotteten Gesellschaft kann man zwar Geschäfte machen«, mahnt der St. Gallener Wirtschaftsprofessor Fredmund Malik, »aber man kann darin kein Unternehmen betreiben.« Voraussetzung für ein pragmatisches Verhalten aber sind einigermaßen intakte Persönlichkeitsstrukturen, und daran mangelt es in den Führungskadern der Unternehmen ganz erheblich.

10. Kapitel

Süchtig, geschieden, ausgebrannt

Daß Deutschlands Führungskräfte nicht jene unverwüstlichen Strahlemänner sind, als die sie sich gerne geben, ist bereits hinlänglich dokumentiert worden. Die leidenden Angestellten versuchen ihren Frust im Alkohol zu ertränken oder ihn mit Tabletten, Tranquilizern oder Amphetaminen hinunterzuspülen. Andere legen sich zu Bett, weil sie am berüchtigten Burn-out-Syndrom leiden, sich also ausgebrannt fühlen und ihrer Probleme nicht mehr Herr werden. Der »Manager-Krankheit«, die bei so manchem chronisch gestreßten Leistungsträger schon zum Herzstillstand geführt hat, versuchen sie durch Umstellung der Ernährung wie durch den Gang ins Fitneß-Studio zu entkommen.

Steht es also schon um die Physis unserer Führungskräfte nicht zum besten, so gibt der Zustand ihrer Psyche noch mehr Anlaß zur Besorgnis. Seit die Angst vor Entlassung oder »Herabstufung« auf den Chefetagen grassiert, brauchen sich Psychologen und Psychotherapeuten über mangelnden Zulauf zahlungskräftiger Kundschaft nicht zu beklagen. Versuchten die aktiven unter den von der Restrukturierungswelle gebeutelten Mittelmanagern ihrem Schicksal zu entkommen, indem sie auf eine höhere Drehzahl schalteten, so flüchteten die anderen auf die Couch des Therapeuten. *Die Neurosen der Chefs* waren den beiden Berliner Psychologen Jürgen Hesse und Hans-Christian Schrader ein 240 Seiten starkes Büchlein wert, und die einschlägigen Wirtschaftsmagazine verabreichten ihren Lesern Heft für Heft gute Ratschläge für einen ausgeglichenen Seelenhaushalt. Empfohlen wurde die stille Einkehr im Kloster statt des Abenteuerurlaubs mit Bungee-Springen und River Rafting, Askese statt Völlerei und Meditation statt Miles and More. Doch es half alles nichts, wie uns allerlei Studien schwarz auf weiß beweisen. So ließ die Kienbaum-Unternehmensberatung in Gummersbach 437 Topmanager nach ihren Befindlichkeiten befragen und ortete rund 60 Prozent als »leichte bis mittelschwere Neurotiker«.

Unter den Gestörten in den Chefetagen litten besonders die nachrangigen Führungskräfte so sehr, daß jeder Fünfte von Depressionen, Herz-/Kreislaufproblemen oder Beschwerden am Magen-Darm-Trakt heimgesucht wurde. Dies jedenfalls ermittelte das Karlsruher Institut für Arbeits- und Sozialhygiene nach einer Befragung von 2800 leitenden Angestellten. Und mancher, der nicht mehr ein noch aus wußte, setzte einen gewaltsamen Schlußpunkt unter sein Managerleben.

In Hannover erhängte sich »auf dem Gipfel seiner Managerkarriere« (so der *Spiegel*) Jürgen Wolfslast, der Hauptgeschäftsführer der niedersächsischen Unternehmerverbände, in seiner Garage, weil er, vermutet seine Witwe, den ewigen Erfolgsdruck nicht mehr ertragen mochte. In Wien setzte der Spitzenbanker Gerhard Praschak in der Nacht zum 27. April 1997 seinem Leben mit einem Smith & Wesson-Revolver ein Ende und hinterließ einen fünfseitigen Abschiedsbrief, in dem er seinen Freitod mit der beruflichen Versetzung auf einen unbedeutenden Posten begründete. In der Schweiz weigerte sich der Personalchef der Bundesbahn, die vom Vorstand beschlossene Entlassung Tausender Mitarbeiter durchzusetzen. Nach wochenlanger Krankheit beging er, um der drohenden Absetzung zuvorkommen, Selbstmord.

Den spektakulärsten Freitod eines Managers aber inszenierte Gerhard Liener, langjähriger Finanzchef des Daimler-Benz-Konzerns, der in einem vom *Manager Magazin* veröffentlichten Dossier mit seinem Vorstandsvorsitzenden Edzard Reuter abgerechnet hatte, ehe er sich in seinem oberbayerischen Ferienhaus neben dem Swimmingpool erhängte. Einzelfälle, gewiß, doch sie sind Belege für die seelische Zwangslage, in der sich viele Topmanager befinden.

Auch Karriere macht süchtig

Der Strukturwandel, der inzwischen nahezu alle Unternehmen erfaßt hat, verschärft das Problem noch. Weil sie glauben, dem gnadenlosen Konkurrenzkampf, der mittlerweile unter den Führungskräften herrscht, nur dann gewachsen zu sein, wenn sie keinerlei Schwächen zeigen, verdrängen viele Manager ihre Probleme so gut es geht, anstatt sie offensiv zu bewältigen. Dies jedenfalls hat der Kölner Unternehmensberater und Psychotherapeut Harald Butzko beobachtet, der Anfang der neunziger Jahre »gräntid« gründete, einen psychologischen Beratungsdienst für Führungskräfte. Den eigenwilligen Firmennamen leitete er aus dem englischen Satz ab »take it for granted«, das heißt: betrachte es als selbstverständlich.

Doch so ganz selbstverständlich war der Gang zum Psychiater für genervte Führungskräfte schon damals nicht. Um seiner Klientel den Zugang zu erleichtern, richtete Butzko die erste Telefonseelsorge für Führungskräfte ein, und anfangs machten diese auch regen Gebrauch davon. Bis zu 25 Anrufe pro Tag registrierte der gräntid-Gründer, die meisten wollten von ihrer Alkohol- oder Tablettensucht befreit werden. Schon damals aber legten die Klienten größten Wert auf ihre Anonymität. Butzko: »Man glaubt gar nicht, wie viele Manager Schiß haben, über ihre seelischen Probleme zu sprechen.«

Etwa ein Viertel aller Führungskräfte, schätzt der Kölner Therapeut, hätte Hilfe vom Psychologen nötig. Doch seit der Druck auf die leitenden Angestellten zugenommen hat, trauen sie sich offenbar kaum mehr, Hilfe in Anspruch zu nehmen. Butzko: »Weil die Nachfrage rapide nachließ, mußten wir gräntid 1997 dichtmachen.«

Hatten es die Psychologen früher vor allem mit ruhelosen Workaholics oder schluckfreudigen Alcoholics zu tun, so beobachtete der Kölner Therapeut in letzter Zeit vor allem unter der jüngeren Managergeneration einen Typ, den er »Successoholic« nennt, einen Menschen, dessen ganzes Selbstwertgefühl vom nächsten Erfolgs- oder Mißerfolgserlebnis abhängt. »Karriere macht süchtig wie Alkohol oder Heroin«, behauptet Harald Butzko, der die meisten der Aufsteiger in ihren feudalen Büros und Dienstkarrossen für arme Teufel hält.

Denen widmet sich in Basel auch der ehemalige Pfarrer Johannes Czwalina, dessen Beratungsstelle für Führungskräfte sich vor allem suizidgefährdeter Manager annimmt. Über 60 Prozent seiner Klienten, schätzt der heutige Unternehmensberater, hegen Selbstmordgedanken. Für sie hält er ein eigenes Zimmer bereit, wo sie rund um die Uhr betreut werden können. Besonders gefährdet sind nach den Beobachtungen des Schweizer Betreuers die extrem pflichtbewußten Manager, jene also, die sich für ihren Arbeitgeber krummlegen und vor Verzweiflung nicht mehr weiter wissen, wenn die Firma ihre Dienste plötzlich nicht mehr benötigt. Czwalina versucht seinen Klienten als erstes beizubringen, daß es ein Leben auch ohne die Firma gibt und daß Leistung nicht alles ist, was zählt.

Karrierepaaren fehlt die Nestwärme

Die labile Gemütsverfassung der Manager hat nach Meinung der Psychologen ihre Ursache nicht nur im Büro, sondern auch im privaten Umfeld. Fanden die Firmenlenker in früheren Zeiten meistens ein warmes Nest vor, wenn sie nach Hause kamen, so sind sie heute nicht selten auf sich selber gestellt. Denn auch die Ehefrauen der Karrieremacher sehen den Sinn ihres Lebens nicht mehr unbedingt darin, das geknickte Ego ihres Angetrauten wieder aufzurichten und ihm die Widrigkeiten des Familienlebens vom Leib zu halten. Meistens sind sie nämlich inzwischen selbst berufstätig, haben eigene Karrierepläne und wetteifern mit ihren Männern gar nicht selten im Rennen um den beruflichen Erfolg.

Vorbei ist es im Haushalt der »dual career couples«, wie die Karrierepaare auf neudeutsch genannt werden, mit dem geruhsamen Auftanken emotionaler Reserven am heimischen Herd. Statt dessen gilt das Leistungsprinzip plötzlich auch im Privatleben. Nun muß sich der Manager auch nach Feierabend zusammennehmen, wenn seine Partnerin »awareness« einfordert, seine »credibility« testet und das Zusammenleben als »win-win-Lösung« in Frage stellt.

»Eines scheitert fast immer, entweder die Ehe oder das Lebenskonzept«, erkannte Michel E. Domsch, Professor an der Bundeswehr-Universität in Hamburg und Geschäftsführer des Instituts für Personalwesen und Arbeitswissenschaft (IPA). In mehreren Studien untersuchte der engagierte Frauenförderer, wie Karrierepaare mit ihrer Lebensform zurecht kommen, und stellte fest: »Das Gros der Paare hat keine Chance, denn die Partner sind einfach zu vielen Belastungen ausgesetzt.«

Das fängt beim Wunsch nach Kindern und Erziehungsfragen an und hört bei der von den Firmen geforderten Mobilität der beiden Partner nicht auf. Nur wenige Personalchefs nehmen nämlich Rücksicht auf die Lebenskonzepte von Führungskräften und auf jene von deren Partnern schon gar nicht. »Viele Stellenbesetzungen«, bedauert etwa die Hamburger Personalberatung Baumgartner & Partner, »scheitern an der nicht vorhandenen Mobilität der Bewerber.« Denn bei Karrierepaaren entscheidet nicht einer, sondern beide Partner gemeinsam, ob Herr oder Frau Manager sich nach Kapstadt oder Buenos Aires versetzen lassen wollen.

Arbeitgeber mögen keine Kinder

Einer amerikanischen Studie zufolge verdienen Männer, deren Frauen ebenfalls Karriere machen wollen, rund 30000 Dollar weniger pro Jahr und erreichen seltener das Topmanagement als ihre Kollegen, die mit einem Heimchen am Herd verheiratet sind.

Obwohl das Problem mittlerweile erkannt ist, sind die deutschen Unternehmen noch nicht so weit, wie etwa die amerikanische Cultex Petroleum Corporation, die ihren Führungskräften mit einer »dual career couple-policy« hilft, Partnerschaftsprobleme zu bewältigen. Die Cultex-Manager erhalten zum Beispiel einen jährlichen Reisekostenzuschuß von 7500 Dollar, um entfernt lebende Ehepartner häufiger besuchen zu können. Außerdem bietet die Firma Unterstützung bei der Jobsuche, der Umschulung oder Ausbildung des Partners oder der Partnerin an und läßt die Paare sogar von Psychologen betreuen.

In Deutschland hingegen sind die Doppelkarrieristen weitgehend auf sich selber gestellt, und viele von ihnen sind mit dem Management ihres komplizierten Privatlebens schlicht überfordert. Auf der Strecke bleiben in solchen Partnerschaften für gewöhnlich die Kinder, die froh sein dürfen, wenn sie Papa und Mama noch gelegentlich zu Gesicht bekommen. »Die Familie«, stellte das amerikanische Wirtschaftsmagazin *Fortune* fest, »ist ein Karrierekiller, denn: Arbeitgeber mögen keine Kinder.«

Noch sind rund 90 Prozent der deutschen Führungskräfte verheiratet, und die meisten von ihnen sogar Alleinverdiener. Rund drei Viertel von ihnen im Alter zwischen 40 und 49 Jahren leben in Haushalten mit mindestens einem Kind, mehr als die Hälfte davon hat sogar zwei. »Doch der Leidensdruck wächst, je größer die Verpflichtung im Job ist«, erkannte die *Wirtschaftswoche* und stellte Deutschlands Manager vor die Alternative: »Geld oder Liebe?« Immer mehr entscheiden sich offenbar fürs Geld, denn nur 1,5 Prozent der deutschen Väter beanspruchten bisher das gesetzlich verbriefte Recht auf einen Erziehungsurlaub. Nach einer Studie der Universität Bamberg sind es vor allem finanzielle Gründe und Angst vor beruflichen Nachteilen, die Väter auf den Erziehungsurlaub verzichten lassen.

Nur wenige materiell unabhängige Topmanager leisten sich heute noch eine Großfamilie wie etwa VW-Chef Ferdinand Piëch, der 13 Kinder zu versorgen hat, oder Tom Sommerlatte von der Unternehmensberatung Arthur D. Little, der sich mit seiner Frau Christine immerhin elf Kinder leistet. Bei ihren Untergebenen freilich sehen die Bosse den reichen Kindersegen mit gemischten Gefühlen, denn er bremst die Mobilität der Führungskräfte und absorbiert zu viel von ihrer Energie. »Die Vereinbarkeit von Privatleben und Beruf bleibt das größte Problem«, gibt Übervater Sommerlatte unumwunden zu. Kein Wunder also, daß es in den Beziehungskisten der Manager kriselt wie in einer maroden Firma.

»Management-Trainer, Familientherapeuten und Soziologen hören zunehmend die gleiche Geschichte«, beobachtete die *Wirtschaftswoche* und warnte ihre Leser: »Er will nach dem Bürostreß gehätschelt werden, Kräfte tanken, sie dagegen nörgelt: ›Jetzt habe ich dir meine besten Jahre geopfert, warum machst du mich nicht glücklich?‹«

Hohe Scheidungsrate unter Topmanagern

Manager-Ehen werden häufiger geschieden als die Lebensgemeinschaften anderer Bevölkerungsgruppen – jede zweite scheitert. Und es wären wahrscheinlich noch mehr, wenn die finanziellen Folgen einer Trennung nicht viele Führungskräfte vom Gang zum Scheidungsrichter abhalten würden. Gerade jene Bosse, die das konventionelle Partnermodell leben – er macht Karriere, sie hütet das Haus –, müssen, sofern sie keinen Ehevertrag mit Gütertrennung vereinbart haben, tief ins Portemonnaie greifen, wenn sie ihre Ehepartnerin loswerden wollen. »Eine Scheidung kann sich kaum noch einer leisten«, klagte bereits Jürgen Borgwardt, Vorsitzender der Union der Leitenden Angestellten (ULA).

Trotz ruinöser wirtschaftlicher Folgen – je höher der Sozialstatus eines Paares ist, desto üppiger fallen die Ansprüche des unterhaltsberechtigten Ex-Partners nach der Trennung aus – nimmt die Scheidungsrate unter Topmanagern permanent zu. VW-Chef Ferdinand Piëch ist schon zum viertenmal verheiratet, und Helmut Thoma, der Gründer und langjährige Chef des Fernsehsenders RTL, hat bereits die dritte Ehe hinter sich.

Typisch für die Lebensentwürfe von Topmanagern sind jedoch eher die Biographien Jürgen E. Schrempps (Daimler-Chrysler) und Wolfgang Reitzles (Ford). Und die sehen, vereinfacht dargestellt, so aus: Der junge Mann heiratet, kaum daß er die Ausbildung abgeschlossen hat, seine Jugendliebe, und die geht mit ihm durch dick und dünn. Während er Karriere macht, kümmert sie sich um den Haushalt und den Nachwuchs, und wenn er mal nicht weiter weiß, hilft sie ihm auf die Sprünge. Der junge Mann steigt auf, wird bewundert und gefürchtet, doch zu Hause hat er nicht viel zu melden. Die Ehefrau holt ihn von seinem Sockel herunter und sorgt dafür, daß er Bodenhaftung behält.

Er lernt unterdes interessante Leute kennen und ist stolz auf seine Bedeutung. Die Aufgaben werden größer, die Stunden, die er zu Hause verbringt, knapper. Er wird älter, registriert die Zeichen des Verfalls und zieht Bilanz: Beruflich hat er fast alles erreicht, sein Privatleben aber blieb auf der Strecke. Da bemerkt er eines Tages eine junge, attraktive Frau, die ihn entweder durch ihr Aussehen oder ihre Tüchtigkeit fasziniert. Sie kommt zu ihm als seine Assistentin, wie Lydia Deininger, die rechte Hand des Daimler-Chefs, oder sie begegnet ihm bei irgendeinem offiziellen Anlaß wie Nina Ruge, die schöne Fernsehmoderatorin und heutige Lebensgefährtin von Wolfgang Reitzle. Und dann ist es mit den Ehen schnell geschehen, denn die gefährlichen Liebschaften lassen sich nur für eine Weile verheimlichen.

Die Fälle Schrempp und Reitzle

Jürgen E. Schrempp trennte sich nach 35 Jahren von seiner Frau Renate, die nur durch einen dummen Zufall erfuhr, daß die Zusammenarbeit ihres Mannes mit seiner über 20 Jahre jüngeren Bürochefin enger war, als sie sich das eingestehen mochte. Hätten die Boulevard-Zeitungen nicht so ausgiebig über jenen Vorfall am Fuß der Spanischen Treppe in Rom berichtet, als der Daimler-Chef mit einer entkorkten Rotweinflasche in der Hand, aber ohne Paß in der Tasche, von einer Polizeistreife aufgegriffen wurde, dann wäre Renate Schrempp damals, im Juli 1995, noch nicht mißtrauisch geworden. So aber mußte sie sich fragen, was ihr Mann mit dem Leiter seines Stabs, Hartmut Schick, und seiner Bürochefin Lydia Deininger nachts um zwei auf der Piazza di Spagna zu feiern hatte. Des Rätsels Lösung erfuhr sie erst später: Es war der 31. Geburtstag der jungen Frau, in die sich Jürgen Schrempp Hals über Kopf verliebt hatte. Nicht viel anders erging es Gaby Reitzle, die ihren Mann kaum noch zu Gesicht bekam, als der sich auf Geheiß des BMW-Aufsichtsratsvorsitzenden Eberhard von Kuenheim zu seinen sonstigen Aufgaben auch noch um die marode britische Tochter Rover kümmern mußte. Und so wurde auch sie erst auf die Rivalin aufmerksam, als es bereits zu spät war.

Frauen, die auf eine eigene Karriere verzichten, um ihre ganze Kraft für den Aufstieg ihrer Männer einzusetzen, sind, so scheint es, die Verlierer im Geschlechterkampf. Schafft der Göttergatte den Durchmarsch bis zur Spitze, wird er irgendwann zu dem Schluß kommen, daß sie seinen gestiegenen Ansprüchen nicht mehr genügt und sie für eine Jüngere verlassen. Klappt es hingegen mit seiner Karriere nicht so recht, gerät auch ihr erhoffter gesellschaftlicher Aufstieg ins Stocken, und die Ehe endet häufig in einem Rosenkrieg.

Ganz bitter wird es für die Managerfrau, die ihr Selbstwertgefühl auf seinen beruflichen Status stützt, an dem Tag, da er ihr seinen Rausschmiß beichtet. »Wenn die Maske des Helden fällt, kommt es zum Eklat«, weiß die Schweizer Psychiaterin Heike Weis, die im Sanatorium Kilchberg Managerpaare mit psychischen Problemen betreut. Manche Frauen versuchen die äußere Fassade aufrechtzuerhalten, auch wenn sie sich dafür verschulden müssen, andere lassen sich sofort das gemeinsame Vermögen überschreiben, die meisten aber verfallen in Depressionen.

Die Frau als Karrierebeschleuniger des Mannes ist, so scheint es, ein Auslaufmodell. Dies jedenfalls vermutet die Sozialforscherin Sonja Bischoff von der Hamburger Hochschule für Wirtschaft und Politik, die sich seit Jahren mit den Karrieren weiblicher Führungskräfte beschäftigt. Ihrer Meinung nach werden junge Frauen in immer größerer Zahl die Chefetagen erobern, gleichgültig, ob die Männer an ihrer Seite mitziehen oder nicht. Sie wollen nicht mehr Anhängsel, sondern gleichberechtigte Partner erfolgreicher Männer sein und selber beweisen, was sie beruflich draufhaben. Zwar sind Frauen im Topmanagement deutscher Unternehmen bisher nur als Spurenelemente wahrnehmbar, doch in den Ebenen darunter nimmt die Zahl sprunghaft zu.

Frauen sind die besseren Chefs

Registrierte die Hamburger Sozialforscherin 1991 ganze 5 Prozent Frauen unter den Führungskräften des mittleren Managements, so lag die Frauenquote im Jahr 1998 bereits bei 20 Prozent. Und unter den Hochschulabsolventen, die von Großunternehmen als Nachwuchskräfte für Führungspositionen eingestellt werden, sind schon 27 Prozent Frauen. Bei Banken und Versicherungen liegt der Anteil weiblicher Einsteiger sogar noch höher. Und wenn nicht alles täuscht, sind die weiblichen Kandidaten für die Spitzenjobs von morgen als Konkurrentinnen durchaus ernst zu nehmen. Denn die moderne Wirtschaftswelt mit ihren vernetzten Strukturen, ständig wechselnden Situationen und weitgehend selbständig handelnden Mitarbeitern erfordert von den Lenkern der Unternehmen Eigenschaften, über die Frauen in ganz besonderem Maße verfügen.

Sie sind kommunikativer als Männer, können delegieren und verfügen über eine beträchtliche Integrationskraft. Ihre soziale Kompetenz befähigt sie, Arbeitsgruppen hochqualifizierter Mitarbeiter mit den unterschiedlichsten Persönlichkeitsstrukturen zusammenzuhalten, und ihre Bereitschaft, das eigene Ego zu zügeln, macht sie zu idealen Teammitgliedern. Ihre Neugier hilft ihnen beim

Aufspüren von Marktchancen, und ihre Sensibilität läßt sie schnell auf veränderte Geschäftsbedingungen reagieren. Alle diese »soft skills« freilich zählten in den Augen der Aufsichtsräte, die über die wirklich wichtigen Posten zu befinden haben, weniger als die alten Managertugenden Härte und Entschlußkraft, angereichert mit einem Schuß Brutalität.

Doch inzwischen wachsen die Zweifel an der Überlegenheit der Recken in den Chefetagen, denn mehrere Studien bescheinigten den Frauen erstaunliche Führungsqualitäten. Die französische Wirtschaftszeitung *L'Entreprise* beispielsweise entdeckte 1996 nach einer Untersuchung von 22000 Firmen, daß die von Frauen geleiteten Betriebe im Schnitt rentabler arbeiteten als Unternehmen mit männlichen Chefs. Und das Berliner Forsa-Institut kam nach einer Befragung von 500 Führungskräften aus der Industrie und mittelständischen Betrieben 1998 zu dem eindeutigen Befund: Weibliche Führungskräfte arbeiten effizienter als ihre männlichen Kollegen. Sie brauchen für ihr – gleichgroßes – Arbeitspensum weniger Zeit, können besser delegieren und verfügen über mehr Selbstdisziplin. Ihr wichtigstes Kapital ist ihre soziale Kompetenz und die Fähigkeit, sich in unklaren Situationen besser zurechtzufinden. Frauen erledigen wichtige Dinge zuerst, während Männer eher dazu neigen, ihr Pensum der Reihe nach abzuarbeiten. Außerdem haben Frauen offenbar mehr Spielraum, um mit unvorhergesehenen Problemen fertigzuwerden. Resümierte das schweizerische Nachrichtenmagazin *Facts:* »Frauen sind die besseren Chefs«!

Dies findet auch die amerikanische Unternehmensberatung Lawrence A. Pfaff & Associates, die nach einer 14 Monate dauernden Untersuchung von 211 Betrieben und Organisationen den Schluß zog, daß sämtliche Management-Fähigkeiten bei Frauen besser ausgeprägt sind als bei ihren männlichen Kollegen.

Beim Kampf um Topjobs chancenlos

Dennoch verhinderten die Chauvis in den Chefetagen bisher den Aufstieg der weiblichen Konkurrenz. Nur wenige der von Männern beherrschten Aufsichtsgremien sind so souverän wie der Board des britischen Medien- und Unterhaltungskonzerns Pearson, der die texanische Juristin Marjorie Scardino Ende 1996 zu seiner Chefin machte und damit erst mal einen Kursrutsch seiner Aktien riskierte. Erst als sich herumgesprochen hatte, daß die blonde Texanerin zuvor als Managerin der Tochtergesellschaft The Economist Newspaper Ltd. den Gewinn binnen kurzer Zeit um 130 Prozent steigern konnte, erholten sich die Pearson-Aktien wieder. Bis heute haben die Anteilseigner keinen Grund, mit der Wahl unzufrieden zu sein, denn unter Scardinos Regiment erzielte der Konzern, zu dem unter anderem die *Financial Times*, die Buchverlage Simon & Schuster und Penguin Group sowie die Londoner Investmentbank Lazard Brothers gehören, einen überdurchschnittlichen Gewinn von zuletzt 1,1 Milliarden Mark, bei einem Jahresumsatz von 6,7 Milliarden (1998).

Eine andere Amerikanerin macht beim schweizerischen Pharmakonzern Novartis einen Spitzenjob. Als »Head of

Planning and Organization« ist Cynthia Hogan zuständig für die Integration der beiden fusionierten Pharmafirmen Ciba-Geigy und Sandoz und damit die wohl wichtigste Mitarbeiterin von Novartis-Chef Daniel Vasella. In Deutschland hingegen müssen Frauen, wenn sie eine Firma leiten wollen, diese entweder selbst gründen wie die Hamburger Modemacherin Jil Sander oder erben, wie Doris König, Geschäftsführerin der König-Brauerei in Duisburg.
Zwar wird Jahr für Jahr die »Unternehmerin des Jahres« gekürt, doch von einer »Managerin des Jahres« hat noch nie jemand etwas gehört. Und das wird wohl noch eine Weile so bleiben. Als Grund vermutet die Unternehmensberaterin Dorothea Assig, die gemeinsam mit Andrea Beck ein Handbuch zur Chancengleichheit verfaßt hat: »Die Verhaltensweisen, die aus Frauen Führungskräfte machen, sind gleichzeitig auch die, die verhindern, daß sie es werden.« Weil Managerinnen sich zu sehr auf die Lösung von Sachproblemen konzentrierten und keine Machtpolitik betrieben, so die These der Unternehmensberaterin, »bleiben sie beim Gerangel um Spitzenjobs auf der Strecke«.
Die Typen freilich, die die deutsche Wirtschaft regieren, sind von ganz anderem Zuschnitt. Zehn von ihnen fielen mir besonders auf.

1. **Der Geschniegelte**

Sein Scheitel sitzt so akkurat wie bei Albrecht Schmidt, dem Vorstandschef der HypoVereinsbank in München, doch läuft dieser Typ meistens nicht in grünen Anzügen herum. Der Geschniegelte macht immer und überall Eindruck. Nie vergißt er das

Einstecktuch, und stets trägt er seine Haut leicht gebräunt zu Markte, als käme er gerade aus dem Skiurlaub. Der erfreuliche Anblick, den sein stets durchtrainierter Astralleib bietet, hält Aufsichtsräte wie Kunden und Kollegen für gewöhnlich davon ab, allzu genau hinzuhören, wenn der Geschniegelte das Wort ergreift. Und das ist auch gut so, denn was er sagt, hat soviel Tiefgang wie ein Schlagertext. Seine Kollegen sind gut beraten, wenn sie den Geschniegelten von jeder ernsthaften Arbeit entlasten und ihn überall da einsetzen, wo es auf die Außenwirkung ankommt. Also bei Pressekonferenzen, Jubiläumsfeierlichkeiten und dem Tag der offenen Tür.

2. **Der Weltläufige**

Er kennt jedes Weingut in der Toskana so gut wie die In-Discos von London und New York. Regelmäßig versorgt er seine Vorstandskollegen mit heißen Tips und guten Adressen, und das hilft ihm für gewöhnlich über die Runden, wenn es mal wieder eng wird in seinem Beritt. Kaum jemand kommt auf die Idee, daß er alles nur aus einschlägigen Magazinen weiß, und nicht mal das Englische richtig beherrscht. Die wahre Welt des modernen Karl May ist die Provinz, und hier vermag er alle zu beeindrucken mit seinen Kenntnissen über die neuesten Management-Trends und die Geschäftsstrategien der Großen in aller Welt. Natürlich kennt er sie alle persönlich, die Bill Gates' und Jack Welchs, und nie vergißt er zu erwähnen, daß er seinen MBA nur deshalb verpaßt hat, weil ihn auf dem Campus vom MIT ein böses Virus erwischte.

Selbstverständlich fühlt er sich stets zu Höherem berufen, egal, welchen Posten er gerade bekleidet. Seine Heimat ist die Welt und jeder Job ein vorübergehendes Exil. Man sollte ihn ziehen lassen…

3. **Der Modernisierer**

Endlich einer, der weiß, wo es langgeht. Der Modernisierer ist der Savonarola des 21. Jahrhunderts, ein Überzeugungtäter, den nichts und niemand stoppen kann. Shareholder-Value? Schnee von gestern. Die virtuelle Fabrik? Überholt. Aus unserem Mann wabert der Zeitgeist, und jeder, der nicht gläubig an seinen Lippen hängt, versündigt sich an der Zukunft. In seinen Augen ist die Firma ein Trödelladen und der Vorstand eine Sammlung von Fossilien. Solange der Zauber des Modernisierers wirkt, kann er mit den ihm überlassenen Antiquitäten machen, was er will, doch irgendwann fällt beim großen Auktionator auch für ihn der Hammer. Clevere Modernisierer verwandeln sich daher blitzschnell in Traditionalisten, wenn sie den Karren endlich in Bewegung gebracht haben.

4. **Der harte Knochen**

Wenn sich endlich alle einig sind, daß die Lage zwar ernst, aber nicht hoffnungslos ist, kommt der harte Knochen zur Sache. Ohne die Stimme zu erheben, stellt er alles, was seine Vorredner in der Konferenz zum besten gegeben haben, als billige Schönfärberei bloß. Weil er jedem unverblümt die Meinung sagt und den Kern des Problems schneller checkt als andere den Guten-Morgen-Gruß, ist er nirgendwo beliebt. Das macht ihm mehr zu schaffen, als seine Kollegen ahnen, und deshalb weint er sich abends bei seinem Psychiater aus. Der harte Knochen spielt weder Golf, noch läßt er sich bei Symphoniekonzerten sehen. Er gilt als ein unkultivierter Mensch und hätte deshalb keine Chance, je bis ganz nach oben zu kommen. Doch seine Stunde schlägt spätestens dann, wenn die Bank die Kredite kündigt und der Aufsichtsrat zu einer Sondersitzung zusammentritt.

5. **Der Schachspieler**

Während seine Kollegen noch rätseln, was er mit der Neuorganisation seines Ressorts bezwecke, hat der Schachspieler schon die nächsten vier Züge durchgecheckt. Im voraus berechnet er nicht nur die Reaktion des Marktes, sondern auch die der Konkurrenz auf Lösung A so gut wie auf Lösung B. In den Gehirnwindungen seiner Gegner kennt er sich besser aus als diese selber, doch die Gefühle seiner engsten Mitarbeiter sind ihm so fremd wie die Rückseite des Mondes. So läuft der Schachspieler Gefahr, Schlachten zu schlagen, zu denen keiner hingeht. Weil er keine Leute findet, die mit ihm durch dick und dünn marschieren, scheitert der Stratege denn auch als Feldherr. Man sollte ihn in die Konzernplanung stecken, den Topjob aber tunlichst vor ihm verstecken.

6. **Der Sunnyboy**

Jeder mag ihn, denn er sieht gut aus und ist stets bei Laune. Nie entfleucht ihm ein harsches Wort, und seiner Sekretärin bringt er auch dann noch Blumen mit, wenn sie einen wichtigen Termin verschusselt hat. Dem Sunnyboy geht manches daneben, doch seine Mitarbeiter helfen ihm immer wieder aus der Patsche. Mit seinem Charme wickelt er unzufriedene Kunden ebenso leicht ein wie die Frau des Chefs, und deshalb schwebt er die Karriereleiter hoch, auch wenn er nicht der Hellste seines Jahrgangs ist.

Das Lächeln vergeht dem Sunnyboy erst, wenn der ganze Laden längst den Bach hinuntergegangen ist.

7. **Der Entertainer**

   Weil Entscheidungen heutzutage fast immer in Gremien getroffen werden, haben die Unterhaltungskünstler unter den Managern Konjunktur. Ihr Repertoire an Witzen ist unerschöpflich, und zu jeder Situation fällt ihnen eine passende Anekdote ein. Wird es ernst in der Konferenz, geht der Entertainer sofort zum Flip Chart oder schmeißt ein paar Folien auf den Overhead, und flugs ist der tote Punkt überwunden. Die Ideen der Stimmungskanone entpuppen sich zwar stets als Blindgänger, doch wie er sie zündet, beeindruckt seine Kollegen immer wieder aufs neue.

8. **Der Rädelsführer**

   Wo immer dieser Typ auftaucht, gibt es Stunk. Stets scharen sich ein paar Gleichgesinnte um ihn, laufend finden irgendwelche Meetings statt, und eines Tages ist der Vorgesetzte des Rädelsführers verschwunden. Dieser Typ ist der geborene Revoluzzer, und in Zeiten des Strukturwandels sehen verzweifelte Aufsichtsräte in ihm den Erlöser. Der Rädelsführer aber hat keine andere Idee im Kopf, als den Umsturz der bestehenden Machtverhältnisse herbeizuführen. Deshalb wirkt er hilflos wie ein Baby, wenn er sein Ziel erreicht hat, und teilt dann über kurz oder lang das Schicksal seines Vorgängers.

9. **Der Helfer**

   Das ist jener Typ, der stets als erster »hier« ruft, wenn besonders unerquickliche Aufgaben zu erfüllen sind. Es macht ihm scheinbar nichts aus, mit dem Betriebsrat herumzustreiten oder einen schwer geschädigten Großkunden zu besänftigen. Zuverlässig ist der Helfer auch zur Stelle, wenn der Vorsitzende irgendeinen Blödsinn angerichtet hat, und viel zu spät fällt allen auf, daß der großherzige Samariter in Wirklichkeit nur einem geholfen hat: sich selber.

Der Krieger

Jede Tätigkeit ist für ihn ein Kampf, und er will stets der Beste sein, egal, ob es ums Kirschkernspucken, um den Bau der produktivsten Fabrik oder um den bestbezahlten Job geht. Dieser Kerl gibt nicht eher Ruh, bis er gewonnen hat. Weil der Krieger kein Hehl aus seiner Einstellung macht, geht ihm jeder aus dem Weg, denn alle haben irgendwie Schiß vor ihm. Leuchtendes Vorbild all der kleinen Bürokrieger in den Führungsetagen ist VW-Chef Ferdinand Piëch, der es vom Legastheniker an die Spitze des größten europäischen Automobilkonzerns schaffte.

So unterschiedlich die Managertypen auch sein mögen – sie alle versuchen ein und dieselbe Rolle zu spielen: den erfolgreichen Anführer. Sie wollen beeindrucken, ihre Umgebung beherrschen, Macht ausüben – und das fällt ihnen um so leichter, je schwächer die Kontrolleure in den Aufsichtsräten sind. Daran vermochten auch jene zwei Gesetze nichts zu ändern, die am 1. Mai 1998 unter seltsamen Namen in Kraft traten.

Das »Kon TraG«, das »Gesetz zur Kontrolle und Transparenz im Unternehmensbereich«, verpflichtet die Firmenleitungen, die Risiken ihrer Aktivitäten offenzulegen, und nimmt die Aufsichtsräte mehr als bisher in die Pflicht. Das Kürzel »KapAEG«, hinter dem sich das Wortungetüm »Kapitalaufnahmeerleichterungsgesetz« verbirgt, erlaubt es den an der Börse notierten Unternehmen, ihre Bilanzen nach internationalen Regeln (IAS oder US-GAAP) aufzustellen und damit ihre Ertrags- und Vermögenslage transparenter zu gestalten.

Die Kaffeekränzchen der Kontrolleure

Doch am Status der Aufsichtsräte und ihrem Verhältnis zu den aktiven Vorständen hat sich wenig verändert. Noch immer sind die Aufsichtsgremien der Publikumsgesellschaften viel zu groß, sie treffen sich zu selten und nehmen ihre Kontrollfunktion nur unzureichend wahr. Bei Siemens beispielsweise kommen viermal im Jahr 35 Herrschaften zusammen, von denen sich die meisten, sofern sie die Kapitalseite vertreten, recht gut kennen. Man trifft sich bei Daimler, bei Mannesmann, bei der Allianz oder bei der Deutschen Bank, und immer in gleicher Funktion: als Aufseher aus dem inneren Machtzirkel der Deutschland AG. Der amerikanische Siemens-Konkurrent General Electric, ungleich rentabler als der Münchner Traditionskonzern, wird von nur 15 Board-Mitgliedern kontrolliert, beim marktbeherrschenden Software-Giganten Microsoft gar sind es nur acht.
Fachleute wissen: Je größer eine Arbeitsgruppe ist, desto laxer wird die Arbeit ausgeführt. Tatsächlich gleichen viele der deutschen Aufsichtsratsrunden eher harmlosen Kaffeekränzchen als ernsthaften Kontrollorganen. Das ist kein

Wunder, denn etwa 65 Prozent aller Aufsichtsräte in Deutschland betreiben ihren Kontrolljob nur nebenbei, hauptberuflich sind sie woanders beschäftigt. Die meisten Räte sitzen nach wie vor in den Vorständen von Banken und Versicherungen, und ihr einziges Interesse besteht darin, daß die beaufsichtigten Unternehmen reichlich Kredite in Anspruch nehmen und dafür ordentliche Sicherheiten zu bieten haben.

Fachleute sind sich längst darüber im klaren, daß die Gremien kleiner und effizienter werden müßten, doch weil dabei viele schöne prestigeträchtige Pöstchen zu opfern wären, wird es dazu wohl kaum kommen. Hartnäckige Gegner einer Verschlankungskur sind zum Beispiel die Gewerkschaften, die in den mitbestimmten Räten viele verdiente Funktionäre untergebracht haben. Hubertus Schmoldt etwa, der Vorsitzende der IG Chemie-Papier-Keramik, hält überhaupt nichts von einer Verkleinerung der Räte, denn dadurch ginge angeblich »Sachverstand verloren«. Tatsächlich aber geht es wohl eher um die Macht der Gewerkschaften, die kein Jota Boden preisgeben wollen.

Auch die Vertreter der Aktionäre finden offenbar alles ganz prima, so wie es ist. Also sitzt weiterhin in 70 Prozent der deutschen Aufsichtsräte mindestens ein Banker, und manchmal »überwacht« ein und dasselbe Geldhaus auch zwei konkurrierende Unternehmen. So unterstützte ein Deutsch-Bankier im Aufsichtsrat von Krupp die feindliche Übernahme des großen Konkurrenten Thyssen, in dessen Aufsichtsrat ebenfalls ein Deutsch-Bankier saß, und natürlich hatten sich die beiden Vorstandskollegen aus dem gleichen Geldhaus mitnichten über die Attacke abgesprochen.

Wie beim Zentralkomitee der KPdSU

Schlimmer aber als ein solcher Interessenkonflikt wirkt sich die Inzucht in den Räten der großen Publikumsgesellschaften aus, die ausländischen Investoren noch immer als eine ziemlich geschlossene Veranstaltung erscheinen. So findet sich beispielsweise, aller Globalisierung zum Trotz, nur in jedem dritten deutschen Aufsichtsrat ein Ausländer – dies jedenfalls ermittelte die London Business School zusammen mit der Personalberatung Korn/Ferry International in einer Umfrage bei 400 Vorständen und Aufsichtsräten. Berater Claus Hommer von Korn/Ferry: »Die Bestallung eines Aufsichtsrats läuft meist nach der Devise: Wir bleiben deutsch.«

Daß die Arbeit der nebenberuflichen Räte mit einer ernsthaften Kontrolle der Vorstände wenig zu tun hat, macht die Korn/Ferry-Studie an anderer Stelle deutlich: 100 Prozent der befragten Kontrolleure gaben an, sie seien mit der Arbeit der Vorstände zufrieden. Das Traumergebnis, das an die früheren Wahlen zum Zentralkomitee der KPdSU erinnert, mutet wie ein Witz an angesichts von Skandalen wie der Beinahepleite der Metallgesellschaft, den Betrügereien beim Sportbodenhersteller Balsam oder den Subventionsschwindeleien vor dem Zusammenbruch der Bremer Vulkan-Werft. »Bei den meisten Unternehmen«, spottete Manuel Theisen, Ordinarius für Betriebswirtschaftslehre

an der Universität Mannheim, über die laxe Kontrolle der Vorstände, »hätten die Überwachungsberichte auch vom Vorstandssekretariat verfaßt werden können.«
Daß eine straffere Kontrolle der allzu selbstherrlichen Topmanager dringend geboten ist, darüber besteht bei allen Fachleuten Einigkeit, doch niemand weiß offenbar so recht, wie das Old-Boys-Network der Deutschland AG gesprengt werden kann. Etwa 200 Großmanager, zu denen die Vorsitzenden und Sprecher von Unternehmen wie der Deutschen Bank, der Allianz, Siemens, Mannesmann, RWE, BASF und Thyssen-Krupp zählen, bestimmen weithin die Geschicke der Wirtschaft unseres Landes auf eine Art und Weise, die in erster Linie den Interessen ihrer Kaste dient. Die Herrschaften treffen sich Dutzende Male im Jahr und regeln Problemfälle für gewöhnlich so, daß keiner der Ihren Schaden nimmt. Vornehm drückt Herbert Henzler, der langjährige Deutschland-Statthalter der Unternehmensberatung McKinsey, seine Kritik am deutschen Vorstandswesen aus: »Die Sicherheit, die der Konsens der Gruppe bietet, birgt die Gefahr, daß inspirierende Visionen nicht entwickelt werden, daß Chancen ungenutzt bleiben und daß Krisen unzureichend gemeistert werden.«
Längst ist erwiesen, daß scharf kontrollierte Unternehmen rentabler arbeiten und mehr Shareholder-Value schaffen als solche mit einer laxen Aufsicht. Deshalb sollten bei allen größeren Unternehmen zumindest die Aufsichtsratsvorsitzenden Profis sein, die ihre ganze Kraft einem einzigen Unternehmen widmen können. Doch wenn der ehemalige Vorstandsvorsitzende als Dank für seine lang-

Kontrollinstanz

Wer die Bosse scharf kontrolliert – und wer nicht

TOPS		*FLOPS*
Robert Carlson	Calpers	Alle Manager, die im Auftrag von Banken, Versicherungen und anderen Konzernen in den Aufsichtsräten sitzen.
Christian Strenger	DWS	
Christoph Bruns	Union Investment	
Anko Beldsnijder	ABN Amro	
Ekkehard Wenger	Uni Würzburg	

jährigen Dienste diesen Posten erhält, wie etwa beim Autobauer BMW oder beim Chemiekonzern Bayer, dann besteht stets die Gefahr, daß alles beim alten bleibt, daß gemachte Fehler nicht korrigiert und neue Ideen erst gar nicht ausprobiert werden.

Bedauerlich auch, daß der bereits eingeleitete Rückzug der Banker aus den Aufsichtsräten der großen Publikumsgesellschaften schon im Ansatz steckengeblieben ist, kaum daß der Druck der öffentlichen Meinung nachließ.

11. Kapitel

Die Herrschaft der Berater

Weil die Aufsichtsräte die Geschäfte nicht wirklich kontrollieren und die Manager mit ihrer Selbstdarstellung beschäftigt sind, übernahmen aushäusige Berater das Kommando über weite Teile der deutschen Wirtschaftslandschaft. Nirgendwo sonst auf der Welt entfaltete sich die Consulting-Branche zu einer solchen Blüte wie im Land der eitlen Vorstände und müden Räte. Allein die im Bundesverband Deutscher Unternehmensberater organisierten Ratgeber griffen 1998 Honorare von rund 19 Milliarden Mark ab und lenkten damit etwa die Hälfte des europäischen Beratungsgeschäfts in ihre Kassen, obwohl der Anteil der deutschen Wirtschaft am gesamten EU-Umsatz bei nur 25 Prozent liegt. Anders ausgedrückt: Deutschlands Manager geben doppelt soviel Geld für Unternehmensberater aus wie ihre Kollegen im übrigen Europa.

Dabei machte die klassische Unternehmensberatung nur einen Bruchteil des Geldes aus, das unsere heimischen Firmenlenker jährlich an fremde Helfer überweisen. Für die

Programmierung ihrer Computer und die Umstellung des Rechnungswesens – etwa auf die von der Walldorfer Firma SAP gelieferte R3-Software – sowie für die Installierung moderner Informationstechnologie berappen die überforderten Firmenlenker nochmals über 20 Milliarden Mark im Jahr. Einen weiteren zweistelligen Milliardenbetrag holten sich die in den letzten Jahren wie aus dem Boden geschossenen M&A-Agenturen und die Abgesandten amerikanischer oder britischer Investmentbanken, indem sie unsere Manager mit dem verhängnisvollen Fusions- und Übernahmefieber infizierten. Da fallen die etwa 1,3 Milliarden Mark, die Personalberater und Headhunter in Rechnung stellten, fast nicht mehr ins Gewicht. Zusammen dürften all die klugen Ratgeber etwa so viel kassieren, wie ein Großkonzern vom Schlag der BASF pro Jahr umsetzt: zwischen 50 und 60 Milliarden Mark im Jahr.

Die Spitzenverdiener innerhalb der Beraterbranche, wie McKinsey-Chef Jürgen Kluge oder der Investment-Banker Klaus Diederichs von J. P. Morgan, bringen es auf Einkünfte, die selbst Konzernchefs wie Heinrich von Pierer (Siemens) oder Rolf E. Breuer (Deutsche Bank) neidisch machen müßten. Schon die Dienste einfacher Berater stellen Firmen wie Roland Berger oder McKinsey ihren Kunden mit Tagessätzen zwischen 4000 und 15000 Mark in Rechnung, und darunter tun es auch die Spezialisten der Software-Häuser nicht. Das ganz große Geld aber fällt bei den Mega-Mergers an, die sich zur lukrativsten Einkommensquelle der Beraterbranche entwickelt haben. Allein beim Zusammenschluß von Daimler mit Chrysler wurden Honorare von rund 300 Millionen Dollar fällig, und die Fusion zwischen Hypo- und Vereinsbank kostete die beiden Münchner Geldhäuser um die 150 Millionen Mark.

Das Beziehungsnetz des Herbert H.

Waren die Firmendoktores einst immer erst dann geholt worden, wenn der Patient akute Verfallserscheinungen zeigte, so kümmern sie sich inzwischen auch um kerngesunde Firmen. Indem sie immer neue Maschen und Moden kreieren, setzen die wendigsten unter den Consultants ihre Auftraggeber gewaltig unter Druck. Auch dann, wenn eine Firma gutes Geld verdient, in wachstumsträchtigen Märkten operiert und eigentlich keine nennenswerten Probleme hat, fällt irgendeinem cleveren Berater sicher ein honorarträchtiger Vorschlag ein. Er wird dem Management dieses glücklichen Unternehmens einreden, seine Fixkosten seien zu hoch, sein Marktanteil zu gering und seine Organisation überholt. Wenn das nicht zieht, wird er auf die noch höheren Profite eines amerikanischen Konkurrenten verweisen oder die Gefahr einer neuen Technologie beschwören, die die Produkte des Klienten in Kürze ziemlich alt aussehen lassen werde.
Fast immer sind die Berater, zumindest die aus den großen Sozietäten, ihren Auftraggebern rhetorisch überlegen. Auch wenn sie nie eine Firma geleitet haben und die Branche auch nur vom Hörensagen kennen, vermitteln die meist jungen, flott gestylten und forsch auftretenden Eggheads verunsicherten Managern stets das Gefühl, irgendwo irgend etwas versäumt zu haben.

Obwohl die deutschen Unternehmen sich, alles in allem, auf den Weltmärkten bisher recht gut behauptet haben, zeigen sich ihre Manager fast wehrlos gegenüber den Einflüsterungen der aushäusigen Gurus. So kommt es, daß der Platzhirsch der Beraterbranche, die vor rund 60 Jahren von dem Amerikaner Marvin Bower gegründete McKinsey &Co., mit ihrer Filiale im kleinen Deutschland seit 1993 regelmäßig höhere Umsätze und Gewinne erzielt als das Stammhaus im großen Amerika. Dies gilt vor allem als Erfolg des langjährigen Deutschland-Statthalters Herbert Henzler, der 1998 zum McKinsey-Chef für ganz Europa befördert wurde und seinen Platz in der Düsseldorfer Dependance für Jürgen Kluge, Jahrgang 1953, frei machte. In den 14 Jahren, während der er die McKinsey-Spitze besetzt hielt, band der Schwabe nach und nach die wichtigsten Top-Entscheider in sein persönliches Beziehungsnetz ein, das ihn zu einem der am besten informierten Männer in der deutschen Wirtschaft machte.

Niemand hat die Schwächen der Bosse besser für seine Zwecke genutzt als der Hobby-Bergsteiger Henzler, der ein Dutzend der sportlichsten Topmanager um sich versammelte, um mit ihnen an freien Wochenenden anspruchsvolle Klettertouren zu absolvieren. Zu der sogenannten »Similaun-Seilschaft« – benannt nach einem 3600 Meter hohen Gipfel in den Ötztaler Alpen – zählten Jürgen E. Schrempp von DaimlerChrysler, Wolfgang Reitzle, früher BMW, heute Ford, Ihno Schneevoigt von der Allianz und Ulrich Cartellieri von der Deutschen Bank. 80 der 100 größten deutschen Unternehmen stehen mittlerweile auf der McKinsey-Kundenliste, und sie bedienten sich der smarten Berater, die als »Principle« bis zu einer, als »Director« gar bis zu fünf Millionen Mark im Jahr verdienen können, vor allem dann, wenn es galt, die Kosten zu drücken und Leute zu entlassen.

Die Tage der Dominanz sind vorbei

Doch die stets mit den neuesten Management-Theorien aus den USA wohlvertrauten Abgesandten Henzlers verstanden sich nicht nur als hochbezahlte »Revolvermänner«, die große Teile der Belegschaft samt ihren Führungskräften zum Abschuß freigaben, sondern mehr noch als Konzernarchitekten, die den Vorständen zeigten, wo es langgeht. Und weil sie überall den Eindruck hinterließen, sowieso alles besser zu können als ihre Auftraggeber, wurden nicht wenige von ihnen zum Bleiben aufgefordert. Etwa 300 ehemalige McKinsey-Consultants besetzen noch heute Spitzenpositionen, wie Klaus Zumwinkel, der Vorstandsvorsitzende der Deutschen Post AG, Werner Seifert, Chef der Deutschen Börse, Edward Krubasik vom Siemens-Zentralvorstand oder Harald Schröder, Vize-Chef des Pharmakonzerns Merck.

Kein Wunder, daß ein Job bei McKinsey unter den Hochschulabgängern mit Manager-Ambitionen schon seit Jahren den höchsten Stellenwert hat. Doch der Branchenprimus ist wählerisch, denn von 100 Bewerbern schaffen im Schnitt gerade mal drei den Einstieg. Bereits als »Rookies« (Frischlinge) verdienen sie etwa 140000 Mark im Jahr, und wenn sie ihr erstes Projekt abgeschlossen haben, steigen

sie zum »Associate« auf und können schon nach etwa vier Jahren Praxis mit einem Jahreseinkommen von rund 400000 Mark rechnen.
Die Tage der Dominanz sind mittlerweile freilich auch bei McKinsey vorbei. Die Berater-Company aus New York, die 1998 mit rund 5000 über den Globus verstreuten Partnern 2,5 Milliarden Dollar umsetzte, hat Probleme mit der eigenen Größe. Die Prinzipien dezentraler Organisation, die er Großkunden stets zu verordnen pflegt, mag Rajat Gupta, der aus Indien stammende oberste Managing Director, für das eigene Unternehmen keineswegs uneingeschränkt gelten lassen. Nach wie vor wird McKinsey zentral aus New York gesteuert, und das bringt manchen Berater bei den Kunden in Erklärungsnotstand. Außerdem hat die Konkurrenz aufgeholt und jene Wachstumsfelder besetzt, in denen McKinsey bislang wenig zu bieten hatte, nämlich die Technologieberatung und das M&A-Geschäft. In Sachen Betriebsorganisation und Strategieberatung hängen den McKinsey-Jungs die Kollegen von Roland Berger an den Fersen, und auf der Außenspur setzen Wirtschaftsprüfer wie Schitag Ernst&Young von KPMG zum Überholen an. So wird wohl auch bei den Beratern bald in Gang kommen, was sie bei ihren Kunden angeschoben haben: die Fusions- und Übernahmewelle.

Das Busineß wird neu designt

Den Anstoß lieferte die Deutsche Bank, als sie sich von ihrem 90-Prozent-Anteil an der Beratungsgesellschaft von Roland Berger trennte und ihn an die Partner des Münchner Shooting Stars zurückverkaufte. Die haben nun Gelegenheit, mit einer großen US-Gesellschaft zu fusionieren, damit sie ihrem Erzfeind McKinsey überall auf der Welt Paroli bieten können. Der heftig entbrannte Konkurrenzkampf der Berater wird, wenn nicht alles täuscht, die Manager der Industrie wie der Finanzwirtschaft noch stärker unter Druck setzen. Um ihr weiteres Wachstum sicherzustellen, müssen die intellektuellen Vordenker ihren Auftraggebern immer neue Flöhe ins Ohr setzen.

Einen davon hat sich die bislang eher unauffällige Mercer Management Consulting GmbH aus Lexington, Mass., ausgedacht. Er nennt sich »Business Redesign« und verlangt von den Firmen eine ständige Neujustierung ihrer Geschäfte. Das Paradebeispiel einer solchen Korrektur der Geschäftspolitik lieferte die Coca-Cola-Company, die eines Tages feststellte, daß ihr Anteil an den Verkaufserlösen der Getränke kontinuierlich abnahm, während die von Lizenzpartnern betriebenen Abfüllanlagen in aller Welt immer klotziger verdienten. Also änderte die Company ihre Strategie und begann, ihre Lizenzpartner aus dem Geschäft zu drängen und die Abfüllbetriebe in eigene Regie zu übernehmen.

Aus diesem und 30 weiteren Beispielen gewannen die Mercer-Männer die schlichte Erkenntnis, daß nur der permanente Wandel kontinuierlich steigende Gewinne gewährleistet. Rainer G. Nehls von der Münchner Mercer-Dependance: »Die wichtigste Kernkompetenz eines Unternehmens ist demzufolge die Fähigkeit, sein Business Design ständig und konsequent auf neue Paradigmen und

Kundenprioritäten auszurichten.« Und dabei möchten die Mercer-Leute den Managern natürlich helfen, auch wenn die meistens gar nicht wissen, wie ihr »Business Design« eigentlich aussieht.

Redesign oder Nichtsein, das ist für Mercer und viele andere sogenannte Strategieberater die zentrale Frage. Setzt sich die Idee durch, dann haben sie sich nicht nur stetig fließende Honorare gesichert, sondern die Manager ihrer Auftraggeber vollends zu Statisten degradiert. Abhängig vom Ideenstrom ihrer Berater, dürfen die geführten Führungskräfte an der Spitze der Konzerne dann nur noch abnicken, was andere für sie ausgedacht haben.

Nachts, wenn der Headhunter ruft

Dringend benötigt die geplagte Führungskraft dann den eigenen Berater, der nicht nur die verwundete Seele streichelt, sondern auch einen neuen Job in petto hat. Daran herrscht kein Mangel, denn etwa 1200 Personalberater kümmern sich ums berufliche Fortkommen von etwa 500000 leitenden Angestellten. Und je erfolgshungriger die angestellten Leitfiguren sind, desto besser gehen die Geschäfte der Ab- und Anwerber, desto üppiger blüht es in den Anzeigenplantagen der überregionalen Tageszeitungen, für die der Stellenmarkt eine ihrer wichtigsten Einnahmequellen ist. Die Mobilität der Jobhopper, die es meist nur zwei, drei Jahre an einem Platz aushalten, und der vom Topmanagement geplante Austausch des Führungspersonals – Alte gegen Junge, Teure gegen Billige, Störrische gegen Fügsame – bescherte den Personalbera-

tern jährliche Honorarzuwächse zwischen 10 und 15 Prozent.
Bewerbungen auf die – meist großflächigen – Inserate der Berater in den Samstagsausgaben von Zeitungen wie der *Frankfurter Allgemeinen*, der *Süddeutschen* oder der *Welt* schreibt aber nur noch etwa die – untere – Hälfte des wechselwilligen Führungspersonals. Die standesbewußten unter den Managern warten zu Hause neben dem Telefon auf den Anruf eines Headhunters. Schon in *Nieten in Nadelstreifen* habe ich auf den Schaden aufmerksam gemacht, den die bezahlten Abwerber in den Firmen anrichten, weil sie die Managerbezüge hochtreiben, für ständige Unruhe im Führungskader sorgen und die Betriebstreue unterminieren, und daran hat sich bis heute nichts geändert. Nur die Dimensionen sind größer geworden, denn die »Kopfjäger«, die sich selber vornehm »Executive-Searcher« nennen, besetzen mittlerweile nahezu jede zweite Position auf dem gehobenen Stellenmarkt.
In ihren Datenbanken finden sich die Lebensläufe nahezu aller Topmanager, und niemand kennt so genau wie sie die Stärken und Schwächen des Führungspersonals unserer Wirtschaft. Entgegen seiner immer wiederkehrenden Beteuerungen ist es dem Kopfwerber ziemlich gleichgültig, wer irgendwo einen Topjob besetzt, Hauptsache, er bekommt sein Honorar. Für gewöhnlich kassiert er vom Auftraggeber ein Drittel des Jahresgehalts der vermittelten Führungskraft, und manchmal langt er auch noch beim Manager zu. Das Geld ist meistens leicht verdient, denn seine Kunst besteht lediglich darin, auf die Zwischentöne

zu achten. Denn natürlich sucht jeder den Alleskönner, den keiner wirklich haben will. Es kommt meistens auch nicht so sehr darauf an, was der Typ tatsächlich geleistet hat, sondern eher auf eine möglichst beeindruckende Biographie, gegen die der Aufsichtsrat keine Einwände vorbringen kann. Größten Wert legen die Herren Vorstände freilich auf ein Detail in der Persönlichkeitsstruktur der Kandidaten, das sie vage als »teamfähig« umschreiben. Gemeint ist damit häufig ein zwar fähiger, aber keineswegs widerborstiger Typ, der hinlänglich bewiesen hat, daß er bereit ist, sich unterzuordnen.

Nimmst du meinen, klau ich deinen …

Hat der Headhunter keinen Kandidaten im Angebot, der auf Anhieb ins Fahndungsraster paßt, wird er seinen Auftraggeber erst mal nach den besten Leuten von der Konkurrenz ausfragen. Die ruft er dann nach Feierabend unter irgendeinem Vorwand zu Hause an. Beliebt ist folgender Dreh: »Ich möchte Sie für ein Symposium, das wir vom XY-Institut veranstalten, als Vortragsredner gewinnen, da Sie als einer der führenden Experten auf diesem Gebiet gelten.« Bei den wirklichen Spitzenjobs wird freilich nicht lange um den heißen Brei herumgeredet, denn hier weiß jeder, was Sache ist. Der Headhunter spricht nur Kandidaten an, von denen er weiß, daß sie Grund zum Wechseln haben, und der Kandidat ahnt, von welcher Firma der Headhunter beauftragt wurde.

Das von nahezu allen größeren Unternehmen betriebene und von den Headhuntern kräftig angeheizte Abwerbespiel (»Nimmst du meinen, klau ich deinen ... «) verteuerte den Preis der Handelsware »Manager« in den letzten Jahren ganz erheblich, und deshalb will es keiner der Beteiligten beenden, auch wenn die Folgen für die Betriebe keineswegs erfreulich sind. Jeder Chefwechsel geht ins Geld, produziert zunächst Leerlauf und verunsichert die Mitarbeiter. Auch die Ausbildung der Manager wird dadurch nicht besser, denn wer will schon viel Geld und Mühe in eine Nachwuchskraft investieren, wenn er weiß, daß die Früchte ein anderer ernten wird? So erleiden die Unternehmen das gleiche Schicksal wie die Vereine der Bundesliga: Die Spieler werden immer teurer, die Spiele aber immer langweiliger.

Erst wenige unserer Konzernlenker haben dies begriffen. Auf Distanz zu den Beratern gingen bereits Ferdinand Piëch von VW, Martin Kohlhaussen von der Commerzbank, Klaus Lederer von der Deutschen Babcock und erstaunlicherweise auch Ron Sommer von der Deutschen Telekom. Alle diese Bosse setzen verstärkt auf das eigene Know-how, sie haben die Order ausgegeben, Berater nur noch dann ins Haus zu lassen, wenn es sich partout nicht vermeiden läßt.

Nicht wenige von ihnen verdanken dem Kopfjäger ihren Job, mancher sogar die ganze Karriere. Dieter Rickert zum Beispiel, einer der wenigen verbliebenen Einzelkämpfer in der von internationalen Agenturen wie Korn/Ferry International, Heidrick & Struggles, Spencer Stuart oder Egon Zehnder International dominierten Headhunter-Branche, brachte Gerhard Cromme zu Krupp, Jürgen Richter zum

Axel-Springer-Verlag und Hartmut Mehdorn zur Heidelberger Druckmaschinen AG. Der passionierte Sammler von Oldtimern und alten Uhren, um einen flotten Spruch nie verlegen, gilt als Paradiesvogel in der verschwiegenen Zunft, in der schon die Angabe des eigenen Namens einem Geheimnisverrat gleichkommt. Als er sich 1998 von seinem langjährigen Partner Hubert Johannsmann im Streit um die Verteilung der Honorare trennte, tönte er: »Ich jage am liebsten Haifische und Barrakudas, mein Kompagnon betreut die Abteilung Schellfisch und Büsumer Krabben.« Prompt giftete der zurück: »Rickert verkauft den Kunden oft stinkenden Fisch als 1a-Ware.«
Ungewollt offenbarten die beiden verfeindeten »Berater«, wie sie ihre Kundschaft sehen, nämlich als Beute der eine, als leichtverderbliche Handelsware der andere. Und offenbar hat keiner unserer großmächtigen Wirtschaftslenker Hemmungen, solchen Koryphäen als Geschäftsgrundlage zu dienen.
Ihrer Gier nach dem Erfolg opfern die Manager häufig nicht nur ihr Privatleben mitsamt der Familie, sondern auch ihre Selbstachtung. Und dann brauchen sie den Berater nicht bloß für den Jobwechsel, sondern auch fürs Überleben. Management-Coachs zählen seit ein paar Jahren zur gefragtesten Spezies der Personalberater. Sie sind – meistens – studierte Psychologen und dienen gestreßten Führungskräften gegen Honorar als Seelentröster, Sparringspartner und Erfolgstrainer in einem. Genauso wie Box-Champions, Tennis-Profis, Ski-Asse und Formel-Eins-Piloten psychischer Betreuung bedürfen, wenn es mal

wieder nicht so richtig geklappt hat, suchen auch immer mehr Firmenlenker seelischen Beistand. Weil jedoch keiner von ihnen, zumindest nach außen hin, eine Schwäche zugeben will, deklarieren sie ihren »Shrink« offiziell gern als Strategie-, Kommunikations- oder auch als PR-Berater. In Wahrheit aber brauchen sie jemanden, bei dem sie gefahrlos ihren Seelenschrott abladen können.

Das leise Gefühl der Überforderung

Der Coach soll ihnen wieder den Sinn des täglichen Rattenrennens ins Bewußtsein rufen, das lädierte Selbstbewußtsein aufrichten und soziale Defizite – etwa im Umgang mit Mitarbeitern, Kollegen oder Vorgesetzten – auffüllen helfen. Die meisten Topmanager, bestätigt der Coach Manfred Kets de Vries, der an der Managementschule Insead in Fontainebleau bei Paris Vorlesungen hält, »leiden an dem leisen Gefühl der Überforderung«. Dem begegnet der Psychoanalytiker mit speziellen Kursen für Spitzenmanager – Kostenpunkt um die 30 000 Mark –, in denen er seinen Klienten beizubringen versucht, wie sie mit ihren Schwächen fertig werden können. Auch in Deutschland bieten sich allerlei Personal- und Unternehmensberater wie Psychotherapeuten der zahlungskraftigen Klientel als Coachs an: »Die Assistenz in grundsätzlichen Lebensfragen ist auf dem besten Weg, sich als Dienstleistung für die oberen Führungskräfte zu etablieren«, bestätigt das *Manager-Magazin* und nennt als Beispiel die Frankfurter Beraterin Margarethe Schmidt-Sonntag, die ihren Job als Führungskraft beim Computerhersteller

Widerstandskämpfer

Welche Vorstände wenig – und welche viel Geld für Berater ausgeben

TOPS		*FLOPS*	
Martin Kohlhaussen	Commerzbank	Jürgen E. Schrempp	DaimlerChrysler
Ferdinand Piëch	VW	Dietmar Kuhnt	RWE
Klaus G. Lederer	Deutsche Babcock	Ulrich Hartmann	Veba
Ron Sommer	Deutsche Telekom	Jürgen Dormann	Hoechst
Erwin Conradi	Metro	Gerhard Cromme	Thyssen-Krupp

Hewlett Packard aufgab und seitdem als »Dialogpartner« frühere Kollegen aus dem Management von Banken und Industriefirmen betreut. »Sie haben alles«, wundert sich die Lebensberaterin über ihre hochrangigen Klienten, »nur ein eigenes, selbstbestimmtes Leben, das haben sie nicht.«

12. Kapitel

Managerparade

Wie gut sind sie nun wirklich, die deutschen Manager? Eine so eindeutige Klassifizierung wie vor sieben Jahren wäre heute nicht mehr seriös. Zwar gibt es nach wie vor jede Menge »Nieten in Nadelstreifen«, doch es zeigen sich auch erstaunliche Erfolge.
In diesem Kapitel will ich den Versuch wagen, die Leistungen deutscher Topmanager mit Schulnoten (von eins bis sechs) zu bewerten. Die Note eins wird für wahrhaft unternehmerische Leistungen vergeben, also für den Mut zum Risiko, für innovatives Denken, die Stärkung der Wettbewerbsfähigkeit und, wichtigster Punkt, die Leistungsbereitschaft der Mitarbeiter. Note sechs erhält, wer Managerkünste nur darstellt, anstatt sie auszuüben.
Klar: Managementleistungen sind heutzutage fast immer das Ergebnis von Gruppenarbeit, doch der Spitzenmann einer Gruppe bestimmt nun mal die Richtung und das Tempo, und deshalb muß er auch den Kopf hinhalten. Die Auswahl ist willkürlich, die Bewertung subjektiv: Die im

folgenden dargestellten 25 Topmanager wurden ausgesucht, weil sie durch gute wie schlechte Leistungen auffielen, gleichgültig, ob sie großen oder weniger großen Unternehmen vorstehen (oder vorgestanden haben). Ihre Noten erhalten sie nicht bloß für die zu verantwortenden Geschäftsergebnisse, sondern auch für den Schwierigkeitsgrad, unter dem diese zu erzielen waren, wie für die Methoden, mit denen sie erreicht wurden.

1. **Binder, Heinrich (Philipp Holzmann)**

Kein leichter Job, den der Mann im September 1997 antrat, denn Deutschlands größter Baukonzern war durch ein beispielloses Mißmanagement unter den ehemaligen Vorstandsvorsitzenden Hermann Becker und Lothar Mayer tief in die roten Zahlen gerutscht. Binnen drei Jahren verlor der Konzern durch Fehlspekulationen, mangelnde Kontrolle und Betrügereien leitender Angestellter rund 3 Milliarden Mark. Dennoch ließ der Jurist Binder, der bei der Metallgesellschaft unter ihrem umstrittenen Chef Heinz Schimmelbusch Karriere gemacht und dann den Automobilzulieferer Kolbenschmidt in Neckarsulm saniert hatte, die Verursacher der Misere mit einem blauen Auge davonkommen. Zwar stellte er bei der Hauptversammlung 1998 die Entlastung von vier Vorstandsmitgliedern »zurück«, doch forderte er weder Schadenersatz, noch zog er strafrechtliche Konsequenzen. Auch bei der Sanierung des Konzerns erwies er sich in mancher Hinsicht als zu weich und zu langsam, doch immerhin sind jetzt bei Philipp Holzmann fast wieder normale Verhältnisse eingekehrt.

Note: drei

2. **Boening, Dieter (Postbank)**

Eigentlich sollte der zu 100 Prozent dem Bund gehörende und seit 1995 als AG firmierende Postableger längst privatisiert sein. Daß es dazu nicht kam, ist dem Vorstand anzulasten, denn der verstand es bis heute nicht, der Postbank ein tragfähiges Konzept zu verpassen. Seit Dieter Boening im Juli 1997 seinen glücklosen Vorgänger Günther Schneider im Chefsessel ablöste, geht es noch steiler bergab. Die Kunden laufen davon, der Unternehmenswert sinkt, und im operativen Geschäft türmen sich die Verluste. Der in der Bilanz 1998 ausgewiesene Überschuß wurde nicht verdient, sondern durch Auflösung von Rücklagen erzielt. Obwohl die Postbank ihre Leistungen viel zu teuer erbringt, sieht der Chef bislang keinen Grund, bei sich selber zu sparen. Allein die VIP-Lounge, die er in der Köln-Arena auf Kosten seines Hauses angemietet hat, kostet im Jahr 280 000 Mark. Der Finanzminister sollte seinen teuren Angestellten schleunigst entlassen und ihn durch einen fähigeren Mann ersetzen.

Note: fünf

3. **Breuer, Rolf E. (Deutsche Bank)**

Wer den Mund voll nimmt, muß schlucken können. An ihren Ambitionen gemessen, sind die Vorstände von Deutschlands größtem Geldhaus ziemlich arme Schlucker. Vieles ist ihnen danebengegangen in den letzten Jahren, und das hing wohl damit zusammen, daß sie sich stets ein bißchen mehr zutrauten, als sie zu leisten vermochten. So stolperte die unermeßlich reiche, immer noch ziemlich mächtige Bank von einer Krise in die andere. Ihre Vorstände versagten als Aufsichtsräte bei Daimler-Benz ebenso wie bei der Metallgesellschaft, bei KHD und bei Philipp

Holzmann. Sie konnten nicht verhindern, daß sie von dem Milliarden-Pleitier Jürgen Schneider genauso blamiert wurden wie von ihren teuren Angestellten in der Londoner City. Auch wenn das Image der Bank mehr Schaden litt als ihr Vermögen, hinterließ die beispiellose Pannenserie tiefe Spuren im Selbstwertgefühl der 76 000 Bankmitarbeiter.

Auch die Börse traut den Frankfurter Geldherren, die einst den Aktienmarkt beherrscht hatten, nicht mehr allzuviel zu. Der Kurs ihrer Aktie hinkt dem Index hinterher, und der Börsenwert liegt kaum höher als der Substanzwert. Das heißt: Die Börsianer bewerten das gesamte Bankgeschäft der »Deutschen« praktisch mit Null. Nach der Bilanzsumme ist das Frankfurter Geldhaus zwar die Nummer 1 weltweit, nach seinem Börsenwert aber nur die Nummer 14, und das wirft kein gutes Licht auf die Managementqualitäten des Vorstands.

Es mag unfair erscheinen, den erst seit 20. Mai 1997 amtierenden Bankchef für den Niedergang seines Hauses verantwortlich zu machen, doch Rolf E. Breuer verkörpert wie kaum ein zweiter Deutschbankier Geist und Größenwahn des mächtigsten Geldhauses der Nation. Sein gesamtes Berufsleben brachte der 1937 in Bonn geborene Jurist in der Deutschen Bank zu, seit 1985 sitzt er im Vorstand, und brav hat der langjährige Leiter der Börsenabteilung die stets im Konsens getroffenen Entscheidungen seiner Kollegen abgenickt, auch die falschen. Zwar hebt sich der immer wohlgebräunt und betont gutgelaunt auftretende Rheinländer wohltuend von seinem ungelenken Vorgänger Hilmar »Peanuts« Kopper ab, den der Würzburger Bankwirtschaftsprofessor Ekkehard Wenger einst nicht ohne Grund als den »unfähigsten Manager, der in der Nachkriegsgeschichte an der Spitze einer deutschen Großbank gestanden ist«, schmähte, doch ist er bisher den Beweis schuldig geblieben, daß er fähiger ist als dieser. Er hat schnell aus der Hüfte geschossen, das Morgan-Grenfell-Debakel bereinigt, die Industriebeteiligungen steuergünstig ausgelagert und das Filialgeschäft mit der Bank 24 zusammengelegt, und dann hat er sich auch noch den Bankers Trust gegriffen – alles mit dem Ziel, seinem internen Rivalen Carl-Ludwig von Boehm-Bezing und der gesamten Branche zu beweisen, daß er zu Recht zur Nummer 1 gekürt wurde. Dem gleichen Zweck dient offenbar auch das Großreinemachen im Bankvorstand, dem zuletzt Jürgen Krumnow zum Opfer fiel. Breuer lastete dem fürs Controlling zuständigen Kollegen das heillose Durcheinander im Zahlenwerk der Bank an, die nach undementierten Insiderberichten mit einer Art »Taschenbuchhaltung« geführt wird.

Weil die Bank nach dem Abgang zahlreicher Spitzenmanager in der Kopper-Ära nicht mehr über genügend eigene Talente verfügte, mußte sie sich Verstärkung von außen holen. Von der Credit Suisse kam der fürs globale Geschäft zuständige Josef Ackermann in den Vorstand, den Krumnow-Nachfolger Thomas R. Fischer holte sich Breuer von der Landesgirokasse Stuttgart, und zum Chef der lebenswichtigen Datenverarbeitung machte er Hermann-Josef Lamberti, bis dato Deutschlandstatthalter des Computerkonzerns IBM. Der neue Boß hat also gewirbelt, gemacht und getan, doch an den Sinn der hektischen Aktivitäten mochten bisher weder die Aktionäre noch die Mitarbeiter glauben. Nach wie vor dümpelt der Börsenkurs vor sich hin, und die Headhunter umschwirren die Frankfurter Zwillingstürme der Deutschen Bank wie Schmeißfliegen einen wehrlosen Riesen.

Note: vier

4. **Conradi, Erwin (Metro)**

Kaum jemand kennt den Vorstandsvorsitzenden des größten europäischen Handelskonzerns – er heißt derzeit (Stand: Mai 1999) Hans-Joachim Körber –, denn auf dieser Position hatten die Namen ein kürzeres Verfallsdatum als manche Artikel im Metro-Sortiment. Sie zu speichern war auch nicht wichtig, denn das Sagen hatte allezeit nur einer: der Aufsichtsratsvorsitzende und Vorstandsvorsitzende der Metro-Holding im schweizerischen Steuerparadies Zug. Die Metro ist im wesentlichen sein Werk, auch wenn die Kapitalmehrheit beim Gründer Otto Beisheim und den Geldgeberfamilien Haniel und Schmidt-Ruthenbeck liegt.

An der Lebensleistung eines Mannes herumzumäkeln, der in 30 Jahren einen Konzern mit zuletzt fast 100 Milliarden Mark Umsatz auf die Beine stellte, mag vermessen erscheinen. Doch die Metro gehört zu etwa 45 Prozent freien Aktionären, und deshalb muß sich Erwin Conradi auch Kritik gefallen lassen, wenn seine Geschäftspolitik die Interessen dieser Anteilseigner verletzt. Da er seine Topmanager auswechselte wie Schachfiguren, bleibt die Verantwortung für kostspielige Fehlentscheidungen denn auch an ihm hängen. Insgesamt addieren sich die Verluste, für die Conradi zumindest mitverantwortlich ist, auf rund 4 Milliarden Mark.

Das Geld ging verloren bei Investments in Firmen wie Pelikan, Adia, Kaufhalle, Praktiker, Möbel-Unger, Oppermann oder Vita. Je unübersichtlicher sich die Geschäfte des krakenhaften Handelsriesen entwickelten, der mittlerweile Hunderte von Tochtergesellschaften in aller Welt besitzt, desto tiefer sank die Trefferquote des ebenso bewunderten wie gefürchteten Konzernbaumeisters. Hatte er zunächst beinahe wahllos zugegriffen, wo immer sich ein Handelsunternehmen zum Kauf anbot, so schlug er 1998 plötzlich den Rückwärtsgang ein und trennte sich auf einen Schlag von Computer-, Mode- und Schuhmärkten mit insgesamt 23 000 Beschäftigten. Kaum war der Aderlaß verkraftet, hielt der unersättliche Aufkäufer schon wieder Ausschau nach neuer Beute. Die Branche spekulierte über den Einstieg bei der Konkurrenz von Aldi wie beim französischen Handels-Primus Carrefour. Egal, wo Conradi letztlich zuschlägt, entscheidend ist, daß er es nicht verstand, dem zusammengekauften Handelsimperium eine eigene Identität zu geben.

Nicht untypisch für den Umgang mit seinen Führungskräften ist wohl die Art, wie er den ehemaligen Vorstandsvorsitzenden Wolfgang Urban abservierte, der ihm seither an der Spitze des zum Quelle-Imperium gehörenden Karstadt-Konzerns die Stirn bietet. Aus Zorn über dessen Wechsel zur Konkurrenz bezichtigte Conradi seinen ranghöchsten Angestellten in mehreren Briefen der Lüge, des Spesenbetrugs und der Kompetenzüberschreitung.

Kein Wunder, daß in der Metro nicht jene Begeisterung herrscht wie beim großen US-Konkurrenten Wal-Mart, der seit 1998 nach der Übernahme von 21 Wertkauf-Filialen und 74 Interspar-Märkten mit seiner Invasion des europäischen Marktes begonnen hat. Während sich die Wal-Mart-Mitarbeiter durchwegs als Mitglieder einer dem Kundennutzen verpflichteten Großfamilie sehen, fehlt den Kollegen von der Metro bis heute eine einheitliche Firmenphilosophie, und das ist bei diesem Oberboß, der pro Jahr um die 10 Millionen verdient, wohl auch kein Wunder.

Note: drei

5. **Cromme, Gerhard (Thyssen-Krupp)**

»Hammer und Thor« hieß das Codewort, unter dem der damalige Krupp-Chef die Kaperung des fast doppelt so großen Konkurrenten Thyssen vorbereitete. Das Manöver mißlang, aber am Ende blieb der gescheiterte Eroberer dennoch Sieger. Zusammen mit dem Thyssen-Manager Ekkehard Schulz steuert Gerhard Cromme inzwischen Europas größten Stahlkonzern, und zumindest nach außen hin wirkt er als der eigentliche Chef. Der Machtmensch aus dem Kohlenpott hat bisher noch alle geschafft: den eisenharten Sanierer Kajo Neukirchen bei Hoesch ebenso wie seinen Duzfreund Dieter Vogel bei Thyssen. Wirkungslos prallten an seinem Studentengesicht die rohen Eier ab, die empörte Stahlwerker nach ihm warfen, als er die Krupp-Schmelze in Rheinhausen dichtmachte, und ebensowenig beeindruckt zeigte er sich von den Protestaktionen gegen seine Fusionspläne. Er ist ein Mann, dem man alles zutraut, den Verrat des Freundes wie die Sanierung eines Konzerns. Ein fähiger Manager zweifellos, jedoch keiner, mit dem man zusammenarbeiten möchte.

Note: zwei

6. **Deuss, Walter (Karstadt)**

Er hat sie alle überlebt, der Dinosaurier der deutschen Warenhausszene: den Aufsichtsratsvorsitzenden Guido Sandler, der ihn schon im März 1997 feuern wollte, ebenso wie seinen designierten Nachfolger Klaus Eierhoff, der inzwischen wieder bei Bertelsmann arbeitet; auch den Angriff der Hamburger WCM-Gruppe um den Immobilien- und Steuerexperten Karl Ehlerding und die Übernahme durch die Fürther Schickedanz-Gruppe (Versandhaus Quelle) überstand er ziemlich unbeschadet.

Als Überlebenskünstler ist der Zigarillos paffende Jurist einsame Klasse, als Chef des Karstadt-Konzerns aber macht er eine eher klägliche Figur. Seit Jahren leidet das traditionsreiche Warenhausunternehmen an schleichender Auszehrung, und daran ist Walter Deuss nicht unschuldig. Anstatt die Trends im Geschäft mit der launischen Kundschaft selbst zu bestimmen oder sie wenigstens frühzeitig aufzuspüren, hechelt ihnen Oldtimer Deuss meist viel zu spät hinterher. Bis zuletzt fand er kein Konzept gegen den Angriff der Billigmärkte und Einkaufszentren, dafür pflegte er mit Hingabe sein persönliches Beziehungsnetz zu den Mächtigen der deutschen Wirtschaft, das ihm in kritischen Situationen immer wieder über die Runden half.

Note: vier

7. **Frenzel, Michael (Preussag)**

Neben Jürgen Dormann von Hoechst gilt der Preussag-Chef als Prototyp des modernen Konzernlenkers, dem es völlig egal ist, welche Art von Geschäften er betreibt, Hauptsache, sie bringen Gewinn und Wachstum. Binnen weniger Jahre machte der Jurist Michael Frenzel, der sein Handwerk als Verwalter der Beteiligungen bei der Westdeutschen Landesbank gelernt hat, aus dem einstigen Energie- und Stahlkonzern ein Tourismus-Unternehmen. Doch so geradlinig und zielorientiert, wie Frenzel das heute gerne darstellt, verlief der Wechsel von der ausgereizten und ertragsschwachen Schwerindustrie hin zum wachstumsträchtigsten Dienstleistungsbereich mitnichten. Zuerst nämlich wollte der Konzernbastler mit den Telefonfirmen Hagenuk und Talkline groß ins Telekommunikations-Geschäft einsteigen, und erst nachdem dies nicht so recht geklappt hatte, griff er zu, als ihm sein früherer Chef Friedel Neuber den Einstieg beim Ferienflieger Hapag-Lloyd ermöglichte, der wiederum an Deutschlands größtem Reiseveranstalter TUI ein wichtiges Aktienpaket hielt. Auch wenn Zufälle wie dieser hinterher gerne als strategische Meisterleistung ausgegeben werden, so gebührt Frenzel zumindest das Verdienst, schnell und entschlossen gehandelt zu haben. Verbindlich im Ton, hart in der Sache, fackelte er nicht lange, wenn seine Konzernmanager die vereinbarten Ziele verfehlten oder ihn mit getürkten Zahlen hinters Licht zu führen versuchten.

Note: zwei

8. **Funk, Joachim (Mannesmann)**

Zwar ist sein Nachfolger Klaus Esser bereits seit dem 28. Mai 1999 im Amt, doch die Mannesmann-Bilanz wird geprägt von der Handschrift Joachim Funks. Als der langjährige Finanzchef des traditionsreichen Ruhrkonzerns seinen vorzeitig zurückgetretenen Chef Werner Dieter 1994 beerbte, da waren die Weichen bereits richtig gestellt. Dieter hatte mit Hans-Peter Mihatsch den richtigen Mann auf die richtige Branche angesetzt: die Telekommunikation. Die Mannesmann-Mobilfunk-Tochter D2 entwikkelte sich so prächtig, daß sie zuletzt mehr Gewinn machte als alle übrigen Konzernteile zusammen.

Doch Funk zeigte schnell, daß er mehr war als nur der Verwalter eines wohlbestellten Erbhofs. So konsequent, wie er intern seine Machtposition festigte – als Shooting-Star Mihatsch zu hohe Forderungen stellte, mußte er gehen –, so zielsicher baute Finanzmann Funk das Telekom-Geschäft aus. Schnell entschlossen nahm er dem RWE und der Veba deren glücklose Telefontochter

Otelo schuldenfrei ab und schnürte sie mit seiner eigenen Festnetztochter Arcor zu einem leistungsfähigen Verbund zusammen. Für 10 Milliarden Mark will der einstige Röhrenkonzern weitere Telefonnetze aufkaufen, so in Italien und in Großbritannien. Gleichzeitig versuchte Funk, das defizitäre Röhrengeschäft loszuwerden, und auch den Anlagenbauer Demag stellte er zur Disposition. Hätte er bei der Restrukturierung oder dem Verkauf der unrentablen Konzernteile mehr Erfolg gehabt, wäre ihm die Note »sehr gut« sicher gewesen.

Note: zwei

9. **Grünberg, Hubertus von (Conti)**
Wie man aus einem scheinbar hoffnungslosen Fall eine Erfolgsstory macht, das bewies in Hannover ein Typ, der so gar nicht ins Raster der deutschen Managerköpfe paßte. Hubertus von Grünberg, studierter Physiker und Absolvent der berühmten Harvard-Business-School, hatte das Führungshandwerk beim US-Konzern ITT in Auburn Hills gelernt, ehe ihn der Deutschbankier Ulrich Weiss, der dem Conti-Aufsichtsrat vorstand, als Trouble-Shooter an die Leine holte. Der Reifenhersteller steckte nach dem gescheiterten Übernahmeversuch durch den italienischen Konkurrenten Pirelli und hohen Verlusten bei der zu teuer eingekauften US-Tochter General Tire tief im Morast, und Greenhorn Grünberg mußte erst einmal die Gemüter beruhigen, Frieden mit Pirelli schließen und Zuversicht in die nähere Zukunft wecken, ehe er ans Aufräumen, Rationalisieren und Bereinigen gehen konnte. Dann kam die Phase der Innovationen, der neuen Produkte, der Zukäufe und der Verjüngung seiner Führungsmannschaft. Alles klappte beinahe programmgemäß, und

der notorische Verlustbringer Conti fuhr als Systemlieferant der Autoindustrie (Reifen, Bremsen, Anlasser etc.) mit Vollgas in die schwarzen Zahlen. Doch auf dem Gipfel des Erfolgs stieg der Harley-Davidson-Fahrer völlig überraschend aus dem Sattel. Nach acht Conti-Jahren überließ er am 1. Juni 1999 »aus persönlichen Gründen« seinem Nachfolger Stephan Kessel das Steuer. Sein Aufsichtsratsposten läßt Grünberg seither mehr Zeit für das, was er lieber macht als managen: Kontrabaß spielen und sich mit den neuesten Erkenntnissen der Physiker beschäftigen.

Note: eins

10. **Haller, Helmut (Schiesser)**

Noch einer, der den Turnaround schaffte. Als der Österreicher Helmut Haller im Juli 1996 in Radolfzell antrat, da übernahm er von seinem Vorgänger Beat Kaufmann eine Wäschemarke, für die die Konkurrenz nur Spott übrig hatte: »Nur Spießer tragen Schiesser.« Den Wettbewerbern sind die Witze inzwischen vergangen, denn die Feinrippstricker vom Bodensee haben eine Masche gefunden, die beim Publikum immer besser ankommt. Mit kessen Sprüchen (»Für'n Po und nicht für'n Arsch«) und einem flotten Design und neuen Produkten rückte Marketing-Profi Haller, der sein Handwerk bei der Hemdenfirma Seidensticker gelernt hatte, die verstaubte Wäschemarke ins Blickfeld junger, kaufkräftiger Zielgruppen, die sonst eher zu Designer-Labels wie Joop, Gucci oder Calvin Klein gegriffen hatten. Nur einer von fünf Schiesser-Vorständen überlebte die Radikalkur, die dem mittelständischen Familienunternehmen in der schwäbischen Provinz wachsende Marktanteile und Gewinne bescherte.

Note: zwei

11. **Hartmann, Ulrich (Veba)**

Natürlich ist es ungleich schwieriger, ein so verzweigtes Riesengebilde wie die Veba gut zu regieren, als einen überschaubaren Mittelstandsbetrieb. Doch wer in der Oberliga spielt, muß sich an seinen Ergebnissen messen lassen, und die sind im Fall des Ulrich Hartmann nicht berauschend. Solange er noch von den Vorlagen seines 1993 bei einem Skiunfall ums Leben gekommenen Vorgängers Klaus Piltz profitierte, konnte er Jahr für Jahr steigende Gewinne vorweisen und sich von den Bankanalysten als »Mister Shareholder-Value« feiern lassen. Doch schon seit geraumer Zeit stimmt nichts mehr im viertgrößten deutschen Industriekonzern, der 1998 rund 83 Milliarden Mark umsetzte.

Erst erschütterten die Bestechungs- und Korruptionsskandale bei der Immobilien-Tochter die heile Veba-Welt, dann machte die gemeinsam mit dem RWE betriebene Telefontochter, schlecht gestartet und miserabel gemanagt, Milliardenverluste, und schließlich geriet auch noch der als Hoffnungsträger für den Elektronikbereich eingekaufte Wafer-Hersteller MEMC in den USA mit rund 700 Millionen Mark Jahresverlust in Schieflage. »Wir haben zu viele Baustellen gleichzeitig«, stöhnte der gestreßte Konzernlenker.

Doch anstatt seinem unübersichtlichen Gemischtwarenladen ein straffes Korsett zu verpassen, überließ er die Entwicklung weitgehend dem Zufall. Wollte er noch 1998 die Veba auf die drei Säulen Energie, Chemie und Telekommunikation stellen, so war ein Jahr später schon wieder alles anders. Nach dem Otelo-Notverkauf an Mannesmann stehen auch die restlichen Telekom-Aktivitäten des Konzerns zur Disposition, und Hartmann will jetzt nur noch auf den Ausbau der Stammgeschäfte im Energie-

und Chemiebereich setzen. Alles übrige, darunter der gigantische Immobilienbestand und das milliardenschwere Ölgeschäft (Aral), steht auf der Prüfliste. Die Tochter Raab-Karcher soll, wie schon zuvor ihre Schwester Stinnes, verselbständigt und an die Börse gebracht werden.

Das Großreinemachen hätte zweifellos Vorteile, wenn es denn konsequent zu Ende geführt würde. Kenner des Juristen Hartmann, dessen Vater bereits Veba-Chef war und der sich als Büroleiter des 1989 verstorbenen Konzernpatriarchen Rudolf von Bennigsen-Foerder die Karriereleiter hochdiente, bezweifeln, daß er dazu die Kraft hat.

Note: vier

12. **Hecker, Rainer (Loewe)**

Mit den Gewinnen des Kronacher TV-Geräte-Herstellers ist es noch nicht weit her, doch in der von Preiskämpfen gebeutelten Branche zählt schon ein verlustloser Abschluß als Erfolg. Tatsächlich haben die Loewe-Manager um ihren Vorsitzenden Rainer Hecker buchstäblich wie die Löwen kämpfen müssen, um gegen Giganten wie Sony, Philips oder Grundig bestehen zu können. Und sie haben ihre Sache nicht schlecht gemacht, denn mit einem Marktanteil von über 10 Prozent sind sie der viertgrößte Anbieter von Fernsehgeräten in Deutschland.

Nachdem Vorbesitzer wie Philips, Matsushita und BMW bei Loewe ausgestiegen waren, übernahm der damalige Geschäftsführer Helmut Ricke (der später Chef der Telekom wurde) zusammen mit Rainer Hecker und zwei weiteren Kollegen in dem bis dato größten Management-Buy-Out der Nachkriegszeit die Aktienmehrheit. Das Engagement, für das sich die Manager privat bis an die Leistungsgrenze verschulden mußten, hat sich gelohnt, denn der geplante Börsengang spült genug Geld in die Taschen der Anteilseigner, um die Kredite abzutragen und die Innovationskraft der Firma zu stärken. Mit flottem Design und pfiffigen Ideen will Hecker dem dänischen Konkurrenten Bang & Olufsen das hochpreisige Marktsegment streitig machen. Gelingt ihm dies, hat er eine noch bessere Bewertung verdient.

Note: zwei

13. **Kohlhaussen, Martin (Commerzbank)**
Ganz verschonte das in der Geldbranche grassierende Fusionsfieber auch ihn nicht, doch anders als manche seiner Kollegen behielt der Pfarrerssohn aus Marburg stets einen kühlen Kopf. Weil ihm die geforderten Preise zu hoch waren, paßte er beim Poker um die Briten-Banken Warburg und Barings, und auch die österreichische Creditanstalt überließ er schließlich der Bank Austria. Um seine Unabhängigkeit zu erhalten und kostspielige Fehler zu vermeiden, nahm Kohlhaussen in Kauf, daß die Commerzbank in den Ranglisten der europäischen Finanzinstitute immer weiter zurückfiel, doch das hat ihr bisher nicht geschadet.
Im Gegenteil: Sie wurde weder in Skandale verwickelt wie die Dresdner, noch landete sie Flops wie die Deutsche, und sie leistete sich auch keine Führungskrise wie die HypoVereinsbank. Dafür schockte sie die Konkurrenz immer wieder mit originellen Einfällen wie dem Online-Ableger Comdirect oder eigenen Bankshops in Supermärkten, ebenso mit innovativen Produkten wie Geldmarkt- oder Garantie-Fonds.
Während seine Kollegen von der Deutschen wie der Dresdner beim Ankauf britischer Investment-Banken viel Geld verloren,

ließ Martin Kohlhaussen eine eigene kopfstarke Truppe erfahrener Wertpapierhändler an der Themse rekrutieren. Auch im internationalen Geschäft ging er seine eigenen Wege, und statt mit einer US-Bank kooperiert er lieber mit dem italienischen Versicherungsriesen Generali und seiner deutschen Tochter AMB. So verdient sich der einst als »Heiliger Sankt Martin« verspottete Commerzbanker eine befriedigende Note.

Note: drei

14. **Kuhnt, Dietmar (RWE)**

Seltsam, daß Topmanager immer erst so richtig wach werden, wenn die Verlängerung ihres Vertrags zur Debatte steht. Besonders kuschelig haben es sich die Bosse des größten deutschen Energieversorgers eingerichtet, da ihnen ja, so meinten sie, auch im Schlaf nichts passieren könne. Seit die Liberalisierung des Strommarkts jedoch beschlossene Sache ist, herrscht in der Essener RWE-Zentrale plötzlich Hochspannung. Die einzelnen Geschäftsfelder des Energieriesen, in den fetten Jahren des Strommonopols hinzugekauft und häufig ohne tieferen Bezug zum Stammgeschäft, kamen auf den Prüfstand – und fanden wenig Gnade in den Augen des Vorsitzenden. Kein Konzernbereich schaffte auch nur entfernt den Wertbeitrag der Stromsparte, die meisten vernichteten sogar Kapital (Ausnahme: der Bereich Mineral/Chemie mit der Marke DEA).

Ein Armutszeugnis für den elfköpfigen RWE-Vorstand und seinen Vorsitzenden Dietmar Kuhnt, der, kaum daß sein Vertrag verlängert worden war, den starken Mann herauskehrte: Bis zu seinem Ausscheiden im Jahr 2002 will er nicht nur 4500 Leute freisetzen, sondern auch die Struktur verschlanken und die Effizienz erhöhen. So sollen die Töchter DEA (Tankstellen) und Rheinbraun (Braunkohle und Bergbau) ihre Selbständigkeit verlieren und unter das Dach der RWE-Energie AG geschoben werden. Aus dem Herzstück seines Konzerns will Kuhnt offenbar einen weltweit operierenden »integrierten Energiekonzern« machen. Die Floskel erinnert an den »integrierten Technologiekonzern« des gescheiterten Daimler-Chefs Edzard Reuter, und es ist wohl kein Zufall, daß mit Manfred Remmel ein ehemaliger Daimler-Manager an die Spitze dieses Geschäftsbereichs gehievt wurde. Schade nur, daß RWE-Oldtimer Kuhnt erst so spät entdeckt, was managen heißt.

Note: vier

15. **Louis-Dreyfus, Robert (Adidas)**

Ein bißchen von der Art, wie der in der Schweiz lebende Franzose seine deutschen Geschäfte steuert, wäre allen unseren Managern zu wünschen. Robert Louis-Dreyfus, der Selfmade-Milliardär aus schwerreichem Haus, ist zweifellos einer der ungewöhnlichsten und erfolgreichsten Firmenlenker der Gegenwart. Aus dem heruntergekommenen, beinahe bankrotten Sportschuhhersteller aus Herzogenaurach machte er binnen weniger Jahre wieder ein höchst profitables Weltunternehmen.

Mehr noch als die erstaunliche Verbesserung der Zahlen – in sechs Dreyfus-Jahren schoß der Umsatz von 2,5 auf 9,9 Milliarden Mark hoch, der Gewinn explodierte sogar in nur drei Jahren von 14 auf 465 Millionen Mark – imponiert die Art, wie er den Turnaround zustande brachte. Harvard-Schüler Louis-Dreyfus, der zuvor die ins Schlingern geratene weltgrößte Werbeagentur Saatchi & Saatchi in London saniert hatte, erkannte nicht nur das

Potential, das in der Marke Adidas steckte, sondern auch jenes in den Köpfen seiner Mitarbeiter. Wie er dieses brachliegende Potential nutzte, stellt der deutschen Management-Kultur kein gutes Zeugnis aus: »An meinem ersten Arbeitstag stapelten sich Papiere auf meinem Schreibtisch«, erinnerte er sich später mit leisem Schaudern, »jeden Kleinkram mußte ich abzeichnen. Furchtbar. Das habe ich praktisch am ersten Tag beendet.« Statt mit Papierkram und der genauen Definition von Aufgaben beschäftigte sich der stets leger gekleidete und locker auftretende Adidas-Boß mit den Stärken und Schwächen seines Unternehmens und seiner Leute.

Heute verfügt der Sportartikel-Konzern in der fränkischen Provinz über das internationalste Management aller deutschen Unternehmen – im neunköpfigen Vorstand sitzen nur noch zwei Einheimische – und gilt mit seiner extrem dezentralen Führung, der flachen Hierarchie und den über die ganze Welt verteilten Stützpunkten als Prototyp eines virtuellen Unternehmens. Nur ein Fehler stört die ansonsten makellose Bilanz des Vorzeigeunternehmers: Auch Louis-Dreyfus unterschätzte die Probleme, die der Ankauf einer fremden Firma mit sich bringt. Als er die im Ski- und Golfgeschäft besonders starke französische Sportmarke Salomon übernahm, machte er die gleichen Fehler wie BMW beim Rover-Kauf. Er zahlte einen zu hohen Preis und trieb die Integration nicht schnell und konsequent genug voran.

Note: zwei

16. **Ludewig, Johannes (Deutsche Bahn)**

So schlecht wie das Image der Bahn kann der Mann an ihrer Spitze wohl kaum sein. Der Ex-Beamte Ludewig gilt allen, die mit ihm näher zu tun hatten, als intelligent, pflichtbewußt und extrem arbeitsam. Doch ein richtiger Manager, auch darüber sind sich seine Freunde einig, wird er wohl nie. Sonst hätte er seinen Vorgänger und Aufsichtsratschef Heinz Dürr, der kein gutes Haar an ihm ließ, in aller Öffentlichkeit zu dem gestempelt, was er tatsächlich ist: der wahre Verursacher der Bahn-Misere.

Als der damalige Kanzler Helmut Kohl höchstselbst seinen besten Beamten auf den mit einer Million Mark Jahresgehalt dotierten Spitzenposten setzte, hätte Ludewig wissen müssen, daß den Problemen des gerade in eine AG umgewandelten Staatsunternehmens mit Verwaltungsakten nicht beizukommen war. Der Umsatz stagnierte, die Kosten waren höher als die Einnahmen, das Gerät veraltet, das Personal demotiviert und zu zahlreich. Doch zu großen Taten fehlte dem Beamten der Schwung und wohl auch die Macht.

Das Unglück in Eschede und eine endlose Folge von Pannen und Verspätungen beschleunigten den Niedergang des größten deutschen Transportkonzerns, an dessen Spitze sich die beiden Vorsitzenden von Aufsichtsrat und Vorstand in einem verbittert geführten Kleinkrieg gegenseitig demontierten. Nachdem zuerst Heinz Dürr zurücktrat, muß sein Nachfolger, der ehemalige Thyssen-Chef Dieter H. Vogel, als erstes einen neuen Vorstandsvorsitzenden suchen. Die Zeit Ludewigs ist abgelaufen.

Note: fünf

17. **Martini, Eberhard (HypoVereinsbank)**

Die Art und Weise, wie der Konflikt zwischen den beiden bayrischen Spitzenbankern Albrecht Schmidt und Eberhard Martini in der Öffentlichkeit wie hinter verschlossenen Türen ausgetragen wurde, verrät viel über den deutschen Konsens-Kapitalismus. Nicht der Verursacher der skandalösen Verluste bei der Hypo-Bank stand am Pranger, sondern derjenige, der das Desaster schonungslos aufgedeckt hatte. Verantwortlich für Verluste von insgesamt mehr als 8 Milliarden Mark, die sowohl bei leichtsinnig vergebenen Immobilienkrediten als auch bei fehlgeschlagenen Firmenengagements, etwa in der Bierbranche (Brau und Brunnen etc.) entstanden waren, ist ohne Wenn und Aber der ehemalige Vorstandsvorsitzende der Hypo-Bank Eberhard Martini. Dieser, ein jovialer, den Genüssen des Lebens nicht abgeneigter Bonvivant, hat viele Freunde und Spezln in der bayrischen Polit- und Finanzszene, doch er war ein miserabler Manager und obendrein nicht Manns genug, das Desaster auf seine Kappe zu nehmen. Sein Rücktritt ist überfällig.

Note: sechs

18. **Mecklinger, Roland (Alcatel SEL)**

Wer immer dem umtriebigen Schwaben Mecklinger begegnet, ist nach kurzer Zeit überzeugt: Hier steht ein Manager von echtem Schrot und Korn. Der Mann besitzt Charme, vermittelt den Eindruck von Tatkraft und vermag ausgezeichnet zu argumentieren. Eigenartigerweise aber zeigten sich überall, wo dieses Urbild von einem Unternehmer auftauchte, stets die gleichen Symptome: schlechte Zahlen, genervte Mitarbeiter und manche üble Nachrede gab es bei MBB wie bei Fichtel & Sachs, und auch an der Spitze vom Deutschland-Ableger des französischen Telekom-Konzerns Alcatel hat Gottfried Dutiné keine rechte Freude am Mecklinger-Nachlaß.

Kaum hatte der ehemalige Blaupunkt-Chef sein neues Amt in

Stuttgart angetreten, wurde er mit einem unerwarteten Verlust von etwa 130 Millionen Mark konfrontiert, der durch Schlamperei und Fehlentscheidungen verursacht und bis dahin sorgsam vertuscht worden war. Seinen Vorgänger konnte er dafür nicht verantwortlich machen, denn der war gleichzeitig sein neuer Chef. Roland Mecklinger leitet mittlerweile die deutsche Alcatel-Holding, zu der neben SEL die Batteriefirma Saft und die Alcatel-Kabel in Hannover gehört. Er wird wohl auch dort nicht lange bleiben.

Note: fünf

19. **Neukirchen, Karl Josef (Metallgesellschaft)**

Hätte Hollywood die Rolle eines Konzernbosses zu besetzen, müßte der Darsteller aussehen wie »Kajo« Neukirchen. Scharf der Blick, energisch das Kinn und streng die ganze Erscheinung – ein Mann für harte Fälle. Als Sanierer genoß der Ex-Boß von SKF (Kugellager), KHD (Motoren) und Hoesch (Stahl) bereits einen legendären Ruf, als ihn die Deutsche Bank 1993 nach Frankfurt beorderte, um den von Heinz Schimmelbusch mit allzu waghalsigen Rohöl-Spekulationen an den Rand der Pleite manövrierten Traditionskonzern Metallgesellschaft (MG) zu retten.

Wie nicht anders zu erwarten, schaffte der routinierte Industrie-Condottiere das Kunststück mit Hilfe großzügiger Bankkredite und eines brutalen Kapitalschnitts, der zu Lasten der Aktionäre ging, doch bei der Neuformierung der MG erwies er sich als allzu zaghafter Stratege. Mehrere geplante Zukäufe scheiterten am arroganten Auftreten des vom Erfolg verwöhnten Konzernchefs wie an seinem abgrundtiefen Mißtrauen gegenüber Bilanzen und Geschäftsberichten. So gingen ihm die Hoechst-Töchter Uhde

(Anlagenbau) und Riedel-de Haën (Feinchemikalien) ebenso durch die Lappen wie die US-Firma Novamax und der Frankfurter AGIV-Konzern, der bestens zur MG gepaßt hätte.
Statt dessen mußte sich Neukirchen mit dem teuer eingekauften Bochumer Anlagenbauer GEA begnügen, dessen Programm sich in einigen Bereichen mit der MG-Tochter Lurgi überschneidet. Für die 3 Millionen Mark im Jahr, die er bei der MG verdient, hat er solide Arbeit geleistet, doch ein Meisterstück ist bis heute nicht daraus geworden.

Note: zwei

20. **Piëch, Ferdinand (VW)**

Eigentlich ist Deutschlands bekanntester Konzernchef der Antityp eines Managers. Schon mancher Besucher, der ihm gegenübersaß, fragte sich in den langen Sprechpausen, die der Herr über 260 000 Mitarbeiter einzulegen pflegt, ob er denn aufstehen und gehen solle. Doch Ferdinand Piëch hat in Wolfsburg immer das letzte Wort. Das mußten die vielen gefeuerten VW-Manager ebenso zur Kenntnis nehmen wie die Konkurrenz. Was hat man ihm nicht schon alles vorgeworfen: Industriespionage und Vetternwirtschaft, organisatorisches Chaos und einen menschenverachtenden Führungsstil, Bilanzfälscherei und die Vergeudung von Milliarden (etwa beim Kauf von Rolls-Royce wie beim Produktionsanlauf der Modelle Golf und Passat), Größenwahn und Prestigesucht.
Auch wenn davon manches zutraf, blieb die Position des Mannes, der von sich behauptet, er sei als »Hausschwein geboren und als Wildschwein aufgewachsen«, unangreifbar. Tatsächlich vollbrachte Ferdinand Piëch eine der bemerkenswertesten Manage-

mentleistungen der neunziger Jahre. Als er Anfang 1993 den Vorstandsvorsitz übernahm, befand sich der VW-Konzern in einer desolaten Lage. Wegen der Mißwirtschaft in der Ägide des Piëch-Vorgängers Hahn verdiente das von der öffentlichen Hand wie den Gewerkschaften dominierte ehemalige Staatsunternehmen selbst dann kaum Geld, wenn die Fabriken zu 100 Prozent ausgelastet waren. Heute zählt VW zu den ertragsstärksten Automobilbauern der Welt mit einer breitgefächerten und attraktiven Modellpalette und einer höchst rationellen Produktion.

Die von Piëch eingeführte Plattformstrategie ist Vorbild für die Konkurrenz in aller Welt, und auch in der Personal- und Arbeitszeitpolitik (Vier-Tage-Woche) setzte der Wolfsburger Konzern Maßstäbe. Der ebenso sture wie erfolgsbesessene Technikfreak, der alle Produkte seines Unternehmens immer wieder probefährt und Qualitätsmängel unerbittlich ahndet, widerstand bisher der Versuchung, das weitere Wachstum des Wolfsburger Riesen durch teure Zukäufe zu beschleunigen. Die Lastwagenmarke, die ihm noch in seiner Sammlung fehlt, will er sich erst zulegen, wenn die Preise dafür wieder ein vernünftiges Maß erreicht haben.

Note: eins

21. **Pierer, Heinrich von (Siemens)**

Wollte man einen Manager beschreiben, der das genaue Gegenteil des VW-Chefs darstellt, entstünde fast zwangsläufig ein Porträt des Edelmannes, der seit Ende 1992 den deutschesten aller deutschen Konzerne regiert. Heinrich von Pierer, immer höflich und zuvorkommend, führt keine Wirtschaftskriege und zettelt keine Revolutionen an. Doch weil die Bankanalysten und Fondsmanager genau dies von ihm erwarten, halten ihn viele Wirtschaftsjournalisten für eine Fehlbesetzung. Zwar hat der einstige Tennischampion in seinem viel zu großen und zu komplizierten Unternehmen schon so manches Match gewonnen, doch der entscheidende Befreiungsschlag ist ihm bisher noch nicht gelungen. Wie Sisyphus aus der griechischen Sage müht er sich nach Kräften, die Steine, die ihm entgegenrollen, beiseite zu räumen, doch am Ende ist er keinen Schritt vorwärts gekommen. Egal, ob er mit dem Top-Programm die Produktivität zu verbessern trachtete, ob er den Vorstand verkleinerte und die Geschäftsbereiche neu ordnete, ob er Chip-Fabriken stillegte oder ganze Produktionsbereiche ausgliederte – das Ergebnis blieb trotz aller Kraftakte stets nur durchschnittlich.

Immer wieder wird der auf den sozialen Konsens bedachte Jurist mit Jack Welch verglichen, der mit General Electric Jahr für Jahr eine Kapitalrendite von mehr als 20 Prozent erzielt, während es Siemens nicht mal auf die Hälfte bringt. Um wenigstens das selbstgesteckte Ziel von 15 Prozent zu erreichen, müßte Heinrich von Pierer nicht nur seine Manieren vergessen, sondern sich der in 150 Jahren gewachsenen Siemens-Kultur entledigen. Und das ist von dem wohlerzogenen Herrn in der bonbonfarbenen Konzernzentrale am Wittelsbacher Platz zu München nicht zu erwarten. Er sollte bald in den Aufsichtsrat überwechseln und das Tagesgeschäft seinem jungen Finanzvorstand Heinz-Joachim Neubürger überlassen.

Note: vier

22. **Schneider, Manfred (Bayer)**

Wie man einen Traditionskonzern mit breitem Produktspektrum gewinnbringend zu führen vermag, könnte Heinrich von Pierer in

Leverkusen lernen, wo der Chicagoer Star-Architekt Helmut Jahn gerade den neuen Firmensitz des Bayer-Konzerns hochzieht. Dort wird Manfred Schneider einziehen, der den über 136 Jahre alten Chemie-Multi seit April 1992 regiert und Jahr für Jahr immer neue Rekordergebnisse abliefert. Anders als sein Kollege Jürgen Dormann von Hoechst, sah Schneider keinen Sinn darin, seinen Gemischtwarenladen, in dem Arznei- und Düngemittel, Kunststoffe und Chemikalien hergestellt werden, zu zerschlagen. Statt dessen optimierte er in einem permanenten Umstrukturierungsprozeß das Portfolio und sorgte mit hohen Aufwendungen für Forschung und Entwicklung dafür, daß er stets genügend innovative Produkte in der Pipeline hatte. So kaufte er in den USA Biotech- und Diagnosefirmen, während er sich gleichzeitig von ausgereizten Geschäftsfeldern (Zitronensäure, Chrom, Silikone etc.) löste und die Tochter Agfa an die Börse brachte.

Entscheidend aber war wohl seine kluge Personalpolitik, die in dem Bekenntnis gipfelte: »Wer die besten Mitarbeiter hat, der gewinnt den Wettbewerb.« Für gute Leute war er allzeit bereit, überdurchschnittliche Gehälter zu bezahlen, doch hält er nichts vom Sicherheitsdenken der deutschen Führungskräfte: »Ich bin kein Freund von lang laufenden Verträgen. Wir sollten das Doppelte oder das Dreifache zahlen und im Gegenzug einen kurzfristigen Vertrag geben ... denn eine ›falsche‹ Personalauswahl kann Schlimmeres anrichten als eine Fehlinvestition.« Sein Erfolg beweist, daß der Mann recht hat.

Note: zwei

23. **Sommer, Ron (Deutsche Telekom)**

Welche Verwirrung die Großtat des Jürgen Schrempp in den Köpfen deutscher Manager angerichtet hat, läßt sich am besten beim Sunnyboy der Telekombranche beobachten. Ron Sommer, der smarte Verkäufer, möchte um jeden Preis als großer Stratege gelten. Deshalb wischte er alle Bedenken beiseite, als ihn sein italienischer Kollege Franco Bernabé zu Hilfe rief. Hatte er zuvor noch von einem transatlantischen Merger mit einer großen US-Telefongesellschaft wie Sprint, Cable & Wireless, Bell South oder Bell Atlantic geträumt, so schien ihm jetzt plötzlich die Fusion mit der Telecom Italia das vordringlichste Anliegen zu sein. Weil die Gelegenheit günstig schien, beschlossen Sommer und seine Vorstandskollegen binnen weniger Wochen den größten und folgenschwersten Firmenzusammenschluß in der europäischen Nachkriegsgeschichte, bevor sie überhaupt Gelegenheit hatten, den potentiellen Partner gründlich zu durchleuchten. Der ehemalige Deutschland-Statthalter des japanischen Unterhaltungskonzerns Sony riskierte den Bruch mit dem langjährigen Kooperationspartner France Telecom und nahm in Kauf, daß ihn seine Geschäftspartner im italienisch-französisch-deutschen Gemeinschaftsunternehmen Wind, das der Telecom Italia Konkurrenz machen wollte, mit hohen Konventionalstrafen belegen würden. All dies riskierte Ron Sommer für ein höchst zweifelhaftes Manöver, ohne zu wissen, ob es denn überhaupt zustande kommen würde. Denn noch war nicht entschieden, ob die italienische Telefongesellschaft als Partner überhaupt zur Verfügung stand und nicht in den Armen des Eroberers Olivetti landen würde. Ein bißchen viel Vabanquespiel für einen großen Strategen, der als Aktienverkäufer zweifellos Format besitzt. Auch im eigenen

Haus ist der Chef nicht unumstritten, nachdem binnen eines Jahres sechs der ranghöchsten zwölf Telekom-Manager das Weite suchten. Sommers Größenwahn und seine sprunghafte, schlecht durchdachte Partnersuche lassen wenig Gutes für die Zukunft des lila Riesen erwarten.

Note: vier

24. **Weber, Jürgen (Lufthansa)**

Als der gebürtige Badenser im September 1991 den Steuerknüppel in der Kölner Lufthansa-Zentrale übernahm, da mußte er zunächst den Crash-Kurs stoppen, für den sein Vorgänger Heinz Ruhnau verantwortlich war. Der Belegschaft verordnete er rigide Sparprogramme, unrentable Strecken überließ er der Konkurrenz und sicherte sich übers Code-Sharing Buchungsprovisionen, während er gleichzeitig durch Kooperationen mit anderen Airlines (Star-Allianz) für ein wachsendes Passagieraufkommen sorgte. Prompt setzte der Kurs der Lufthansa-Aktie zum Höhenflug an, und Jürgen Weber wäre als rundum erfolgreicher Manager zu feiern, wenn er denn ein wenig mehr an seine Kunden gedacht hätte. Während ihm die Lufthanseaten (vor allem die Piloten) üppige Gehälter abtrotzten und er die Aktionäre mit Dividenden und Kursgewinnen verwöhnte, durften sich die »Paxe« in immer dichter bestuhlte Kabinen zwängen und über verspätete Abflüge ärgern. Nicht selten mußten sie auch am Boden bleiben, weil die erfolgverwöhnte Airline häufig mehr Buchungen entgegennahm, als Sitzplätze zur Verfügung standen. Auch Webers Tarifpolitik verärgerte die Kundschaft, denn während er sich auf vielbeflogenen Strecken (zum Beispiel über den Nordatlantik) dem niedrigeren Preisniveau der Konkurrenz anpaßte, zockte er überall da gnadenlos ab, wo es ihm gelungen war, die Konkurrenz fernzuhalten. Dennoch hat der Diplom-Ingenieur, intern »der Rechner« genannt, seine Sache nicht schlecht gemacht.

Note: zwei

25. **Wiedeking, Wendelin (Porsche)**

Eigentlich wollte Ferdinand Piëch, dessen Familie knapp die Hälfte der stimmberechtigten Porsche-Aktien besitzt, den damaligen BMW-Entwicklungschef Wolfgang Reitzle Anfang der neunziger Jahre zum Porsche-Lenker machen, und nur weil der von BMW nicht loskam, entschieden sich die Familienstämme Porsche und Piëch für das »Hausgewächs« Wendelin Wiedeking. Sie mußten es nicht bereuen, denn der knochentrockene Produktionstechniker entwickelte sich zum angeblich »besten Auto-Manager Deutschlands«. Den Ehrentitel verpaßte ihm in einer Stunde des Überschwangs sein Mentor Piëch, und der versteht bekanntlich etwas von der Materie. Inzwischen freilich ist der Titel wieder vakant, denn Wiedeking hat es mit der Rationalisierung beim kleinsten deutschen Autobauer etwas übertrieben. Die geringe Fertigungstiefe von nur noch 20 Prozent macht Porsche extrem abhängig von den Zulieferern, und das bekamen die Zuffenhausener bereits deutlich zu spüren. Qualitätsprobleme und gelegentliche Produktionsausfälle sorgten für Ärger bei der Klientel. Dabei hatten die Porsche-Verkäufer ohnehin schon viel Überzeugungsarbeit zu leisten, wenn sie einem Kunden erklären mußten, warum ihr teures Boxster-Modell im fernen Finnland bei einer unbekannten Firma namens Valmet und nicht in Stuttgart-Zuffenhausen hergestellt wird. Noch kniffliger wird die Aufgabe bei dem neuen Geländefahrzeug (Projektname: Colorado),

das bei weitgehend identischer Technik mal als VW, mal (mit einem stattlichen Preisaufschlag) als Porsche verkauft werden soll, obwohl beide Varianten voraussichtlich in derselben Fabrik vom Band rollen werden.
Doch so problematisch sein überzogener Rentabilitätskurs auch sein mag – von Wendelin Wiedeking wird man noch hören. Entweder übernimmt der Porsche-Pilot eines Tages das Steuer des VW-Konzerns von seinem Mentor Piëch – oder er macht sich einen Spaß daraus, Deutschlands schlafmützige Politiker und Manager noch mehr zu ärgern als bisher. Engagiert wie kaum einer seiner Standeskollegen, bezog der finanziell von Porsche unabhängige Topmanager – zusammen mit seinem Bruder besitzt er eine Gruppe von Immobilienfirmen – öffentlich Stellung, wann immer er Fehlentwicklungen zu bemerken glaubte. Mal rüffelte er den Kanzler (»So kann, so darf man keinen Staat führen«), mal geißelte er die ganze Regierung (»Die Steuerreform ist eine Lachnummer«), mal legte er sich mit der Benzinbranche an (»Die Autoindustrie darf keine Mark Subventionen mehr erhalten«). Gut gebrüllt, Wiedeking, doch paß auf, wenn das Imperium zurückschlägt.

Note: zwei

13. Kapitel

Schönen Gruß, Herr Dormann

VW-Lenker Ferdinand Piëch ist, zusammen mit dem zurückgetretenen Conti-Chef Hubertus von Grünberg, der Sieger in unserem Manager-Ranking. Nach den in diesem Buch zugrunde gelegten Kriterien konnte er die meisten Pluspunkte verbuchen, doch als Prototyp für den Manager von morgen taugt er wenig. In Zukunft werden, wenn die einschlägigen Gurus recht behalten, ganz andere Eigenschaften gefragt sein als jene, die dem Enkel des Käfer-Konstrukteurs Ferdinand Porsche zum Erfolg verhalfen.
Vordenker der amerikanischen Manager-Kaste wie der Stanford-Professor Jerry Porras, die Unternehmensberater John P. Kotter und Tom Peters oder Altmeister Peter F. Drucker sehen in dem idealen Chef von morgen vor allem einen großen Kommunikator. Der »Leader« soll »Visionen« entwickeln und durch seine Person, sein Auftreten, seine rhetorische Begabung Mitarbeiter wie Kunden begeistern. Ferdinand Piëch hingegen, als Kind ein Legastheniker, wird von seinem obersten Öffentlichkeitsar-

beiter Klaus Kocks von den Medien ferngehalten. Der Konzernchef spricht quälend langsam, macht endlose Pausen und ist alles andere als eine Stimmungskanone. Und dennoch prägte er das Image des Wolfsburger Riesen mehr als jeder andere Boß seit Heinz Nordhoff selig.
Möglich also, daß es auf »die Verkaufe« allein gar nicht ankommt. Vermutlich werden auch in Zukunft Mitarbeiter, Kunden und Geschäftspartner eines Unternehmens sehr wohl in der Lage sein zu beurteilen, ob ein Manager das ist, was er zu sein vorgibt. Schauspieler und Laiendarsteller werden, auch wenn sie noch so begabt sind, ziemlich schnell durchschaut. Einem »Urgestein« wie Piëch hingegen sieht man Marotten und Schwächen nach, weil der Mann beinahe alles hat, was der Konzern braucht: technischen Sachverstand wie wirtschaftlichen Instinkt und den unbedingten Willen, mit allen Widrigkeiten fertig zu werden.

Das Geheimnis des langfristigen Erfolgs

Interessant sind in diesem Zusammenhang die Ergebnisse einer beinahe sechs Jahre dauernden Untersuchung von James Collins und Jerry Porras: Die Stanford-Professoren wollten herausfinden, was die wahrhaft erfolgreichen Unternehmen besser machen als die anderen. Sie befragten 700 CEOs (Vorstandsvorsitzende) von US-Unternehmen der verschiedensten Branchen und Größenordnungen und konzentrierten sich dann schließlich auf 18 »visionäre« Firmen, die über Jahrzehnte hinweg überdurchschnittliche Ergebnisse erzielten: Konzerne wie Ford, IBM, General Electric, Philip Morris, Procter & Gamble oder Wal-Mart. Das Erfolgsgeheimnis der dauerhaften »Outperformer« bestand nach Porras im ihren jeweiligen Chefs. Und das waren durchwegs keine charismatischen »Visionäre«, sondern eher Leute, die sich durch Bescheidenheit auszeichneten. Weil sie glaubwürdig waren, vermochten sie gute Mitarbeiter an sich zu binden – und das ist wohl die wichtigste Fähigkeit, die ein Manager auch in Zukunft benötigen wird.

Ein charismatischer Chef wie Lee Iacocca hingegen vermochte zwar den Autokonzern Chrysler vor dem Bankrott zu retten, aber er hinterließ weder eine intakte Führungsmannschaft noch eine spezifische Unternehmenskultur. Kein Wunder, daß Chrysler seine Identitätskrise durch eine Fusion mit dem Daimler-Konzern zu bewältigen versuchte.

Die wahrhaft und dauerhaft erfolgreichen Firmen zeichnen sich dadurch aus, daß sie sich Chefs suchen, die den spezifischen »Geist des Hauses« glaubhaft verkörpern, ohne aber vom Geist ihres jeweiligen Chefs abhängig zu werden. Jedes der von Porras untersuchten »visionären« Unternehmen hat sich ein paar »Kernwerte« auf die Fahnen geschrieben wie »Qualität« (der Produkte), »Ehrlichkeit« (gegenüber Kunden und Mitarbeitern) oder »Kundenorientierung«.

Darüber hinaus gibt es in allen Spitzenfirmen den »Drang nach Fortschritt«, das Bestreben der Mitarbeiter, die Dinge besser zu machen, Prozesse zu optimieren, neue Bedürfnisse der Kunden zu entdecken, Märkte zu besetzen.

Zur Überraschung des Stanford-Professors spielte die Steigerung des Shareholder-Values in keiner der untersuchten Spitzenfirmen eine zentrale Rolle. Sie wurde als angenehme Begleiterscheinung des Markterfolgs empfunden, war aber nie das Ziel der unternehmerischen Aktivitäten.

Manager powern ihre Firmen aus

Zu ähnlichen Erkenntnissen kam die Unternehmensberatung Mercer International, als sie die Erfolgsfaktoren von Firmen wie Microsoft, Hewlett Packard, Gore-Tex, Würth oder Bertelsmann herauszufinden versuchte. Auch hier stießen die Forscher auf immaterielle Werte wie »Sendungsbewußtsein« oder »Wachstums-Ideologie«. Mercer-Vizepräsident Rainer G. Nehls: »Diese Firmen haben eine an Sekten erinnernde Verfassung mit starken ideologischen Komponenten.«

Manchmal zeigt sich der »Geist« eines solchen Powerhauses an Äußerlichkeiten wie dem morgendlichen Gelöbnis der Wal-Mart-Mitarbeiter, für die Kunden ihr Bestes zu geben, oder dem ekstatischen Jubel auf den Microsoft-Meetings, manchmal entdeckt man ihn erst im Gespräch, etwa mit begeisterten Bertelsmännern oder in den leuchtenden Augen wortkarger Mercedes-Konstrukteure. Hier wird der Stolz deutlich, einer Gemeinschaft erfolgreicher Menschen anzugehören, hier artikuliert sich die Gewißheit, eine wichtige Aufgabe zu erfüllen.

Das langfristige Überleben, nicht erst seit Beginn der jüngsten Fusionswelle ein schwer zu erreichendes Unternehmensziel, fordert vom Management eine permanente Gratwanderung zwischen Anpassung und Beharrung. Dies ist

die Erkenntnis des ehemaligen Shell-Managers Arie de Geus, der in seinem Buch *Jenseits der Ökonomie* der Frage nachging, warum es so wenige Firmen schafften, Jahrhunderte zu überdauern, obwohl sie über scheinbar unerschöpfliche Ressourcen verfügten. Die 500 größten multinationalen Konzerne der Welt haben nämlich nur eine durchschnittliche Lebenserwartung von etwa 40 bis 50 Jahren, während Firmen wie der schwedische Stora-Konzern, die japanische Sumitomo-Gruppe oder die deutsche Firma Faber-Castell seit ein paar hundert Jahren erfolgreich sind.
Wenn de Geus recht hat, dann haben die meisten Konzernchefs der Gegenwart nicht begriffen, worauf es ankommt. Nicht die größtmögliche Rentabilität sichert das Überleben und auch schiere Größe ist keine Garantie gegen den baldigen Untergang. Nur die ständige Anpassung an die politischen, gesellschaftlichen und wirtschaftlichen Verhältnisse hilft dem Unternehmen über die Runden, vorausgesetzt, es verfügt über einen »Kern«, ein Bewußtsein seiner eigenen Identität. Die schwedische Firma Stora zum Beispiel unterhielt ursprünglich ein Kupferbergwerk, wechselte zur Holzverwertung, stieg in die Eisenverhüttung ein, betrieb Wasserkraftwerke, wandte sich dann der Herstellung von Papier und Zellstoff zu und ist mittlerweile auch in der Chemie engagiert. Und über die Jahrhunderte hinweg bewahrte sich der Konzern, zu dem auch Deutschlands größter Papiererzeuger – die ehemalige Feldmühle AG – gehört, seine eigene »Corporate Identity«.
Die ausschließlich an hohen Renditen und der schnellen

Steigerung des Shareholder-Values orientierte Geschäftspolitik der heutigen Managergeneration führt nach de Geus geradewegs zum Untergang. Sie powert die Firmen aus, vernichtet das Potential der Mitarbeiter und verhindert die erforderlichen Anpassungsprozesse. Für die gegenwärtigen Kurzfrist-Strategen bedeuten ihre Firmen offenbar keinen Wert an sich, den es zu bewahren und vorsichtig zu mehren gilt, sondern lediglich Vehikel zur Beförderung ihrer Karrieren. Die Firmen sollten sich ihrer deshalb so schnell wie möglich entledigen.

Die Kultur der Selbständigkeit

Weil sich das Wirtschaftsgeschehen ständig beschleunigt, etwa durch die moderne Informationstechnologie, wächst der Anpassungsdruck. Die Fähigkeit, blitzschnell auf veränderte Bedingungen zu reagieren, wird immer mehr zum entscheidenden Erfolgsfaktor. Dies begünstigt eine Unternehmensform, der nach Ansicht von Fachleuten wie Hans-Jürgen Warnecke von der Fraunhofer-Gesellschaft die Zukunft gehört: Die virtuelle Firma ist kein vollständiges Unternehmen mehr, sondern nur noch dessen Kopf. Die ausführenden Organe – Produktion, Vertrieb und Kundendienst – mietet sie nach Bedarf dort an, wo sie am günstigsten zu bekommen sind, und entläßt sie aus dem Vertrag, sobald der Auftrag abgewickelt, das Produkt ausgereizt ist. So braucht das virtuelle Unternehmen kein schweres Paket aus Soziallasten mit sich zu schleppen, es muß nicht für die Auslastung seiner Kapazitäten sorgen und kann sogar den Fängen der Steuerbehörden entgehen. Fragt sich nur, woher die Kaufkraft der Konsumenten kommen soll, wenn sich alle Firmen auf diese Weise ihrer gesellschaftlichen Verantwortung zu entziehen versuchen.

Wie effizient solche Firmen operieren können, demonstrierten in Deutschland Robert Louis-Dreyfus mit der Sportmarke Adidas, die mittlerweile kaum mehr ist als ein Design- und Marketingbüro, oder der ehemalige Karstadt-Manager Wolfgang Momberger mit der Wiederbelebung der HiFi- und TV-Marke Dual. In den USA überrollte der Computerverkäufer Michael Dell mit einem virtuellen Netzwerk die gesamte Konkurrenz, und in Großbritannien macht der Multi-Unternehmer Richard Branson mit dem Virgin-Label (Musik, Video, Hotels, Airline etc.) auf ähnliche Weise lukrative Geschäfte. Schon beginnen Auto- und Chemiekonzerne, Bekleidungs- und Spielwarenhersteller, Banken und Finanzdienstleister, sich zu »virtualisieren«, das heißt, sie entledigen sich ihres kostspieligen Fixkosten-Apparates, lassen die eigentliche Arbeit von anderen ausführen und beschränken sich auf die Entwicklung und den Vertrieb, womöglich übers Internet.

Für die Mitarbeiter hat das natürlich Konsequenzen. Die lebenslange Anstellung bei einem Arbeitgeber wird es künftig nur noch für Beamte geben, die private Wirtschaft setzt auf den »flexiblen Menschen«. Und der wird den Fehdehandschuh, den ihm die Manager hingeworfen haben, aufheben und versuchen, das Beste aus der Situation zu machen. Das heißt: Gute Leute mit Talenten, die am Arbeitsmarkt gefragt sind, werden sich selbst vermarkten. Sie machen ihre Mitarbeit von der Höhe des Honorars ebenso abhängig wie vom Reiz der Aufgabe und vom Ruf des Auftraggebers. Vor allem lassen sie sich nicht domestizieren. Manager haben keine Macht mehr über die neuen Selbständigen. Den angestellten Firmenlenkern bleiben, wenn sie denn ihre Dominanzgelüste befriedigen wollen, allenfalls die Durchschnittlichen erhalten.

Reif für einen Wechsel

Setzt sich die Kultur der Selbständigkeit durch, geht die Hoch-Zeit der Manager sowieso zu Ende. Ihre Zahl schrumpft schon seit Beginn der Restrukturierungswelle, und wenn die Konzerne weiter Ballast abwerfen, trifft es auch die Firstclass-Angestellten in den komfortablen Büros. Virtuelle Firmen wie Adidas oder Virgin kommen mit wenigen Entscheidern aus; sie brauchen keine kopfstarken Führungskader, weil es nichts mehr zu führen gibt. Statt dessen sind wieder Entrepreneure gefragt, Unternehmertypen, die auf eigene Faust Geschäfte machen. Mehr denn je wird der wirtschaftliche Erfolg von Kreativität, Organisationstalent und Durchsetzungsfähigkeit abhängen, von Fähigkeiten also, die in den aufgeblähten Konzernverwaltungen der Vergangenheit nicht gerade häufig vorkamen. Die Zukunft der ausgemusterten Führungskräfte sieht deshalb eher unfreundlich aus.

Die Topmanager indes geraten immer mehr unter die Knute der Investoren. Da sie das Schicksal ihrer Firmen von ständig steigenden Gewinnen abhängig gemacht haben, dürfte ihr Machtrausch bald einem bösen Katzenjammer weichen. Wo paranoide »Successoholics« Richtung und

Tempo bestimmen, sind Massenkarambolagen unausweichlich. Die Bosse müssen lernen, den Verlockungen des Kapitalmarkts zu widerstehen. Denn eines Tages werden auch die Investoren begreifen, daß es besser ist, zehn Jahre lang 10 Prozent Gewinn zu machen, als in einem Jahr 50 Prozent und im nächsten alles zu verlieren.

»Change Manager«, die um der Veränderung willen das wertvollste Kapital ihrer Firmen wegwerfen, nämlich das Vertrauen ihrer Mitarbeiter, sind selbst reif für einen Wechsel. Schönen Gruß, Herr Dormann.

Literatur

Adams, Scott: *Das Dilbert-Prinzip,* Landsberg 1997

Assig, Dorothea/Beck, Andrea: *Frauen revolutionieren die Arbeitswelt*, München 1996

Block, Peter: *Entfesselte Mitarbeiter*, Stuttgart 1997

Drosdek, Andreas: *Die Visionen der deutschen Unternehmen*, Freiburg 1998

Etzioni, Amitai: *Die Verantwortungsgesellschaft,* Frankfurt a. M., New York 1997

Faust, Michael/Jauch, Peter/Brünnecke, Karin/Deutschmann, Christoph: *Dezentralisierung von Unternehmen*, München 1994

Geus, Arie de: *Jenseits der Ökonomie,* Stuttgart 1998

Giarini, Orio/Liedtke, Patrick M.: *Wie wir arbeiten werden*, Hamburg 1998

Goebel, Johannes/Clermont, Christoph: *Die Tugend der Orientierungslosigkeit,* Berlin 1997

Goeudevert, Daniel: *Wie ein Vogel im Aquarium,* Berlin 1996

Goleman, Daniel: *Emotionale Intelligenz,* München 1996

Grässlin, Jürgen: *Jürgen E. Schrempp,* München 1998

Handy, Charles: *Im Bauch der Organisation,* Frankfurt a. M. 1993

Heber, Harald (Hrsg): *Change-Management*, Graz 1999

Hesse, Jürgen/Schrader, Hans Ch.: *Die Neurosen des Chefs,* Frankfurt a. M. 1992

Imai, Masaaki: *Gemba Kaizen*, München 1997

Kadritzke, Ulf (Hrsg.): *Unternehmenskulturen unter Druck*, Berlin 1997

Knipp, Thomas: *Der Machtkampf*, München 1998
Kotter, John P.: *Chaos, Wandel, Führung,* Düsseldorf 1997
Potthof, Hermann: *Führungskräfte im Wandel der Firmenkultur*, Berlin 1997
Reiss, Michael/Rosenstiel, Lutz von, Lanz, Annette (Hrsg.): *Change Management*, Stuttgart 1997
Reuter, Edzard, *Schein und Wirklichkeit,* Berlin 1998
Schnetzer, Ronald: *Business Process Reengineering – in 24 Schritten verstanden*, Herzogenrath 1998
Schütz, Dirk: *Der Fall der UBS*, Zürich 1998
Sennett, Richard, *Der flexible Mensch,* Berlin 1998
Slywotzky Adrian/Morrison, David/Andelman, Bob: *Die Gewinn-Zone*, Landsberg 1998
Wrede-Grischkat, Rosemarie: *Manieren und Karriere*, Wiesbaden 1992

Ferner wurden Informationen aus folgenden Publikationen verwendet:
Bilanz, Bilanzanalysen deutscher Aktiengesellschaften, Börse online, Börsenzeitung, Business Week, Capital, Das Parlament, Das Wertpapier, Der Aktionär, Der Spiegel, Die Produktion, Die Welt, Die Woche, Die Zeit, Facts, Financial Times, Focus, Forbes, Fortune, Frankfurter Allgemeine Zeitung, Frankfurter Rundschau, Handelsblatt, Harvard Business Manager, Management & Seminar, Manager-Magazin, Stern, Stuttgarter Zeitung, Süddeutsche Zeitung, Taz, Textilwirtschaft, The Wallstreet Journal, Time, Trendletter, VDI-Nachrichten, Welt am Sonntag, Wirtschaftswoche

Register

Henning Schulte-Noelle

Der mächtigste Manager Deutschlands verdient bei der Allianz weniger als ihm zusteht.

Ron Sommer

Ohne seine italienische Braut steht der Freier von der Deutschen Telekom ohne Hosen da.

Jürgen E. Schrempp

Ein Meister im Karrierespiel zeigt bei DaimlerChrysler, wie man Niederlagen in Siege verwandelt.

Robert Louis-Dreyfus

Den Deutschen mit Adidas vorgemacht, wie gut eine virtuelle Firma funktionieren kann.

Karl Josef Neukirchen

Mit einem völlig neuen Konzern hat der Chef der Metallgesellschaft das Prestige der Deutschen Bank gerettet.

Ulrich Hartmann

Betrug und Selbstbedienung in der Veba, dem größten Gemischtwarenladen der Nation.